Die Geschichte spielt in der Fiktion eines realen Ortes.
So wie die Schnulzenfilme im ZDF, die in Nairobi spielen.
Oder wie Karl May (nicht) unterwegs war.
Jede Ähnlichkeit mit lebenden und realen Bürger-
meistern, Brauereien, Landwirtschaftserzeugnissen,
Gaststätten, Geistlichen, Arbeiterparteien, kulturellen
Eigenheiten, Wahlkampfslogans, Kapellen, Studentenver-
bindungen, ALDIs oder Internetcafés ist unbeabsichtigt
und besteht höchstens rein zufällig.

D1202479

Mama, ich will auf die Stadtteilschule.«

Die Schlieren am Fenster des französischen Kleinbusses waren orange von der Nachmittagssonne. Fatou verpasste ihrer Tochter Yesim ein Kopfschütteln via Rückspiegel. Der reggaefarbene Wunderbaum schaukelte.

»Sammel doch schon mal deine Höhle zusammen.«

Vom Rücksitz war Rascheln zu hören – Yesim kämpfte gegen ihren Sitzgurt. Eine leere Packung Ramen-Nudeln, ungekocht gegessen, Sudoku-Heftchen, glitzernde Sticker, Leuchtstifte, Kekse und ein Comicheft mit Nagellack-Beilage wurden verstaut.

»Die Krümel bitte auch.«

»Jaha!« Yesim sah ihrer Mutter durch den Rückspiegel ins Gesicht. Fatou konzentrierte sich auf die Straße. Sie hatte immer die Hände am Lenkrad und gestikulierte selten. Sicherheit ging vor. Ein Auto war kein Wohnzimmer. Allerdings sah es im Moment wie eines aus. Es fehlten nur ein Gummibaum und Gardinen.

Sie drehte den Oldie im Radio lauter, ein Hit aus ihrer Kindheit, den sie schon ewig nicht mehr gehört hatte, »Live to tell«. Begeistert stimmte sie mit ein.

»Mama, du singst schief.«

»Ja und?«, sagte Fatou. »Madonna kann auch nicht wirklich singen.«

Yesim sah sie fragend an.

»Madonna«, wiederholte Fatou in den Rückspiegel. »Von der das Lied ist, das gerade läuft. Als ich in deinem Alter war, war sie die berühmteste Sängerin überhaupt. Dass sie nicht besonders gut singen konnte, hat niemanden interessiert.«

»Werd doch auch als Sängerin berühmt«, sagte Yesim, »dann bist du die Schwarze Madonna.«

Fatou musste so lachen, dass sie schlagartig auf vierzig Stundenkilometer herunter bremste. Wenn sie groß war, würde sie einmal so scharfzüngig werden wie ihre Tochter, nahm sie sich vor. Sie nahm einen Schluck von der warmen Brühe aus der Wasserflasche. Es war eine anstrengende Fahrt gewesen. Der Holzperlen-Sitzbehang bohrte sich mehr in ihren Rücken, als dass er massierte.

»Kann ich jetzt das Fenster aufmachen?«, fragte Yesim.

»Ja. Schau, wir sind schon fast im Voralpenland. Ich zeig dir alles.«

Yesim betrachtete die Kühe, die grauen Bauernhöfe und die gelben Rapsfelder zwischen Industriehöfen und McDonald's.

Fatou erinnerte sich an die Fahrradausflüge ihrer Kindheit. Wenn es regnete, erschienen über den Feldern gleich mehrere Regenbögen. Wenn sie genau hinsah und die Luft klar und ruhig war, konnte sie in der Ferne die Silhouette der Berge sehen, ein Hintergrund in hellgrauen Wasserfarben.

An Tagen, an denen es föhnig war, eine bestimmte Konstellation aus fernem Gebirgswind und naher trockener Luft, bekamen die wetterempfindlichen Menschen Kopfschmerzen. Migräne gab es in Oberbayern nicht, sondern Kopfweh. Es gab dort auch keine Alpen, sondern die Berge. Keine Kühe, sondern Vieh. Keine Frauen, die Sandra oder Jasmin hießen, sondern die Huber Sani und die Moser

Minni. Die Leute hier hielten sich nicht mit Kleinigkeiten auf, sondern sahen direkt das Große und Ganze.

»Wenn ich auf die Stadtteilschule darf, werde ich später nicht eingebildet. Bitte, Mama.«

Fatou runzelte die Stirn. »Wo hast du so einen Quatsch her?«

Yesim räumte mit beleidigtem Gesichtsausdruck Bonbonpapiere zusammen. Fatou fand, dass sie in der Sonne wie Gold glänzte.

»Normal, Mama!«, sagte Yesim genervt. »Am Gymnasium sind nur Eingebildete, die spielen dann Hockey und so. Alle meine Freundinnen gehen auf die Stadtteilschule.«

»Alle deine Freundinnen wohnen in Hamburg, und ihr könnt euch jeden Tag sehen, auch wenn ihr auf verschiedene Schulen geht.«

Yesim gab einen Laut der Empörung von sich. »Hast du vergessen, wie das beim Orientierungstag war?«

Fatou hatte es nicht vergessen. Sie hatte das ungute Gefühl, angestarrt zu werden, ertragen, weil es sie getroffen hatte und nicht Yesim, und weil es nicht von den anderen Kindern, sondern von den Erwachsenen ausgegangen war. »Ich fand die Kinder eigentlich nett«, sagte sie. »Die haben sich doch ganz normal benommen.«

Yesim ruckelte an ihrem Gurt, um sich weiter vorzubeugen. »Und als die Frau mit dem Fragebogen so fies getan hat ›Fall, das ist ja sooo ein ungewöhnlicher Name, kannst du den schon buchstabiiieren? Wo kommt denn der Name heeer?‹«

Auch daran erinnerte Fatou sich. Mit solchen Irritationen würde Yesim an allen Orten umgehen müssen, an denen sie neu war, ob an dieser Schule oder an einer anderen. Vielleicht würde es ihren Enkelkindern erspart bleiben.

»Mama, weißt du noch, was ich gesagt habe? ›Buchstabieren von deutschen Hauptwörtern haben wir aber schon in der Grundschule gelernt‹, hab ich der gesagt. Wie die so getan hat, als ob sie ein normales deutsches Wort nicht schreiben kann, wenn ich's ihr nicht buchstabiere, F-A-L-L, was ist daran denn bitte schwer?«

Fatou bemerkte einen Schweißfilm, den ihre Handflächen am Lenkrad gebildet hatten. »Das hast du gut gemacht«, sagte sie. »Ich schätze, sie war verwirrt, weil einfach nicht viele Leute so mit Nachnamen heißen.«

»Ich weiß, dass das ein westafrikanischer Name ist und nicht nur ein deutsches Wort«, sagte Yesim. »Aber das geht die nix an.« Sie blickte trotzig drein. »Nur weil du früher nicht auf dem Gymnasium warst, muss ich da jetzt hin, oder was? Das ist ungerecht.«

Fatou strich sich mit der Hand über die Augen. Dann erinnerte sie sich daran, dass sie auf der Autobahn waren. Wie sollte sie nur ihrem elfjährigen einzigen Kind erklären, dass es wichtig war, dass sie die beste Ausbildung bekam? Das konnte sie jetzt vielleicht noch nicht verstehen, aber später würde sie ihr sehr dankbar sein. *Um Gottes Willen, mein Kopf hört sich an wie Tante Rosa*, dachte sie.

»Glaubst du, ich nehm dann Drogen oder was, nur weil ich auf der Stadtteilschule bin?«

Aus dieser Kombinationsgabe und Hartnäckigkeit sollte Yesim unbedingt etwas machen. Sie könnte Rechtsanwältin werden oder sogar Richterin. Oder Forensikerin. Bis es jedoch so weit war, würde diese Fähigkeit in erster Linie ihre Mutter zur Weißglut bringen.

Fatou riskierte einen kurzen Blick in den Spiegel an der Sonnenblende. Ihr geglätteter Pony war zugleich spröde und ölig. Die Hitze war zu viel gewesen für *Lateesha's*

Zero-Frizz-Strong-Hold-Pomade, etwas davon bildete mit dem Schweiß auf ihrer Stirn einen Film. Mit dem Rest ihres Gesichts war sie einverstanden. Mit sehr dezenten Wangenknochen hatte sie sich schon lange abgefunden – nicht jede konnte Angela Bassett sein –, dafür gehörte ihren Lippen die ganze Show. Sie waren braun und von einer natürlichen dunkleren Linie umrahmt. Make-up benutzte sie nur im Winter, wenn ihre Haut Gefahr lief, ungemütliche Grüntöne zu entwickeln. Ihre Wimpern waren auch ohne Schminke dicht genug. Fatou fand, dass sie aussah wie eine fünf Jahre ältere Version von Jennifer Hudson minus Hollywood-Visagist. Sie lächelte sich kurz zu, wie sie es vor vielen Jahren einmal in einem Selbstakzeptanz-Ratgeber gelesen hatte.

»Mama!«

Schnell konzentrierte sie sich wieder auf die Straße.

»Yesim, schau. Ich bin gerade arbeitslos, weil ich kein Abitur habe. Wenn ich studiert hätte, hätte ich schon was Neues gefunden.«

Und müsste nicht womöglich kellnern oder putzen, dachte sie. Diese beiden Berufe hatte sie sich geschworen, niemals auszuüben. Sie waren einfach zu nah an dem, was von ihr *erwartet* wurde.

Fatou kontrollierte im Rückspiegel, ob ihre Botschaft angekommen war. Sie bezweifelte es. Yesim sah genervt aus dem Fenster. Natürlich waren ihr Zukunftsängste fern. Fatou war auch immer darauf bedacht gewesen, sie von existenziellen Sorgen nichts mitbekommen zu lassen. Dass kurz vor ihrer Abreise die letzte Mahnung der Stromrechnung angekommen war und sie keine Ahnung hatte, wie sie das bezahlen sollte, behielt sie für sich. Wenn sie nicht stark war und vermittelte, dass sie jede Herausforderung des Lebens bezwingen konnte, würde Yesim womöglich ihren Halt verlieren, das Vertrauen in ihre Mutter und damit das Vertrauen, dass auch sie selbst einmal alles schaffen konnte. Das durfte nie passieren. Yesim sollte nie so in der Luft hängen, voller Zweifel und voller Fragen ohne Antworten, wie es Fatou als Kind ergangen war. Fatou hatte ihre Ziehtante Hortensia immer geliebt und liebte sie auch heute noch. Gegen das Gefühl, von der eigenen Mutter im Stich gelassen worden zu sein, war aber nicht einmal die Stabilität der enorm stabilen Tanten angekommen. *Meinem Kind soll es besser gehen als mir*, war Fatous erster Gedanke gewesen, als sie erfahren hatte, dass sie schwanger war. Yesim sollte immer wissen, wer und was sie genau war, und welchen Platz sie auf der Welt hatte. Seit es sie gab, hatte Fatou für sich selbst zumindest auf zwei dieser Fragen eine Antwort: Sie war Yesims Mutter und ihre Aufgabe lag darin, das so gut wie möglich zu machen. Dazu gehörte auch, ihrer Tochter starke Roots zu vermitteln.

Deswegen hatte Fatou beschlossen, diese Sommerferien in Bayern zu verbringen.

Es war höchste Zeit, dass Yesim Oberbayern und ein bisschen Bergluft kennenlernte und nicht als vollends entfremdetes Großstadtkind aufwuchs. Manche ihrer Freundinnen hatten noch nie einen Bauernhof gesehen und dachten, dass BiFis auf Bäumen wuchsen. Die ruhige Umgebung und traditionsbewusste bayrische Mentalität würden Yesim hoffentlich beeindrucken. Zumindest sollten sie ihr vermitteln, dass es nicht nur in Hamburg, sondern auch da, wo sie herkam, Lebensqualität und Werte gab.

»Hallo, ist da noch jemand?« Yesim wedelte mit ihrem Peanuts-Comic zwischen den Vordersitzen herum. »Die Frist für die Nachrutschplätze ist am Montag in einer Woche, oder?«

Sie ließ nicht locker. Sie war strukturiert und organisiert. Sie hatte so viel Potenzial. Sie nervte.

»Ja, Liebe, die Frist ist am Montag, und ich muss denen nur eine E-Mail schreiben. Ich hätte das auch schon längst machen können, aber mir ist wichtig, dass du einverstanden bist. Ich bin ja keine Rabenmutter.« Yesim lehnte sich so schnell nach vorne, dass ihr Gurt sperrte. Ihre Zöpfchen wackelten vor und zurück, die bunten Perlen an den Enden klackerten.

»Und wenn ich nicht einverstanden bin?«

Fatou konnte jetzt nichts gewinnen, wenn sie ehrlich blieb. Was sollte sie sagen? »Dann bin ich traurig?« Das klang passiv-aggressiv. »Dann schau'n wir mal, was weiß denn ich, wahrscheinlich werde ich dich zu deinem Glück zwingen?«, verbot sich auszusprechen. »Dann mache ich mir mein Leben lang Vorwürfe, egal, auf welche Schule du gehst?« Das traf sicherlich zu, aber es kam nicht in Frage, es zu verkünden. Sie entschloss sich für vielsagendes Schweigen.

Zum Glück war Yesim nicht penetrant, sondern effizient. Sie vergaß zwar nie etwas und würde die Sache sicher nicht auf sich beruhen lassen, aber sie wusste, wann es keinen Sinn hatte, weiterzubohren. Das hatte sie von ihrer Mutter.

»Wolltest du nicht sowieso deinen Job kündigen?«

Fatou zuckte zusammen.

»Du hast doch gesagt, dass die da gemein sind und meistens immer nur Ausländer kontrollieren.«

»Ja, das stimmt, Schatz. Aber ich hätte mir schon gern in Ruhe was Neues gesucht, statt von heute auf morgen eine Kündigung zu kriegen.«

In Wirklichkeit hatte die Arbeit als Kaufhausdetektivin sie mehr und mehr belastet. Als sie mit Anfang zwanzig die Ausbildung gemacht hatte, waren die Ladenöffnungszeiten noch bis 19 Uhr gewesen. Doch in letzter Zeit war sie oft erst um 23 Uhr nach Hause gekommen. Die Spätschichten wurden besser bezahlt. Trotzdem hatte sich am Lohn in den letzten fünfzehn Jahren kaum etwas verändert. Es hatte gerade so gereicht. Nein, genau genommen hatte es nicht gereicht. Alle Ersparnisse waren für die Operation von Aytaçs Mutter draufgegangen. Fatou bereute die Ausgabe keine Sekunde. Das war schließlich der Grund, aus dem es Geld gab. Aber jetzt waren sie und Aytaç beide pleite und hatten seit kurzem auch noch zwei Haushalte zu führen.

»Kannst du nicht Privatdetektivin werden, so wie Number One Ladies Agency?«

Fatou lachte. Die TV-Serie, in der Jill Scott alias Mma Ramotswe gegen alle Gepflogenheiten ein Detektivbüro in Botswana aufmachte, hatten sie Abende lang gefeiert. Yesims Augen glänzten. Was wusste sie schon über Selbständigkeit.

»Wenn ich ich im Lotto gewinne, mache ich als Erstes ein Detektivbüro auf. Versprochen. Schau, wir sind bald da.«

Hell- und ockergelbe Äcker säumten die Autobahn jenseits der Leitplanken. Die flache Landschaft flirrte in der Sommerhitze. Außer vereinzelten Silos, Baumärkten und Strohballen hatte es auf den letzten fast hundert Kilometern nichts Interessantes zu sehen gegeben. Sie nahm die Ausfahrt »Neuötting« und bog auf die Landstraße ein. Der Wunderbaum neigte sich in der Kurve nach rechts. Es roch nach Kühen und Landwirtschaft. Fatou kannte den Geruch aus ihrer Kindheit und sog ihn tief ein.

»Hier stinkt's, Mama.«

»Yesim, bitte. Ohne den Geruch vom Land könntest du keinen Kakao trinken und keine Burger essen.«

»Was ist das denn?«

Fatou erinnerte sich. Linker Hand tauchte eine Disco auf, die sich »Felsen-Alm« nannte, eine als Skihütte verkleidete architektonische Irritation mit bunten Lampions und Neonschildern davor, vom schrillen Aussehen her hätte sie auch eine Spielhalle in Las Vegas sein können. »Das ist eine Disco, also, ein Club«, sagte Fatou. »Jetzt ist es nur noch ein Kilometer, bis wir da sind.«

Sie schaltete runter auf fünfzig. Der Ortseingang von Neuötting begrüßte sie mit typisch oberbayrischer Nachkriegsarchitektur. Graue und blass gelb gestrichene Häuser aus den 1950er- und 60er-Jahren standen am Straßenrand, einige hatten Geranien vor den dunkelbraunen Fensterläden. Parallel zur Hauptstraße säumten spärliche Birken Wohnsiedlungen. Es gab weniger Bauernhöfe, als Fatou in Erinnerung hatte.

»Schau mal, hier gibt's auch Refugees.«

Fatou sah rechts und links aus den Autofenstern. Es war niemand zu sehen, auf den die Beschreibung gepasst hätte. Zwei ältere Bayern mit Hut und Lodenjacke führten einen Dackel spazieren. Eine junge Frau mit Bluse und Stöckelschuhen schloss eine Haustür auf. »Wen meinst du?«

»Die Wahlplakate«, sagte Yesim und deutete auf eine Serie von Postern am Straßenrand, die eine unschöne Karikatur einer flüchtenden Familie zeigten. Darüber stand »Wallfahrt statt Wohlfahrt – Flüchtlingsstrom stoppen!«. Die örtlichen Rechten übertrafen sich selbst.

»Solche Leute gibt's leider überall. In Bayern und in Hamburg«, sagte Fatou.

»Aber in Hamburg gibt's mehr von uns und mehr Refugees und Ausländer.«

»Du hast doch noch fast gar nichts gesehen. Jetzt kommen wir erst mal an und dann schauen wir uns in Ruhe um. Ich zeig dir Altötting und Neuötting, wir gehen in die Stadt, und dann sehen wir schon, welche Leute hier alles wohnen.«

In ihrem Kopf war das Bild von ihrer alten Heimat im Jahr 1980 stehengeblieben, fiel Fatou auf. Damals war sie immer und überall die Einzige gewesen. Sie hatte gar nicht daran gedacht, dass sich das inzwischen geändert haben könnte.

Zwar hatte sie seither Tante Hortensia sporadisch besucht – nicht oft genug, meldete ihr schlechtes Gewissen –, aber nie länger als für einen Nachmittag. Eine innere Stimme hatte sie immer zur Vorsicht gewarnt. Es galt, gerade lang genug zu bleiben, um mit der Tante Tee zu trinken und alte Fotoalben anzusehen – und sich wieder zu verabschieden, bevor ein Streit über ihre Lebensführung ausbrach. Fatou hatte sich bei ihren Besuchen fühlen wollen wie das kleine Mädchen, das sie einmal gewesen war, nicht wie eine erwachsene Frau, die sich für ständige Jobwechsel und komplizierte Beziehungen rechtfertigen musste. Sie habe einen Termin in München, hatte sie immer vorgeschwindelt und war dann am späten Nachmittag jedes Mal wieder nach Frankfurt zurück gefahren. Seit sie in Hamburg wohnte, hatte sie Tante Hortensia nur noch einmal besucht, ohne Yesim. Das war fünf Jahre her. Ein, zweimal im Jahr telefonierten sie. Sie waren beide nicht besonders gut darin.

***

Die Rosenbeete waren noch immer die alten: üppig und gepflegt. Es waren widerstandsfähige Rosen, die draußen überwintern mussten, keine neumodischen Züchtungen mit Namen wie »Lady Diana«. Sie waren schnörkellos wie der Rest des Gartens. Vor der großen Wiese, auf der Fatou als Kind viele Frühlinge und Sommer verbracht hatte, blühten lila Stiefmütterchen, gelbe Primeln und weiße Margeriten, mit einem eindrucksvollen Besuchsaufkommen an Hummeln und Schmetterlingen. Der Stumpf der großen Linde, die der Blitz getroffen hatte, war nicht mehr zu sehen. Knöchelhohes dunkelgrünes Gras hatte den Platz übernommen. Yesim folgte ihrer Mutter den knirschenden Kieselweg entlang. Fatou musste lächeln, als sie die Wäschestange sah, an der sie ihr erstes selbst geschossenes Foto gemacht hatte. Es war eine Aufnahme von Tante Hortensias Hut gewesen, vor einem Teppich, der zum Lüften darüber hing.

Hinter dem Haus war es schattig und roch schon nach Essen.

»Ich hab Hunger«, sagte Yesim. Fatou hatte ihr Magenknurren seit dem Raststätten-Hotdog ignoriert. Jetzt machte es sich mit Nachdruck auf sich aufmerksam. Tante Hortensia hatte es sich sicher nicht nehmen lassen, etwas besonders Leckeres zur Feier ihrer Ankunft zu kochen.

»Gleich. Ich zeig dir noch schnell den Rest vom Garten.« Sie nahm Yesims Hand und führte sie zur gepflegten Sonnenwiese an der Südseite des Hauses. Zwei Stühle und ein Tischchen standen dort bereit. Und eine lachende Tante Hortensia.

»Mir ist es schon zu heiß da, ich bin sonst immer auf dem Balkon«, sagte sie. »Wenn ich nicht gerade auf hohen Besuch warte. Lasst euch anschauen.«

Hortensia Fideltaler war immer noch eine beeindruckende Erscheinung. Sie war einen guten Kopf größer als die durchschnittliche Dame ihres Alters. Mit ihrer schlanken, aufrechten Statur, hellblauen Augen und apartem Hut hatte sie immer etwas Gouvernantenhaftes. *Sie hat sich gar nicht verändert,* dachte Fatou. Sie ging zu ihr und umarmte sie.

»Geh«, sagte Hortensia und hielt ihre Gartenhandschuhe von Fatous Kleidung fern. Yesim war in sicherer Entfernung stehengeblieben.

»Wenn ihr keinen Hunger habt, stell ich euch gern einen Schirm raus«, sagte Hortensia. Fatou beäugte den Jägerzaun. Als Kind hatte sie sich keine Gedanken gemacht, was wohl die Nachbarn dachten, wenn ein Schwarzes Mädchen im Garten spielte.

»Soll ich dir das Planschbecken holen?«, fragte die Tante. Yesim sah schockiert drein. *Sie kennt Tante Hortensias Humor noch nicht,* dachte Fatou. *Wahrscheinlich befürchtet sie gerade, dass sie in ein Taschentuch spucken und ihr damit das Gesicht abwischen wird.*

»Ich hab es aufgehoben«, sagte Hortensia. »Erinnerst du dich noch an das Planschbecken, Fatou?« Sie war damals erst fünf Jahre alt gewesen. Sie und ein paar Nachbarskinder hatten darin eine tolle Woche verbracht, bis die reiche Familie mit dem Bungalow nebenan ihren Swimmingpool eröffnet hatte. Yesim sah Fatou verunsichert an. Tante Hortensia erlöste sie lachend. »Brauchst keine Angst zu haben. Ich weiß ja, dass du schon elf bist.« Sie öffnete die Eingangstür. »Alt genug, dass du mir im Garten zur Hand gehst.«

Der kurze Flur war neu tapeziert worden, in Beige mit dezent glänzendem Blumenmuster. »Ja, ja«, seufzte Tante

Hortensia, als sie ihren Hut abnahm und an die Garderobe hängte. Sie strich sich durchs Haar und legte ihren Schal auf der Kommode ab.

»Die ist auch neu«, sagte sie zu Fatou. »Das schiache alte Ding hab ich auf den Sperrmüll.«

»Schiech?«, flüsterte Yesim.

»Schiach«, sagte Fatou. »Das heißt in deiner Muttersprache: hässlich.« Yesim kicherte.

Die Dekoration der Wohnung war weniger geworden, seit Tante Rosa nicht mehr lebte. Ein Foto von ihr, mit silbernem, vollem Haar, in goldenem Rahmen mit schwarzem Trauerrand. Daneben ein Zierteller mit dem Bild einer Alpenlandschaft. »Gebts mir eure Jacken. Das Gepäck holen wir später.«

Fatou und Yesim setzten sich auf die Holzbank in der zweckmäßig eingerichteten Küche. Sie war hell und roch nach Backstube.

»Ich hab uns Dampfnudeln gemacht. Die mach ich sonst nie. Zu viel Aufwand für eine.« Fatou riss sich zusammen, nicht zu fragen, ob sie schon fertig seien. »Hast du schon mal Dampfnudeln gegessen, Yesim, oder gibt's so was nicht bei euch in Hamburg?« Yesim verneinte schüchtern.

»Jetzt kriegst du deine bayrische Herkunft serviert«, sagte Fatou. »Deine ersten Dampfnudeln.«

»Und ein Bier dazu?«, fragte Yesim. Tante Hortensia lachte.

»Das kannst du dir abschminken. Frühestens, wenn du zwölf bist.«

Tante Hortensia tischte ihnen auf. Die selbstgemachte Vanillesauce war preisgekrönt.

»Und jetzt freust du dich schon auf langweilige vierzehn Tage in Bayern.«

Yesim verlor augenblicklich an Körperspannung. »Geh, ich mach nur Spaß. Hier gibt's viel, was ihr unternehmen könnt. Ihr könnt in die Berge fahren und Geißen füttern. Hast du schon mal einen echten Gamsbock gesehen?« Yesim schüttelte den Kopf. »Da musst du aufpassen, die haben große Hörner und spießen dich damit auf, wenn du sie ärgerst.« Yesim schielte zu ihrer Mutter. »In Altötting gibt es ein Freibad. Da könnt ihr hinradeln. Ich nicht mehr, dafür bin ich zu alt. Aber wir können auch was zusammen machen. Magst du gern Kartenspielen?«

Fatou beschlich die Befürchtung, dass es vielleicht eine schlechte Idee gewesen war, ihre elfjährige Großstadttochter mit der über achtzigjährigen bayrischen Hortensia zusammen zu bringen. Was, wenn sie keinerlei Gemeinsamkeiten finden und nun zwei Wochen lang unter peinlichen Gesprächsversuchen und unangenehmem Schweigen leiden würden?

»Ich habe Pow-Ru Karten! Soll ich sie dir zeigen?«

Während Hortensia versuchte, das ausländische Wort nachzusprechen, lief Yesim ins Schlafzimmer.

»Das sind Sammelkarten, keine Spielkarten« erklärte Fatou. »Da gibt's so Trickfilmserien, und die verkaufen den Kindern die Karten.« Nebenan wutschte energisch der Reißverschluss des kleinen bunten Koffers.

»Rupf nicht alles raus und verteil es überall!«, rief Fatou. »Das ist hier ein ordentlicher Haushalt. Nicht wie bei uns.« Yesim kicherte von nebenan.

»Bist du immer noch so unordentlich?«, fragte Hortensia.

»Seit kurzem wieder«, antwortete Fatou. »Seit ihr Vater und ich … getrennt sind, ist es ziemlich viel, für mich allein.«

»Da hast du dir ja einen schönen Hallodri ausgesucht«, antwortete Hortensia knapp. Fatou wollte gerade anheben, ihr zu sagen, dass das nicht stimmte. Dass Aytaç kein Hallodri war und sie genau genommen auch gar nicht alleinerziehend. Ihre Trennung beruhte sozusagen auf höherer Gewalt. Den Grund dafür konnte sie Hortensia aber unmöglich erzählen. Dass sie nicht zusammenbleiben konnten, war nicht seine Schuld.

Yesim kam mit einem durchsichtigen Etui in die Küche gerannt.

»Nicht so schnell, junge Dame, nicht, dass du dich noch an der Türkante stößt«, mahnte Hortensia.

»Mama! Das hast du von ihr?«

Fatous Gesicht wurde warm.

»Jetzt zeig mal deine Bauernkarten«, sagte Hortensia.

»Pow-Ru!«, korrigierte Yesim. Sie legte feierlich ihr Etui auf den Küchentisch und holte die Karten heraus. »Das ist Panto. Der kann sich in einen Panther verwandeln und kämpft für Gerechtigkeit. Das ist Saintela. Sie kann Engel rufen, und die helfen dann Menschen in Not.«

»Das sind ja moderne Heiligenbildchen«, schmunzelte Hortensia und zwinkerte Fatou zu.

Fatou setzte sich auf die Bank am Küchentisch und betrachtete die Präsentation ihrer Tochter. Yesim moderierte jede Karte an und gab sie dann vorsichtig Tante Hortensia zur Betrachtung in die Hand. Die wusste das Privileg zu würdigen und antwortete mit den angemessenen »Aha«s, »Oh«s und »M-hm«s.

Zum ersten Mal seit Tagen konnte sich Fatou entspannen. Ihr fiel auf, dass das Nachmittagslicht, das durch die dünne Gardine fiel, noch immer sonnenfarbene Punkte an die Spüle warf.

Die Holzbank, die vor Urzeiten aus der Garage in die Küche versetzt worden war, hatte noch die Kerbe auf der rechten

Seite, die sie mit einem Taschenmesser hineingeschnitzt hatte, nachdem sie von einen Abenteuerfilm inspiriert gewesen war. In der Speisekammer standen auf dem oberen Regal fein säuberlich aufgereiht Gläser mit dem besten selbstgemachten schwarzen Johannisbeergelee der Welt.

»Wollts ihr heut noch was unternehmen?«, fragte Hortensia. Fatou war müde von der Fahrt. Sie war nicht scharf darauf. Wenn Yesim noch Energie hatte, sollte sie die am besten im Garten loswerden.

»Können wir fernsehen?«, war Yesims Gegenvorschlag.

»Holt doch euer Gepäck aus dem Auto, deine Mama zeigt dir ein bisschen die Florastraße, und dann mach ich uns Abendessen. Danach kannst du noch ein bisschen fernsehen.«

Yesim sollte gegen 20 Uhr im Bett sein. Das war in Hamburg schwer einzuhalten, wenn im Hochsommer die Sonne erst nachts um halb elf unterging. Vielleicht würde es hier in Bayern gelingen. Fatou konnte etwas abendliche Erholung gut gebrauchen.

Sie spritzte sich im Badezimmer etwas Wasser ins Gesicht und ignorierte das Versagen ihres Deodorants. Duschen würde sie vor dem Abendessen. Sie musterte sich im Spiegel. Ihre Nase glänzte. Ihre vollen Augenbrauen waren noch einigermaßen in Form. Im Verlauf des Sommers hatte sie gottlob wieder eine ordentliche Farbe angenommen.

Sie zwinkerte sich im Spiegel zu und fand, dass ihre neuen zusätzlichen Pfunde sie seriös und erwachsen machten. Als sie dünn gewesen war, hatte sie weniger Freude daran gehabt, schöne Oberteile und Blusen zu tragen. Mit ihrer jetzigen Figur gefiel sie sich besser.

Als sie im Schlafzimmer nach Yesim sah, zog die sich gerade ein Paar Turnschuhe an.

»Meine Liebe, wir gehen nicht bergwandern, nur die Straße hoch und runter. Du kannst auch barfuß gehen«, zog sie sie auf. Wahrscheinlich hatte sie ohnehin keine praktischen Gründe für die Auswahl der lila-neongrün-rosafarbenen Sneakers. Yesim hatte ihren eigenen Stil. Dieses Jahr hatte sie sogar angefangen zu nähen und trug das Ergebnis mit Stolz. Fatou wäre wahrscheinlich zum Kostümverleih geschickt worden, wenn sie eins der Outfits getragen hätte, die ihre Tochter mit Selbstverständlichkeit in die Schule anzog. Muster, Farben, Oversize und Stretch zu kombinieren, und dabei nicht wie ein Clown auszusehen, gelang nicht vielen Menschen. Yesim kam damit durch.

Als sie das Gartentor passierten, nahm Yesim Fatous Hand. Wie lang würde es wohl noch dauern, bis sie das uncool finden würde? Fatou hatte fest vor, dass dieser Sommer in Bayern etwas ganz Besonderes für sie beide werden würde.

Die schwüle Nachmittagshitze ließ den Asphalt flimmern und ihre Schritte langsam und schlurfend werden. Linker Hand waren größtenteils Zweifamilienhäuser mit großen gepflegten Gärten hinter Jägerzäunen. Garagen, Familienautos, vereinzelte Tannen, Gartenschläuche. Die Häuser auf der anderen Straßenseite hatten die Gärten zur Landstraße hin, von der sie gekommen waren. Dort gab es nicht viel zu sehen außer ein paar Gartenzwergen und Hexenmobiles im Fenster, wie Fatou etwas peinlich berührt feststellte.

Außer ihnen war kein Mensch auf der Straße. Es roch nach Heu und heißem Asphalt, dem Aroma sommerlich-oberbayrischer Kleinstadtsiedlungs-Idylle. Hier hatte sie das Fahrradfahren gelernt, und dass es besser war, beim Gehen nicht auf den Boden, sondern nach vorne zu sehen.

Fatou genoss die Erinnerungen, so zufrieden sie auch damit war, in Hamburg zu leben.

Das Ende der Straße passte nicht ganz zum Rest. Dort war ein größeres Haus aus den 1970er Jahren. Für hiesige Verhältnisse galt es wahrscheinlich als Wohnblock. Seine fünf Stockwerke ragten über eine Gruppe Bäume hinaus. Er hatte zwei Trakte, zwischen denen sich ein Spielplatz befand. Das war den Architekten bestimmt aus Versehen passiert.

Die Florastraße machte eine leichte Biegung, hinter der einmal Felder gelegen hatten. Jetzt befand sich dort eine Neubausiedlung. In Fatous Bauch zog sich etwas zusammen. Hatte sie erwartet, dass alles so bleiben würde wie vor dreißig Jahren? Eine Erinnerung blitzte in ihr auf, erst trübe, dann gegenwärtiger, das Gesicht eines Freundes aus der ersten Klasse. Seine glatten braunen Strubbelhaare und Pausbacken. Sein zahnlückiges Lachen. Ihre Handflächen wurden feucht. Schnell schob sie die Erinnerung beiseite.

»Mama, du hast CDs unter den Armen«, stellte Yesim fest. Fatou sah unter den dünnen Trägern ihres Oberteils nach. Dort hatten sich in der Tat links und rechts scheibenförmige Flächen breit gemacht.

»Ist da oben der Club?«, zeigte Yesim in die Richtung, die sie mit dem Auto hergekommen waren. Sie klang ein bisschen aufgeregt. Fatou schmunzelte. In Hamburg konnten Clubs sich in jedem Keller, Kaufhaus und Wohnzimmer verbergen. Ein Club war dort wirklich nichts Besonderes. Die überaus schrille Hütte, die sie auf der Hinfahrt passiert hatten, war damit verglichen extrem exotisch.

»Du willst in die Disco? Dafür ist es noch zu früh«, sagte Fatou vieldeutig. Sie machte sich daran, wieder umzukehren. Doch eine Erinnerung war an die Oberfläche geschwemmt worden. Fatou blieb stehen.

»Ich war mal dort drin. Das habe ich ganz vergessen.«
Sie sah Yesim an. »Und weißt du was? Da war ich erst fünf
Jahre alt.« Yesim machte große Augen und schirmte mit
der Hand die Sonne ab, wohl um besser erkennen zu können, ob Fatou es ernst meinte. »Es war ein Faschingsfest.
Weil es um 10 Uhr früh anfing, dachte meine Mutter, dass
es für Kinder ist. Damals kam meine Mama noch manchmal zu Besuch zu den Tanten und mir. Sie haben mich verkleidet, dann hat meine Mutter mich zur Disco gebracht
und gesagt, dass sie mich in zwei Stunden wieder abholen
kommt. Sie ist aber nicht mit reingegangen. Sonst hätte sie
gleich gesehen, dass das Fest gar nicht für Kinder gedacht
war.«

Schon morgens um zehn war es schwül und stickig gewesen. Es roch nach dem Bier, den Zigaretten und dem
Schweiß der Besucher vom Vortag.

Sogar an diesem grauen Februarvormittag war es im
Raum vergleichsweise so düster, dass sich die Augen erst
einmal umgewöhnen mussten. Die Fenster waren von innen blickdicht verschlossen. Das Mädchen schaute sich
um. In so einem Lokal war sie noch nie gewesen. Einiges
kam ihr bekannt vor, aus den Ausflugslokalen, in die ihre
Oma sie manchmal zum Mittagessen mitnahm. Der rusti-
kale Tresen bestand aus dunkelbraunem Holz mit gedrech-
selten Säulen und grob geschnitztem Efeumuster. Tönerne
Bierkrüge standen und hingen dort und konkurrierten
mit der restlichen Dekoration, die aus Lebkuchenherzen
und Bildern von großbusigen Frauen im Dirndl bestand.
Zu beiden Seiten des Tresens waren aus demselben Holz
stabile Bänke und Tische gezimmert, mit massiven Rück-
wänden. Von dort aus war die Tanzfläche ein paar Stufen

tiefer zu erreichen. Über ihr hing eine Discokugel, angestrahlt von gedimmten rot-blau-gelben Lichterampeln und Leuchtketten an den Kanten der Wände. Orangefarbene Strahler drehten sich und blinkten – sodass hundert verschiedenen Farben miteinander konkurrierend umherirrten wie in einem Partykeller, über den jemand die Kontrolle verloren hatte.

Das Mädchen stützte sich an der Brüstung ab und überprüfte den Sitz ihrer Schnürsenkel.

»Und was hast du dann gemacht?«, fragte Yesim und hielt die Hand ihrer Mutter fest, obwohl sie schweißnass war.

»Ich habe gar nicht gemerkt, dass es kein Kinderfest war. Alle haben mit mir gespielt und die Musik war gut, es lief sogar Boney M. Ich habe getanzt und als ich durstig war, kam meine Mutter und hat mich abgeholt. Die Erwachsenen haben miteinander herumdiskutiert, und ich bin mir ganz groß vorgekommen. Weil ich schon allein weg war.« Dass sie sich zwischendurch ein paarmal fast in die Hosen gemacht hatte, vor lauter Angst bei dem Gedanken, dass ihre Mutter sie vielleicht nicht wieder abholen kommen würde, verschwieg sie lieber. »Danach hat mein Afro nach Bier und Zigaretten gestunken. Meine Mutter wollte mir in der Badewanne die Haare waschen, so dass die Tanten es nicht bemerken, aber ich hab beim Kämmen so ein Theater gemacht, dass sie ins Bad gekommen sind. Deine Oma hatte von Haaren keine Ahnung. Die war überfordert.« Yesim kicherte. »Was die für eine Szene gemacht haben, als ihnen klar wurde, dass meine Mutter ihr fünfjähriges Kind in die Disco gebracht hat!«

»Was für Leute waren auf der Party um zehn Uhr morgens mit Bier und Zigaretten?«, fragte Yesim. »Und wieso ist deine Mama nicht mit dir reingegangen?« Fatou wusste keine altersgerechte Antwort. Sie zog ihren Mund zu einem Ausdruck fatalistischen Bedauerns in die Breite und ließ es dabei bewenden. Yesim würde zweifellos einmal eine gute Mutter sein, falls sie diesen Weg einschlagen würde.

Seit ein paar Monaten war Fatou mit Prognosen allerdings insgesamt vorsichtiger geworden. Vorhersehbar war gar nichts. Das hatte sie an ihrer eigenen Beziehung gesehen.

***

»Ist Yesim muslimisch?«, fragte Hortensia. Sie versuchte anscheinend nicht, ihren Argwohn zu verbergen und sprach es so aus wie »Habt ihr wirklich einen Wasserrohrbruch in eurem Keller?«

»Das kann sie sich selbst aussuchen«, sagte Fatou. Dass Religion nicht unbedingt sichtbar war, hatte Fatou seinerzeit von Tante Hortensia gelernt. Sie und Tante Rosa hatten sich in der Kirche engagiert, ohne dass Fatou je eine von beiden hatte beten sehen. Kurz nach Tante Rosas Tod hatte Hortensia ihr gegenüber einmal eine Andeutung gemacht. Es sei sicherer für die beiden gewesen, in der Kirche zu sein, als nicht in der Kirche zu sein. Fatou hatte daraus ihre eigenen Schlüsse gezogen. Die »Tanten« hatten ihr Leben lang unverheiratet zusammen gelebt. Wenn sie sich nicht in der Gemeinde engagiert hätten, wären sie womöglich in der ganzen katholischen Stadt geschnitten worden.

»Aber von den Muslimen hört man doch so viel«, sagte Hortensia. »Und dein Ali–« »Aytaç«, korrigierte Fatou.

»Eitschatsch …, der war doch auch einer. Und jetzt bist du alleinerziehend.«

Fatou fühlte sich erschöpft. Es war ihr zu anstrengend, dagegen anzuargumentieren, dass eine Beziehung auch aus anderen Gründen nicht fortgeführt werden konnte, als dem Grund, dass ein Partner türkisch oder muslimisch war. Tante Hortensia war schon über achtzig. Ihr Weltbild würde sie sicher nicht mehr ändern. Kurz erwägte sie, der Tante die wahren Gründe zu sagen. Dann würde sie Aytaç nicht mehr so einfach ablehnen können, weil er ein »Ausländer« war. Aber dann würde sie wahrscheinlich andere unangenehme Fragen stellen und von Fatou denken, dass sie hoffnungslos naiv sei und unfähig zur Partnerwahl.

Nie hatte sie Tante Hortensia und Tante Rosa ein klares Wort über deren Beziehung sagen hören. Sie lebten einfach wie ein Ehepaar, lästerten über alle Männer, mit denen sie nicht verwandt waren, und schalteten im Fernsehen bei Knutschszenen um. Aber sie hatten getrennte Schlafzimmer, benutzten das Bad niemals gleichzeitig, und selbst als kleines Kind hatte Fatou nie auch nur eine zärtliche Berührung zwischen den Beiden gesehen. Wenn Tante Rosa weinte, tröstete Tante Hortensia sie wie eine … beste Freundin.

Vielleicht waren sie vor sich selbst nicht geoutet und haben tatsächlich sechzig Jahre lang nur ab und zu …, dachte Fatou. Sie wusste es nicht. Und sie wollte dieses Fass nicht aufmachen. Hortensia hatte Fatou aufgenommen, als ihre Mutter nicht mehr für sie da sein konnte. Obwohl sie genau genommen nicht einmal miteinander verwandt waren. Ihre Ansichten waren konservativ. Sie misstraute Ausländern und Norddeutschen. Aber in machen Dingen war sie trotzdem anders als viele ihrer Generation. Sie hatte sich schon zu Zeiten wie ein Mann gekleidet, in denen es noch unerhört war, dass Frauen Hosen trugen. Sie war sogar mit Hosen und Hut arbeiten gegangen. Tante Hortensia hatte Fatou viel darüber beigebracht, wie eine Frau mit Pragmatismus und trockenem Humor stark durch ein schwieriges Leben gehen konnte. Wie sie dazu stehen würde, dass Aytaç schwul war, konnte Fatou aber nicht einschätzen. Sie beschloss, es dabei bewenden zu lassen und ihre Ferien nicht unnötig zu verkomplizieren. Dazu gehörte auch eine Ex-Beziehungs-Auszeit. Sie hatte sich für vierzehn Tage Funkstille ausgebeten. Den räumlichen Abstand würde sie nutzen, um endlich in sich selbst den nötigen Abstand zu ihm zu schaffen. Zumindest hoffte sie das.

Der Balkon sah aus wie früher. Ein altmodischer hölzerner Liegestuhl, ein kleiner Tisch und Stühle unter einem Sonnenschirm standen darauf. Yesims Limonadenglas hinterließ Kringel auf der Wachstuchtischdecke. »Gehts doch nachher in den Garten und sonnts euch ein bisschen im Bikini«, schlug Tante Hortensia augenzwinkernd vor.

»Danke, Tante, aber wir wollen nicht, dass die ganze Straße Handyfotos von uns macht«, sagte Fatou.

»Ach geh«, sagte Hortensia, »das ist doch heut nichts Besonderes mehr. Als du klein warst, schon. Aber jetzt gibt's nebenan sogar auch ein braunes Mädchen.« Yesim verschluckte sich an ihrer Limo.

»Tante Hortensia, sag doch bitte nicht braun«, sagte Fatou.

»Was denn sonst?«

»Wir sagen Schwarz«, half Yesim aus.

»Geh, aber ihr seids doch nicht schwarz, ihr seids doch braun.«

»Du bist rosa, Tante«, sagte Fatou. Yesim lachte.

»Was? Meinetwegen. Wenn ihr euch unbedingt nennen wollt wie die CSU, mir soll's recht sein.«

Yesim beobachtete ihre Mutter mit dem ernsten Gesicht einer Punktrichterin.

»Das wollte ich dir sowieso noch sagen«, fuhr Hortensia fort. »Erinnerst du dich noch an die kleine Anita, mit der du als Kind gespielt hast?« Fatou kramte in ihrem Gedächtnis. Hortensia half ihr auf die Sprünge. »Die in dem Bungalow nebenan.«

An die erinnerte sie sich. Sie war ein nervöses Mädchen gewesen und hatte Fatou einmal nachhaltig mit einem Schreikrampf traumatisiert. »Die hat das Haus geerbt und lebt jetzt da.« Tante Hortensia nickte in Richtung der großen dunkelgrünen Büsche, die das Grundstück vor Blicken sogar aus dem ersten Stock abschirmten. »Und sie hat eine Tochter wie du. Wie ihr zwei eigentlich. Die ist auch ohne Papa.«

»Ich bin nicht ohne Papa!«, sagte Yesim, »die sind nur getrennt.«

»Ich weiß schon«, sagte Hortensia. »Anita hat jedenfalls ein adoptiertes … *schwarzes* Kind«, das Wort schien ihr Mühe zu bereiten, »und ihre anderen Kinder sind von einem norma... , ich meine, von einem Deutschen.«

»Wir sind auch Deutsche«, sagte Yesim. Fatou freute sich insgeheim über Yesims Schlagfertigkeit, wollte aber nicht, dass das ganze in eine Debatte ausartete. Sie hatte Angst, dass Tante Hortensia sich dann noch unpassender ausdrücken würde und es zum Streit käme. Wenn sie allein war mit Menschen, die wohlmeinend rassistische Dinge sagten, konnte sie damit umgehen, aber wenn Yesim mit dabei war, ging es nicht so einfach. Sie war in der Verantwortung, ihr die Orientierung zu geben, was richtig und was falsch war, was erlaubt war und wo die Toleranzgrenze enden sollte. Und sie wollte, dass Yesim und Tante Hortensia sich gut verstanden. Dass sie eine Familie waren, nicht wie die Familien, die anfingen, übereinander zu lästern, sobald sie auf der Rückfahrt waren.

»Du meinst, der Vater der anderen Kinder ist ein Weißer«, bot Fatou an.

»Aber klar, was denn sonst?« Tante Hortensia sah Fatou an, als hätte sie etwas Seltsames gesagt. »Aber er ist ja sowieso tot. Wollt ihr nicht nachher noch rübergehen?«

Fatou dachte an das nervöse Mädchen von früher. Ob sie wohl immer noch so war? Hatte sie inzwischen einen Schrank voller Rüschenblusen und das Barbiepferd als lebende Version im riesigen Vorgarten?

»Warum nicht«, sagte Fatou. »Hast du Lust, Yesim?« Die beäugte ihre Mutter misstrauisch.

»Woher ist die denn adoptiert?«

»Das weiß ich nicht«, sagte Hortensia, »aber das kannst du sie ja fragen. Sie müsste genau so alt sein wie du, vielleicht ein Jahr jünger.«

Es musste schwer für das Mädchen sein, in der fremden Umgebung, dachte Fatou.

***

»So, bittschön – hier ist bayrische Kultur zur Genüge«, sagte Tante Hortensia zu Yesim und stellte die Butterschale aus beigefarbenen Emaille auf den Wohnzimmertisch. Es gab regionales Abendessen. Schinken, Wurst, Käse, dickes Graubrot, Essiggurken, Limonade in Glasflaschen und alkoholfreies Bier. Der Fernseher lief ohne Ton. Die Balkontür war geöffnet, es drang aber kaum ein Luftzug ins Zimmer. Hortensia trug einen ärmellosen Hausanzug mit buntem Karomuster, Yesim war schon im Nachthemd, Fatou trug Jogginghose und T-Shirt und kam sich underdressed vor.

»Was ist das denn für eine Wurst?«, fragte Yesim und hob mit ihrer Gabel die Scheibe eines sehr unhomogen aussehenden Wurstrandes an, als wäre sie eine Kontaminationsbiologin und die Gabel ein Messinstrument.

»Das ist eine Tiroler Wurst,« antwortete Tante Hortensia. »Sie ist aus–«

»Tirol?«, fragte Yesim schnell. Hortensia hielt einen Moment inne und zog die rechte Augenbraue nach oben. »Ja. Das auch«, sagte sie.

»Yesim. Unterbrich nicht. Was wolltest du sagen?«, bot Fatou an.

»Ich wollte sagen, sie ist aus Blut, größtenteils.«

»Whoa«, rief Yesim, zog die Gabel schnell von der Wurst fort und beäugte sie misstrauisch.

»Die andere Wurst da, die ist aus Hirn. Kalbshirn.«

Yesim schluckte. Fatou riss sich zusammen, um nicht zu lachen.

Hortensia biss genussvoll in ein Brot mit zwei dicken Scheiben Tiroler Wurst.

»Ich hab keinen Hunger«, sagte Yesim.

Um ihren Kulturschock etwas zu lindern, bekam sie ausnahmsweise Marmelade und Gouda und ging danach ins Bett.

Tante Hortensia lehnte sich auf der Couch zurück und stieß einen Seufzer der Erschöpfung nach einem langen erfolgreich bewältigten Tag in hohem Alter aus. »Kochst du noch deine exotischen Gerichte?«

Fatou lachte. »Die sind nicht so exotisch wie Wurst mit Blut und Gehirn«, sagte sie. Sie wusste, was Hortensia meinte. Auf der experimentellen Suche nach ihren Wurzeln, in ihren Zwanzigern, hatte Fatou angefangen, westafrikanische Gerichte kochen zu lernen. Sie hatte Tante Hortensia am Telefon davon erzählt und nicht mehr als ein »Aha« geerntet. Als Fatou einen zweiten Anlauf gemacht hatte, über Fufu und Thieb zu berichten, darüber, wie stolz sie darauf war, wenn das Maffé die richtige Konsistenz hatte, wie lang es dauerte, minutiös die Gräten aus dem Fisch zu klauben, um perfekte Fischbällchen zu produzieren, und wie scharf und aufregend die Ballon-Chili war – sie brauchte sie praktisch nur eine Minute in die Sauce zu tunken, damit diese eine Zulassung als Aufputschmittel bekam –, hatte die Tante sich abermals unbeeindruckt gezeigt. Vielleicht hatte sie schon einmal ausländisches Essen probiert – zum Beispiel Pizza – und befunden, dass es nicht mit Dampfnudeln konkurrieren konnte.

»Du, ich koche richtig gut inzwischen«, sagte Fatou hoffnungsvoll. »Ich hab sogar schon für Veranstaltungen gekocht. Und stell dir vor, in Hamburg, in unserer Straße, habe ich ein Bistro früher manchmal mit Vorspeisen beliefert.«

»Dann bist du ja Gastronomin«, sagte Hortensia. Sie hatte ein Pokerface, mit dem sie jeden Profi hätte abziehen können. Sie war so … beherrscht. Nie ließ sie eine Regung unkontrolliert heraus. Sie zeigte durchaus bestimmte Emotionen. Lächelte, lachte, mahnte und ärgerte sich manchmal. Fatou war sich jedoch sicher, dass diese Gefühlsäußerungen zuvor bereits in vierfacher Beglaubigung diverse Filter durchlaufen hatten und von Hortensia als temporär präsentabel befunden worden waren.

»Wenn ich davon leben könnte, das wär natürlich was«, sagte Fatou. Aber alleinerziehend selbständig ist mir wirklich zu viel Risiko.«

»Tjaja.« Das war die Vokabel, mit der Hortensia ein Thema beendete.

Sie will nicht gleich am ersten Abend schon mit mir meckern, dachte Fatou und räumte das Abendbrot zusammen.

»Morgen früh fahre ich mit Yesim nach Altötting. Kommst du mit?«

»Nein danke, da sind mir zu viele Heilige«, erwiderte Hortensia und schaltete den Ton des Fernsehers an. Es lief der Vorspann der Dornenvögel.

Die Kaffeemaschine gurgelte zum Vormittagsradio. Yesim präsentierte sich in einer weißen Hose mit selbstgebatikten rosa Flecken darauf, einem hellblauen Käppi, einer großen Hello-Kitty-Sonnenbrille und einem blassgelben Trägertop.

»Wow« war alles, was Fatou dazu sagte. Sie wollte ihre Tochter so schrill herumlaufen lassen, wie sie Lust hatte, so lange sie es noch unbeschwert tun konnte. Insgeheim war sie heilfroh, dass ihr dadurch die Forderung nach Markenklamotten erspart blieb. Der Aufzug ihrer Tochter war zwar oft genug extravagant, aber wenigstens nicht teuer.

Nachdem sie lange ausgeschlafen und sich dann mit einem extrem zuckerhaltigen Frühstück aus Dampfnudeln vom Vortag gestärkt hatten, gingen sie zum Auto. Es hatte in der prallen Sonne gestanden und sich so aufgeheizt, dass sich Fatou fast am Lenkrad verbrannte. Eine Sauna, die nach Wunderbaum roch. Sie ließ alle Fensterscheiben herunter und kontrollierte im Rückspiegel, ob Yesim noch atmete.

»Nächstes Jahr kann ich einfach so auf den Vordersitz«, stellte die fest.

»Ein Cabrio. Ich hätte gern ein Cabrio«, murmelte Fatou. Sie fuhr auf die Landstraße, von der sie gekommen waren, und bog von dort aus ab in Richtung Altötting. Tante Hortensias Haus befand sich in Neuötting, einer eigenen Kleinstadt, in der Fatou in ihren ersten Jahren aufgewachsen war und Kindergarten und Grundschule hinter sich gebracht hatte. Es war sehr ruhig dort, um nicht zu sagen, langweilig. Neuötting stand im Schatten des berühmten Wallfahrtsorts Altötting. Das lag nur drei Kilometer entfernt und war zwar auch nicht gerade eine Großstadt, verfügte aber über beachtlichen katholischen Weltruhm. Hier gab es die Kapelle der Schwarzen Madonna, regelmäßige Massensegnungen, eine Altstadt mit Postkarten-Optik, ein Freibad, ein Mönchskloster, das eine Brauerei betrieb, und sogar einen ALDI.

Fatou gefiel Neuötting besser. Da ließ es sich gemütlich im Garten sitzen, ohne dass Touristen daran vorbeiliefen, und es war möglich, in der Stadt etwas einzukaufen, ohne von sakralem Kitsch erschlagen zu werden.

Yesim sah aus dem Fenster. Fatou fragte sich, ob es für ein junges Mädchen, das zum ersten Mal hier war, etwas Interessantes zu sehen gab, oder ob für sie alles langweilig aussah. Sie wollte sie nicht danach fragen – noch nicht, denn sie fürchtete die Antwort ein wenig. Wenn Yesim es einmal laut und offiziell als ›langweilig‹ befunden hatte, würde es noch schwerer sein, in ihr Interesse für ihre bayrische Herkunft zu wecken. Wären sie durch dieselbe ländliche Gegend in Anatolien gefahren, hätte Fatou es selbstbewusster als aufregend verkaufen können. Oberbayern war wunderschön, hatte aber bei multikulturellen Kids aus Norddeutschland Imageprobleme.

Fatou fand einen Parkplatz am Rand der Altöttinger Innenstadt und fragte sich, ob es richtig gewesen war, Yesim in so grellen Kleidern herumlaufen zu lassen. Sie würden wahrscheinlich auch so schon genügend Blicke auf sich ziehen.

Sie orientierte sich kurz und fand dann die Gasse, die zum Kapellplatz führte. Den hatte sie aus ihrer Kindheit als spannenden Ort in Erinnerung.

Es war elf Uhr und die Augusthitze bereitete sich auf mittägliche Gnadenlosigkeit vor. Yesim deutete auf einen Wald von Wahlplakaten. Offensichtlich standen Landtags- und Bürgermeisterwahlen bevor. Die CSU hatte die Worte »Absolute Mehrheit« auf weiß-blauem Hintergrund, die Grünen titelten: »Naturschutzgebiete erhalten!«, die Bayernpartei forderte »Kriminalität verbieten!« und die SPD titelte »Flexiblere Gestaltung von Kinderbetreuungsangeboten für Berufstätige«.

Der Rand des Kapellplatzes war so überladen mit Souvenirständen, dass Fatou und Yesim zuerst auf dem Bürgersteig blieben. Der wiederum war mit Tischen, Bänken und Stühlen der Gastronomien, die ihn säumten, übersät und daher ebenfalls ein ziemlicher Hindernislauf. Fatou blinzelte in die Sonne und wünschte sich einen Teleporter.

»Wo gehen wir denn jetzt hin?«, fragte Yesim, als Fatou vor einem Café anhielt, um den besten Weg durch die Buden auf den Platz zu eruieren. »Kriege ich ein Eis?«

Sie vereinbarten, dass sie eine möglichst kurze Beschau der Besonderheiten unternehmen würden, die es in Hamburg und Norddeutschland nicht zu sehen gab, und dann ein Eis essen würden.

Fatou rückte den rutschigen Kunstlederriemen ihrer Handtasche zurecht. Sie schwitzte jetzt schon. Auf dem Platz gingen Menschen hin und her, zur Gnadenkapelle, die in seiner Mitte stand, und zu anderen Kirchen, die sich hier geradezu drängelten. Zwei Mönche mit Tonsur in groben braunen Leinenkutten, die mit einem Seil zusammengehalten wurden, gingen gemächlichen Schrittes an einem

Stand vorbei, der Mönchsfiguren aus Plastik verkaufte, die genauso aussahen wie sie. Eine Nonne mit Brille im grauen Habit grüßte eine ältere Frau, die sehr gebückt ging, weil sie ein Kreuz auf der Schulter trug. Weiter hinten fuhr eine Kutsche vorbei, die von zwei riesigen Brauereipferden gezogen wurde und auf einem Anhänger Bierfässer geladen hatte. Es sah ein wenig aus wie das Set eines Kostümfilms.

Yesim war still und betrachtete die Szenerie mit offenem Mund.

»Hast du einen Kulturschock?«, fragte Fatou stolz.

»Warum trägt die Frau ein Kreuz?«, fragte Yesim.

»Das machen hier viele Leute«, sagte Fatou. »Sie wollen sich Jesus näher fühlen, schätze ich. Oder sich für irgendwas bestrafen.«

»Krass«, sagte Yesim und nahm Fatous Hand.

»Komm mit«, sagte Fatou. »Ich zeige dir noch was Abgefahrenes.«

Sie gingen über den Platz zur Gnadenkapelle hinüber. Kein Mensch achtete auf sie. Sie selbst waren wohl mit die unauffälligsten Gestalten auf dem Platz. Außerdem waren viele international aussehenden Menschen dort unterwegs. Kleine Gruppen, die vielleicht asiatische Studierende waren, falteten Stadtpläne auseinander. Vier Schwarze amerikanische Touristen, erkennbar an »I ♥ Jesus«-Baseballmützen und schallenden texanisch klingenden »Amazing!«-Rufen fotografierten sich gegenseitig. Einer fotografierte sogar das Mosaik des Kopfsteinpflasters. An einem Stand feilschten ein paar Leute in südamerikanischen Trachten in lautem Spanisch um den Preis für einen großen Stapel sehr bunter Heiligenposter.

Fatou kramte in ihrer Erinnerung danach, ob es hier in ihrer Kindheit schon so international zugegangen war.

Wahrscheinlich nicht. Sie erinnerte sich vage an unangenehme Blicke und an Streitereien ihrer Mutter mit Passanten, bei denen es irgendwie um sie ging.

Der Kern der Kapelle war ein Achteck, das von einem überdachten Außengang umgeben war. Uralte Torbögen wölbten sich in Kopfhöhe unter dem ausladenden Schindeldach und tauchten den Außengang in Schatten. Fatou hatte den Eindruck, in einer dunklen Halle zu stehen anstatt im Freien. Geräusche wirkten gedämpft. Es roch nach Weihrauch. Automatisch bewegte sie sich vorsichtig und langsam. Von einer Rückseite des Außengangs hörte sie leises Murmeln, Flüstern und Wimmern.

Die Kapellenwand war vollständig mit kleinen viereckigen Bildern in bunten Farben bedeckt. Sie sahen uralt aus. Darauf waren Zeichnungen gruseliger Szenen zu sehen: ein Mann auf dem Sterbebett. Ein Kind, das gerade im Fluss ertrank. Eine Frau, die blutend auf dem Boden lag. Auf den meisten Bildertafeln stand Text in Sütterlinschrift. Yesim stieß Fatou am Unterarm an. »Kannst du das lesen?«

Als Kind hatte sie es gekonnt. Die Tanten hatten ihr Märchenbücher in altdeutscher Schrift gegeben, und nach einer Weile hatte sie es lesen können. Nur waren die Märchen ihr zu gruselig zum Einschlafen gewesen, da hatte sie damit aufgehört und es schließlich verlernt. Während Fatou eine Tafel entzifferte, die für die Heilung eines kranken Jungen bat, der von einem Pferd fast totgetreten worden war, betrachtete Yesim das Dach des Kapellengangs.

»Schau mal, Mama«, flüsterte sie. Am oberen Rand des Torbogens und des Dachs befanden sich noch weitere Bildtafeln. Diese waren größer und zeigten gelbe Schimmer um Heilige herum. Fatou buchstabierte »Gnaden« und »Dank«.

»Das sind Fürbittenbilder«, erklärte sie. »Die Leute haben sie anfertigen lassen, für Hilfe in Notsituationen.«

»Hilfe von Gott?«, fragte Yesim.

»Von der Schwarzen Madonna«, antwortete Fatou. »Die schauen wir uns als Nächstes an.«

Von den Szenen auf den Bildtafeln etwas bedrückt, ging Fatou weiter um die Kapelle herum. Ein paar Meter weiter dachte sie, sie traue ihren Augen nicht, blieb stehen und bedeutete Yesim, es ihr gleichzutun.

»Psst«, sagte Fatou mit dem Zeigefinger am Mund.

Eine kleine Prozession von Menschen verschiedenen Alters kniete vor der Kapellenwand. Sie trugen schwarze und braune Gewänder und hatten Kreuze auf dem Rücken. Eine alte Frau mit Kopftuch weinte und küsste den Steinboden. Ein junger Mann mit langen Haaren und Bart legte beschwörerisch die Handflächen an die Wand. Dann faltete er sie zum Gebet zusammen, sagte etwas zum Rest der Gruppe und stand langsam auf. Die anderen rückten ihre Kreuze zurecht, folgten ihm durch einen der Bogengänge und gingen über den Kapellplatz davon.

Als die Gruppe weg war, traute sich Fatou, dorthin zu gehen, wo die Gläubigen gekniet hatten. Eine kleine Figur war in die Wand eingelassen. Sie zeigte eine Schwarze Madonna mit ihrem Kind. Die Statue war höchstens vierzig Zentimeter groß, aber sie schien auf bestimmte Katholiken aus der ganzen Welt eine außerordentliche Anziehungskraft auszuüben.

»Schau«, sagte Fatou, »das ist die Schwarze Madonna. Die hier ist nachgemacht, in der Kapelle drin steht die echte. Die ist ganz wertvoll. Altötting ist für sie berühmt. Sie ist wie eine Schutzheilige.«

Sie erinnerte sich daran, wie ihre Mutter ihr einmal ein Halskettchen geschenkt hatte, dessen Anhänger die Schwarze Madonna und ihr Kind waren. Sie hatte eines in klein und ihre Mutter trug denselben Anhänger in groß. Es war selten vorgekommen, dass sie von Neuötting nach Altötting gefahren waren. Nur, um alle paar Monate im ALDI einzukaufen. Einmal hatte Fatou ihre Mutter gefragt, ob sie an der Kapelle warten dürfe. Sie konnte höchstens sieben Jahre alt gewesen sein. Die Mutter war einverstanden gewesen und hatte Fatou ermahnt, den Kapellengang nicht zu verlassen, bis sie zurück wäre. Fatou hatte sich gefreut und gewartet. Wahrscheinlich hatte sie sich die Bildertafeln angesehen, sie konnte sich nicht mehr genau erinnern. Nur daran, dass eine alte Frau, die sie nicht hatte kommen sehen, plötzlich vor ihr niederkniete und sich an ihren Waden festklammerte. Fatou hatte nicht gewagt, sich zu bewegen. Die Frau hatte sich bekreuzigt und war davongegangen. Danach war eine Ordensschwester aufgetaucht, die Fatou anstrahlte und ihr selig zulächelte. Eine weitere Frau hatte nach Fatous Händen gegriffen, sie in die ihren genommen und sich mit zum Himmel gewandten Augen beim lieben Herrgott bedankt. Lauter kuriose Menschen taten plötzlich kuriose Sachen. Alle waren so freundlich zu ihr, fast … ehrfürchtig. Fatou hatte das gut gefallen. In den ALDI hatte sie nämlich nicht mehr hineingehen wollen, weil dort immer alle so unfreundlich waren. Menschen murmelten Beleidigungen, warfen Fatou und ihrer Mutter bösartige Blicke zu, und die Kassiererin knallte das Wechselgeld auf die Ablage, als wollte sie ein Insekt erschlagen. Nach ihrem Erlebnis in der Kapelle hatte sie ihre Mutter jedes Mal, wenn sie in der Stadt waren, gefragt, ob sie dort warten dürfe, anstatt in den Supermarkt mitzukommen, und daheim geübt, bescheiden und huldvoll zu lächeln, wenn sie von fremden Gläubigen wieder einmal gesegnet oder selbst als Segenszeichen interpretiert wurde, so genau war das nicht auseinanderzuhalten. Ganze Nachmittage hatte die kleine Fatou allein im Kapellengang verbracht. Dass das hieß, dass mit ihrer Mutter etwas nicht stimmte, war ihr erst Jahrzehnte später klar geworden.

Yesim kicherte. »Die haben dich angebetet, weil du Schwarz bist?«

»So ungefähr«, sagte Fatou. »Ich glaube, die haben so ein religiöses Zeichen darin gesehen, dass ich da stand. Zu meiner Zeit gab es hier keine Schwarzen Leute. Ich habe jedenfalls nie welche gesehen.«

Sie betrachteten die Statue der Mutter mit Kind. Es gelang Fatou nicht, daran irgendetwas Außergewöhnliches zu erkennen, was sie so berühmt machte. Sie sahen auch nicht aus wie eine afrikanische Mutter mit Kind, sondern wie eine europäische Madonna mit langen glatten Haaren, die einfach nur schwarz eingefärbt war.

»Gehen wir jetzt ein Eis essen?«, fragte Yesim.

Fatou wollte dem Vorschlag gerade stattgeben, da erklang von der Seite der Kapelle, von der sie gekommen waren, ein lautes Rufen, aufgeregt und aggressiv. Es hörte sich an wie von einer verstärkten Stereoanlage, eindringlich und übersteuert wie eine Durchsage bei einem Alarm. Etwas polterte. Während Fatou erschrocken auf der Stelle stehen blieb, um den Lärm zu lokalisieren, lief ihre Tochter schon los.

»Yesim! Halt!«, rief Fatou und stolperte hinterher. Yesim hatte sich hinter einer Säule versteckt und betrachtete mit großen Augen einen Mann mit Spraydose. Er trug eine Skimütze, die seinen ganzen Kopf bedeckte. Fatou gab ihr mit einer Handbewegung zu verstehen, dass sie sich nicht rühren sollte. Der Mann war keine drei Meter von ihr entfernt. Dann kam ein Zweiter dazu. Auch er trug eine Skimütze, hatte einen Rucksack und eine Spraydose dabei, und begann, etwas über die alten Fürbittentafeln zu sprühen. Es roch nach Lösungsmittel. Eine Frau, die gerade vorbei kam, stieß einen Schrei aus und lief schnell davon. Die Männer riefen ihr Unverständliches hinterher, der eine schüttelte die Faust. Fatou wagte es nicht, zu Yesim zu gehen. Bisher hatten die beiden Kerle sie nicht bemerkt. Die zwei Männer waren mittelgroß und sportlich gebaut. Fatou konnte sie nur von hinten sehen. Sie sprühten schnell und hastig. Der eine stieß den anderen mit dem Ellenbogen an. Darauf nahm der ein kleines Megafon, das auf dem Boden neben ihm stand, und rief laut etwas hinein, das wie »Allahu'Akbar« klang. Der andere packte hastig die Rucksäcke zusammen. Als er sich umsah, stockte Fatou der Atem: Von den Gesichtern der Männer war durch die Skimützen die Augenpartie zu sehen. Ihre Haut war dunkelbraun. Fatou sah sofort, dass es Schminke war.

»Allah!«, rief der eine wieder, diesmal ohne Megafon, und hob zwei behandschuhte Fäuste in die Luft. Sie sprangen mitsamt ihren Rucksäcken blitzschnell über die kleine Hecke vor der Kapelle und liefen über den Platz hinweg fort. Unterwegs stießen sie ein paar Passanten an und riefen weiterhin »Allah« und »Allahu'Akbar«.

Die ganze Vorstellung hatte nur ein paar Sekunden gedauert. Fatou hatte gar nicht richtig aufnehmen können, was gerade passiert war.

Sie eilte zu Yesim, die immer noch wie angewurzelt hinter der Säule stand, ihr Kinn nach vorne geschoben, ihr Blick streng. Ihre schmalen Schultern zitterten. Fatou nahm sie in den Arm und streichelte ihr über den Kopf. Yesim war starr wie ein Holzbrett. Im Arm ihrer Mutter löste sich ihre Spannung langsam.

»Pssst«, beruhigte Fatou sie, »sie sind weg. Ich habe gesehen, wie sie weggelaufen sind. Du brauchst keine Angst zu haben.«

Yesim nickte. Sie sah nicht ängstlich drein, sondern entschlossen. Eine einzelne Träne löste sich aus ihrem Augenwinkel. Yesim wischte sie mit dem Handrücken weg.

Passanten kamen zur Kapelle; ein Mann mit blauer Schürze, auf der ein Cartoon-Schwein lachend neben einer Wurstkette stand, schaulustige Jugendliche, ein Mann im Anzug, eine ältere Frau mit Kopftuch und Kreuz um den Hals. Alle standen sie vor der Wand und sahen sich das Werk der Sprüher an. Sie schüttelten die Köpfe und stießen Stoßgebete und Rufe der Empörung aus: »Also das ist doch!« – »Heilige Maria Mutter Gottes!« Fatou drehte sich um und fasste Yesim um die Schultern. Sie wollte es endlich auch sehen.

In großen neongelben Buchstaben stand dort quer über die Fürbittenbilder gesprüht »ALLAH WAKBA«.

Ihr wurde schwindelig. Sie hätte sich jetzt gerne hingesetzt. Es gab jedoch keine Sitzgelegenheit. Sie machte den Mund auf, um etwas zu sagen, aber ihr fiel nichts ein. Yesim befreite sich aus ihrem Griff. »Mama«, flüsterte sie. Eine ältere Frau in schwarzem Kleid drehte sich zu ihnen um und musterte sie von oben bis unten. Sie starrte sie einfach an. Fatou starrte zurück und achtete darauf, nicht zu blinzeln. Sie würde nicht als Erste wegsehen. Es musste doch irgendein Funken Anstand in dieser Person stecken. Eine Mutter mit Kind war nicht zum Anstarren da wie eine Kinoleinwand! Wahrscheinlich war bei dem letzten Kinobesuch der Frau noch ein Heinz-Rühmann-Film gelaufen. Sie sah immer noch nicht weg. Stattdessen stieß sie, ohne die Augen von Fatou und Yesim zu lassen, einen Mann mit schütterem Haar und Aktenkoffer neben sich an. Anscheinend wollte sie schnell irgendeinen Zeugen finden für die unerhörte Sensation, die die Anwesenheit zweier atmender Schwarzer Personen an diesem Ort zu dieser Zeit für sie darstellte. Fatou strengte sich an, nicht zu blinzeln. Warum musste sie jetzt ein Grinsen unterdrücken? Wahrscheinlich irgendein Überbleibsel aus der Schulzeit. Sie wurde streng von der Lehrerin gemustert, sie lächelte entschuldigend oder machte einen Witz, um nur ja möglichst harmlos zu wirken. Der Mann mit Aktenkoffer drehte sich nun auch zu ihnen um und sah sie an. Dann schaute er auf den Platz hinter ihnen, Fatou sah, wie sein Fokus sich änderte. Er beugte sich zu der Frau im schwarzen Kleid hinab und flüsterte ihr etwas zu. Die Frau starrte inzwischen auf Yesim.

»Was guckst'n so? Willst'n Foto?«, stieß diese aus. Fatou strich ihr über den Kopf. Der Mann stupste die Frau leicht gegen den Oberarm, um sie auf etwas aufmerksam zu machen. Dann winkte er.

Über den Platz kam mit Blaulicht ein Polizeiauto gefahren. Es hielt direkt vor der Kapelle an.

»Mama,« sagte Yesim wieder und zupfte Fatou am Arm.

»Das hast du gut gemacht, den Spruch mit dem Foto«, sagte Fatou.

»Mama, ich muss dir was sagen.«

Zwei Polizisten, ein junger vom Typ Bundeswehr und ein grauhaariger mit Bauch und Schnurrbart, betraten

den Kapellengang und scheuchten den kleinen Menschen-
auflauf beiseite. Das verlieh der Empörung der Anwesen-
den neuen Schwung. Sie begannen mit ihrem Erstaunen
und Entsetzen von vorn, als hätten sie das Graffiti gerade
erst gesehen.

»Unglaublich«, sagte einer. »Also, ist denn das die–«, rief
ein zweiter aus. Die Frau bekreuzigte sich und der Metzger
stieß ein paar unchristliche Aussprüche aus.

Yesim zupfte Fatou energischer, bis die ihr endlich die
volle Aufmerksamkeit schenkte. »Okay, ich hör dir zu.
Sag.«

Yesim zog Fatou am Arm, damit sie sich herunter-
beugte. Dann hielt sie ihr die Hände vors Ohr und flüsterte
mit wackeliger Stimme hinein: »Mama. Die waren braun
angemalt.«

Fatou seufzte. Es war gut, dass Yesim es mit eigenen
Augen gesehen hatte. Aber es war auch schlimm, dass sie
es hatte sehen müssen. Fatou wünschte sich, sich jetzt für
einen Moment hinsetzen zu können. Dazu eine Zeitung
aufschlagen, irgendein Quatschblatt, das sich mit Promis
beschäftigte. Stattdessen musste sie nun wieder einmal
ihrer Tochter ein Beispiel sein, obwohl sie sich am liebsten gedrückt hätte, nein, verkrochen, und es mit einem
Schulterzucken weggewischt. Seit Yesim auf der Welt war,
ging das nicht mehr. Es kam ihr vor, als würde sie Rassismus überhaupt erst am eigenen Körper erleben, seit ihre
Tochter ihn erlebte. Yesim musste dauernd erleben, dass
Menschen, Bücher, Lehrer und Fernsehserien ihr zu verstehen gaben, dass mit ihr etwas nicht stimmte, dass sie
nicht dazugehörte, dass sie nur toleriert wurde. In diesen
Momenten wünschte sich Fatou manchmal insgeheim eine
Sekunde lang, dass sie beide nicht Schwarz wären. Sofort

stellte sich dann ein schlechtes Gewissen ein, und immer lief alles wie in einer alten Filmaufzeichnung, die vom vielen Abspielen schon Kratzer hatte, von vorn ab: die Frustration, der Ärger, die Trauer, die Realität, das schlechte Gewissen, das Zusammenreißen und das Stark-Sein-Müssen. Wenn sie sich doch nur einen Augenblick hinsetzen und durchatmen könnte.

Stattdessen richtete sich Fatou auf und sah Yesim mit festem Blick an. »Ja«, sagte sie. »Ich hab's auch gesehen.«

Yesim deutete auf das Polizeiauto. »Das müssen wir denen sagen.«

Fatou schloss kurz die Augen und sammelte von irgendwoher Überreste ihrer Energie zusammen. »Okay, Schatz. Das machen wir.«

»Santo cielo!«, rief es hinter ihnen. Sie drehten sich um. Dort stand nun ein Priester im knöchellangen schwarzen Gewand in der Gruppe Schaulustiger. Er betrachtete das Sprühkunstwerk und schlug die Hände vor dem Mund zusammen. Dann wischte er mit dem Finger an einer Stelle an der Wand herum.

»Wann ist das passiert?«, fragte er in die Gruppe.

»Vor fünf Minuten«, antwortete der Metzger und klang fast ein wenig stolz dabei.

»Fünf Minuten!«, wiederholte der Priester. Er erlebte wahrscheinlich gerade so etwas wie einen katholischen Super-GAU.

Fatou musterte ihn. Er war schlank und sportlich, ziemlich groß. Er stand kerzengerade, möglicherweise vor Schreck. Aus ihm hätte direkt eine Figur für einen der Verkaufstische gegossen werden können. Er war ungefähr in ihrem Alter, vielleicht etwas älter, Ende Dreißig. Sein kurzes schwarzes Haar wurde am Hinterkopf schon etwas dünn. Selbst für Oberbayern hatte er einen dunklen Teint. Er hatte einen leichten Akzent und »Santo cielo« gesagt, wahrscheinlich war er Italiener.

Der Priester wandte sich der Gruppe zu. »Ich danke Ihnen allen für Ihre Anteilnahme. Wenn Sie etwas gesehen haben, sagen Sie mir bitte, was Sie gesehen haben. Bitte, wer hat das gemacht? Haben Sie etwas gesehen?« Der Metzger sah den Mann mit Aktenkoffer neben sich an. Der sah zwei junge Frauen mit Wanderstiefeln und bunten Rucksäcken an, die gerade die Schmierereien auf der Wand per Handyvideo aufnahmen.

»Halt, Halt! Nicht so schnell.« Der ältere der beiden Polizisten näherte sich mit einem Notizbuch in der Hand. Sein Kollege nahm die Dienstmütze ab, als er den Kapellengang betrat.

»Jetzt tretens bitte alle zurück. Gehens da drüben hin«, er wies in Fatous und Yesims Richtung, »und bleibens dort.«

Der jüngere Polizist scheuchte die Gruppe von der Wandmalerei fort. Sie entfernte sich nur widerstrebend. Wahrscheinlich erlebten Altöttinger nicht alle Tage etwas Aufregendes und wollten den Moment noch ein bisschen genießen. Eine Person nach der anderen trippelte hinüber. Der Mann mit dem Aktenkoffer lächelte und nickte Fatou zu. Die anderen starrten die Polizisten an, die mit einem Taschentuch die Sprühfarbe überprüften.

Was soll das bringen?, dachte Fatou. *Wollen sie vergleichen, ob sie mit ihrer Gartenzaunlackierung mithalten kann?*

Der ältere Polizist teilte seinem jüngeren Kollegen etwas mit. Der entfernte sich ein paar Schritte und sprach in ein Funkgerät.

»Wir müssen alles ausgiebig in Augenschein nehmen«, verkündete der Schnurrbartpolizist sodann an die Gruppe.

»Wir sind gerufen worden, weil es hier einen Anschlag gegeben haben soll.«

Der Metzger richtete sich in Hab-acht-Stellung auf.

»Haben Sie herrenlose Gegenstände irgendwo gesehen, einzelne Koffer oder Rucksäcke?« Das Grüppchen reckte die Hälse.

»Ich sehe nach«, sagte der Priester.

»Halt! Bleiben Sie stehen!«, erscholl es vom Platz. Schon wieder ein Megafon. Diesmal kam es aus einem Polizeibus, der soeben anhielt. Eine Einheit Polizisten mit Helmen, Schilden und schusssicheren Westen sprang heraus. Zwei liefen auf den Priester zu, die anderen schwärmten um die Kapelle herum aus.

»Ich möchte nur sehen, ob dort ein Rucksack steht«, sagte der Priester zu einem der Ninja-Polizisten.

»Das machen wir. Sie bleiben, wo Sie sind,« erwiderte der. Durch den Helm mit heruntergelassenem Visier klang er nuschelnd.

»Alles klar. Hier frei«, rief jemand von der Rückseite der Kapelle. Anscheinend war das ganze Gotteshaus inzwischen von Polizisten umzingelt. *Zwanzig Mann für ein schlechtes Graffiti*, dachte Fatou.

Auf dem Kapellplatz hatte sich indes eine Menge Schaulustiger versammelt. Sie beobachteten das Spektakel in einigem Sicherheitsabstand zum Polizeibus. Manche bissen in Mittagessen-Sandwiches. Es sah aus wie in einem Freiluftkino.

»So. Hörens zu!«, sagte der Schnurrbartpolizist mit sonorer Stimme zur Gruppe der Zeugen. »Wir werden Sie jetzt alle einzeln befragen. Jeder, der gesehen hat, wie das passiert ist, bleibt hier stehen. Alle anderen verlassen jetzt bitte den Tatort.« Niemand aus der Gruppe rührte sich.

Der Polizist versuchte es erneut. »Sind Sie alle Zeugen vom … Anschlag?«

Der Mann mit der Metzgerschürze bekam einen roten Kopf, holte ein Handy aus seiner Hosentasche und betrachtete konzentriert den Bildschirm, während er sich langsam von dannen machte. Der Mann mit dem Aktenkoffer tippte sich an seinen Hut, sagte »Wiederschaun« und ging ebenfalls weg. Die Frau, die vorhin so penetrant gestarrt hatte, verschränkte die Arme.

»Ich habe gar nichts mitbekommen,« sagte der Priester zerknirscht. »Ich war in der Sakristei. Ich muss aber wissen, was passiert ist, ich habe es doch zu verantworten, ich kann jetzt nicht hier weggehen. Bitte lassen Sie mich mit meiner Gemeinde sprechen.«

Der Polizist blieb unbeeindruckt. »Ich muss Sie bitten, sich jetzt auch zu entfernen, wenn Sie nichts gesehen haben.« An seinem breiten bayrischen Akzent konnte auch das beste auswendiggelernte Beamtendeutsch nichts ändern. Er klang, als hätte ihn jemand dazu gezwungen, bei einer Aufführung der Polizeitheatergruppe einen Text aufzusagen. »Die Zeugenbefragungen sind Polizeiangelegenheit, Hochwürden.«

»Wenn es sein muss,« sagte der Priester. Er ging an Fatou und Yesim vorbei und nickte ihnen zu Fatous Überraschung zum Gruß zu. Dann steuerte er an der Kapelle entlang zur Fußgängerzone, in Richtung der Gastronomie.

Auch auf dem Platz kam langsam wieder Bewegung auf. Wahrscheinlich erinnerten sich die Leute daran, dass ihre Mittagspausen bald vorbei waren. Die Polizisten hatten ihre Helme inzwischen abgelegt und scheuchten die Menschen vom Polizeibus fort. Ein paar normal Uniformierte unterhielten sich mit Passanten.

Es waren nicht viele wirkliche Zeugen übriggeblieben. Zwei Teenager, eine besorgt dreinblickende Frau mit Kurzhaarschnitt in Fatous Alter und die penetrante Starrerin. Sie bestand darauf, als erste vernommen zu werden und wich dem Schnurrbartpolizisten nicht von der Seite. Der Jüngere kam auf Fatou und Yesim zu. Er hatte seine Mütze unter einem Arm eingeklemmt und fuhr sich über seine kurzen strohfarbenen Stoppelhaare. »Sprechen Sie Deutsch?«

»Ja«, sagte Fatou.

»Wir sprechen aber nur Hochdeutsch«, sagte Yesim. Fatou nahm sich vor, ihr ein sehr, sehr großes Eis zu kaufen. »Und ich kann auch Türkisch.«

»Aha«, sagte der Polizist. »Ihre Personalien bitte.« Das erforderte selbstredend das mehrfache Buchstabieren ihres Nachnamens. Der bestand zwar nur aus vier Buchstaben und war ein deutsches Wort, aber es ging eben ums Prinzip. Fatou regte es am meisten auf, wenn Yesim solche Situationen miterlebte. Sie fühlte dann den Druck, angemessen zu reagieren, gleichzeitig empfand sie aber auch die Verantwortung, ihrer Tochter wegen einen kühlen Kopf zu behalten und sich nicht in Gefahr zu bringen. Diese beiden Optionen passten nicht zusammen. Egal, wie sie reagierte, sie konnte der Situation nicht gerecht werden. Wieviel Yesim vom Stress ihrer Mutter mitbekam, wusste sie nicht.

Es folgte die Aufnahme ihrer Adresse in Hamburg und der Adresse von Tante Hortensia, bei der sie die nächsten zwei Wochen verbringen würden. Dann stellte der Polizist endlich Fragen zum Vorfall. Er wollte alles der Reihe nach wissen. Fatou beschrieb es ihm, so gut sie konnte. Sie kannte das Prozedere von ihrer Arbeit als Detektivin in Kaufhäusern und Ladenpassagen. Wenn jemand etwas Aktuelles erzählte, das für diese Art von Arbeit wichtig war, musste es der Reihe nach erzählt werden. Sonst kam hinterher alles durcheinander.

Fatou berichtete dem Polizisten, wie sie den Vorfall gehört und gesehen hatten. Yesim bekräftigte sie an manchen Stellen und fügte Details hinzu, wie zum Beispiel, dass die Männer Adidas-Turnschuhe getragen hatten. Über die Schminke sagte sie nichts.

Gut, dass sie wenigstens das ihrer Mutter überlassen will, dachte Fatou. Sie schmückte ihren Bericht nicht aus und hatte kein Interesse daran, noch länger als nötig hierzubleiben. Schon seit einer gefühlten Ewigkeit musste sie sich dringend setzen. Ihr Kreislauf war im Keller. Wie auf Kommando knurrte ihr Magen. Yesim brachte das zum Kichern. Fatou konnte dafür keine Energie mehr aufbringen. Sie war durcheinander und wünschte sich Ruhe und etwas Zeit alleine, um sacken zu lassen, was um alles in der Welt gerade passiert war. Sie war noch gar nicht dazu gekommen, sich einen Reim auf das zu machen, was sie gesehen hatte.

Der Polizist trug ein kurzärmliges Hemd und litt sichtlich unter der Mittagshitze. Er notierte in sein Büchlein und wenn er nicht schrieb, sah er auf seine Stichpunkte. Wenn er eine Frage stellte, sah er Fatou aus dem Augenwinkel an und immer nur gerade lange genug, um die Höflichkeitsuntergrenze einzuhalten. Seine Stimme war monoton, und er hakte bei nichts nach. Ob er gelangweilt war, frustriert oder müde, war schwer zu sagen.

In Fatous Magengegend breitete sich eine Unruhe aus, die über fehlendes Mittagessen hinaus ging. Sie musste die Sache mit der Schminke noch loswerden. Ihr graute davor.

Vielleicht wollte er dann doch mehr wissen und sie länger befragen, und sie würde vor Hunger in Ohnmacht fallen. Jetzt hatte sie es schon bis zum Ende hinausgezögert. Yesim sah sie bereits auffordernd an und zuppelte an ihrem Arm. »Das war dann alles. Wenn wir noch was von Ihnen brauchen, rufen wir Sie auf dem Handy an.«

»Warten Sie«, sagte Fatou. »Wir müssen Ihnen noch etwas sagen.«

Der Polizist musterte sie. Seine hellen Augen bewegten sich schnell und kreisförmig. »Ja?«, fragte er und verzog keine Mine. Yesim legte ihrer Mutter einen Arm um die Taille.

»Die … Männer,« hob sie an.

»Die Terroristen meinen Sie«, sagte der Polizist, nebensächlich, es klang wie »Ja ja, um sechzehn Uhr habe ich Feierabend.«

»Die Männer,« fuhr Fatou fort, holte Luft und dachte daran, dass sie sich nicht provozieren lassen und das Gespräch schnell beenden wollte. »Sie hatten einen deutschen Akzent. Und sie waren im Gesicht dunkelbraun angemalt.«

Der junge Polizist sah sie ausdruckslos an. Er kniff leicht die Augen zusammen und blinzelte nicht.

»Ich hab das zuerst gesehen«, sagte Yesim stolz. Nun sah er Yesim an.

»Aha«, sagte er. »Na dann.«

»Wollen Sie das nicht aufschreiben?«, fragte Yesim.

Der Polizist beugte sich zu ihr herab. »Danke, meine Kleine. Dass die braun waren, haben ja wohl alle Zeugen gesehen.« Er lachte.

»Aber nicht richtig braun«, sagte Fatou.

»Schwarz«, korrigierte Yesim. »Die waren nicht in echt Schwarze.«

Der Polizist schaute in den Himmel. »Was Kinder so alles erzählen. Wenn wir das alles aufschreiben würden. Nichts für ungut.«

Yesim wollte etwas erwidern. Fatou konnte es ahnen und legte ihr eine Hand auf die Schulter. »Ich habe Ihnen doch gerade gesagt, dass ich das ebenfalls gesehen habe. Die Männer hatten braune Schminke im Gesicht, um die Augen ... dort, wo die Skimaske das Gesicht nicht ganz verdeckt hat.«

Der Polizist regte sich nicht. Er schien zu überlegen. »Sie wollen jetzt also der Vollständigkeit halber noch sagen, dass die Täter braun waren?«

Fatou schoss Ärger durch die Brust und den Hals hinauf. Und zu ihrem noch größeren Ärger gesellte sich auch noch Furcht dazu.

»Ich *will* nicht sagen, sondern ich *habe* gesagt, dass die Männer braune Schminke getragen haben. Notieren Sie das.«

Der Polizist öffnete den Mund halb, dann überlegte er es sich offensichtlich anders. Er machte eine kurze Notiz. »War es das?«, fragte er, nun wieder mit monotoner Stimme. Fatou hätte darauf keine ehrliche Antwort geben wollen. Der Polizist klappte den Block zu, steckte den Kugelschreiber in die dafür vorgesehene Schlaufe und verstaute alles in seiner Hosentasche.

»Wiederschaun«, sagte er und ging zum Auto. Dort fischte er eine Wasserflasche vom Rücksitz und nahm einen großen Schluck. Fatou hoffte, dass der sich dabei eine BPA-Vergiftung holte.

Sie strich Yesim über den Kopf. »Das hast du sehr, sehr gut gemacht, Schatz.« Die schwang ein Bein vor und zurück und machte keinen sehr zufriedenen Eindruck.

»Mama, der hat das gar nicht aufgeschrieben. Der hat nur so getan.« Fatou gab Yesim einen Kuss auf den Kopf. Die Zöpfchen würden bald erneuert werden müssen. Während sie ihre Tochter – und sich selbst – beruhigte, sah sie auf die Fürbittentafeln an der Rotunde. Aus etwas Abstand bildeten sie ein buntes Mosaik.

»Das stimmt wohl«, sagte Fatou und ging vor Yesim in die Hocke, sodass diese auf sie herunter schauen konnte. »Aber jetzt gehen wir ein Eis essen.«

***

»Darf ich mich zu Ihnen setzen?«, fragte ein Schatten auf dem mintgrün-blau-gesprenkelten Eisschirmchen, das letzten Halt in der schnell schwindenden Masse Straciatella fand. Der Schatten gehörte zum erschöpft aussehenden Priester.

»Natürlich«, sagte Fatou und verfrachtete ihre Handtasche vom Stuhl neben sich auf ihren Schoß.

»Vielen Dank«, sagte der Geistliche und nahm Platz. Er hatte etwas Mühe, seine langen Beine unter dem wackeligen dünnen Eistischchen zu falten und sah ein wenig deplaziert aus, als würde er in einer Puppenstube Platz nehmen. »Ich muss mich noch vorstellen«, sagte er. Fatou zog ihren Ellbogen ein, um ihm die Hand zu geben. »Gestatten, ich bin Pater Simone. Ich darf in der Gnadenkapelle meinen Dienst tun, wir haben uns vorhin schon kurz gesehen, aber nicht sprechen können.« Er lächelte unkonzentriert. Fatou stellte sie beide namentlich vor und sagte, dass sie aus Hamburg kämen.

»Heißen Sie wirklich Simone?«, fragte Yesim. Fatou lachte entschuldigend.

»Das werde ich oft gefragt, das ist eine legitime Frage.«
Er erzählte, dass er aus Argentinien käme und italienischer
Abstammung sei. In Italien sei Simone ein Männername.
»Übrigens auch Andrea und Gabriele«, sagte er.

»Gabriele«, kicherte Yesim.

Der Pater sagte: »Nun. Dafür heißen bei euch in Norddeutschland die Männer ›Malte‹ und ›Helge‹.«

Yesim sah ihn etwas verständnislos an. Fatou erklärte
ihr, dass ihr diese Namen nur deswegen nicht bizarr vorkamen, weil sie in Hamburg aufgewachsen war. Für Bayern
waren »Malte« und »Helge« der Gipfel der Exotik und ein
Beweis dafür, dass Norddeutschen nicht zu trauen war.

Pater Simone hatte vor gut zwanzig Jahren in Altötting
das Priesterseminar besucht und Theologie studiert. Danach war er nach Argentinien zurückgekehrt, um dort eine
Gemeinde zu finden, in der er mit Jugendlichen arbeiten
konnte. Fatou und Yesim aßen weiter, während er sprach.
Fatou war nicht desinteressiert, aber Eis schmolz nun mal.
Er schien es ihr nicht übel zu nehmen. Er wirkte auch zunehmend entspannter und bestellte sich einen Espresso und
ein großes Wasser. Sie erfuhren von ihm, dass er es als seine
Lebensaufgabe ansah, die Jugend mit Hilfe des Glaubens vor
den Gefahren und Irrwegen der Welt zu bewahren. Er erzählte, dass viele Jugendliche in Argentinien schon mit dreizehn drogensüchtig seien, und Raub, Einbrüche und Dealen
als realistischere Perspektiven sahen, als den Erhalt einer
Ausbildungsstelle. Die Arbeitslosigkeit sei hoch und viele
Menschen seien desillusioniert und deprimiert.

»In einigen Stadtteilen ist es besonders schlimm. Wir
verlieren ganze Jahrgänge an die Kriminalität. Sie bringen sich in Gangs um. Oder sie werden Prosti–« Er warf
einen kurzen Blick auf Yesim, die ihr Spaghetti-Eis schon

fertig gelöffelt hatte und ihm gebannt zuhörte. »Sie machen schlimme Sachen.«

Er klang wie ein aufrechter Kerl, der es gut meinte, fand Fatou. Wahrscheinlich hatte er Dinge gesehen und erlebt, die sie sich noch nicht einmal vorstellen konnte. Sie wäre allerdings nicht unbedingt darauf gekommen, dass er mit Jugendlichen arbeitete. Er wirkte ein bisschen spießig, steif, sogar etwas abgehoben. So wie Geistliche eben manchmal wirkten, ein bisschen weltfremd und leicht am Thema vorbei, bis sie dann Predigten darüber hielten, dass sich die Jugendlichen in Amerika Haschisch spritzten.

Wahrscheinlich habe ich einfach Vorurteile, dachte sie.

»Und warum sind Sie jetzt wieder hier in Altötting?«

»Danke, dass Sie das fragen, es freut mich sehr, dass ich Ihnen die Probleme der Jugend nahebringen darf, so viele Menschen heute hören sich gar nicht mehr richtig zu, es macht mich sehr froh, dass Sie so offen sind.«

Fatou musste über die umständliche Ausdrucksweise schmunzeln. Yesim schielte ihn von der Seite an.

»Mama, darf ich ein Comic lesen?«

Fatou kramte die aktuelle Wiederauflage der Snoopy-Heftchen von 1970 aus ihrer Handtasche und reichte sie ihr wortlos.

Der Pater fuhr fort. Er habe schnell gemerkt, dass er die Jugendlichen nur mit Sport erreichen könne. Das war seine zweite große Leidenschaft, und die war ihm schon oft sehr gelegen gekommen. Er konnte seine Begeisterung für Sport nutzen, um den gefährdeten Jugendlichen eine feste Struktur zu bieten und Werte zu vermitteln, »wie zum Beispiel Teamwork«.

In einer Einbrecherbande lernen sie auch Teamwork, dachte Fatou.

Er sei nach Altötting zurück gekommen, um seine Art der Jugendarbeit dort »zu etablieren«.

»Jugendliche, die es schwer haben, gibt es auch hier«, sagte er. »Vielleicht nicht direkt mit Waffen und Drogen, aber viele haben auch keine Perspektive. Vor allem die Buben. Ich sehe sie und denke mir manchmal, wenn du nicht bald ein gutes Freizeitangebot bekommst, vielleicht wirst du vom Weg abkommen. Deswegen ist Fußball für die Jungen hier genauso wichtig.«

Fatou fragte sich, warum Yesim die Stirn runzelte. Sie zweifelte nicht daran, dass sie gleichzeitig einen Comic lesen und ihrem Gespräch zuhören konnte. Reagierte sie auf etwas, das der Pater gesagt hatte, war sie genervt, oder missfiel ihr gerde eine Stelle im Heft?

»Was ist denn, mein Engel?«, fragte sie. Yesim sah von ihrem Heft auf und sah Simone an, dann ihre Mutter. Dann trat sie sie unter dem Tisch sanft gegen das Schienbein. Sie würden das wohl später klären müssen.

»Da haben Sie ja viel zu tun«, sagte Fatou höflichkeitshalber.

»Für die Jugendlichen und für die Integration, wenn ich etwas tun kann, ist es selbstverständlich«, sagte Pater Simone, während er sich elegant unter einer heranschwirrenden Wespe hindurchduckte. »Wir werden eine Partnerschaft haben, und alle werden davon profitieren, die Kinder in Argentinien und die Kinder in Altötting, und aus ihnen werden Erwachsene, die ein besseres Leben haben. Mit Familien. Sie und ich, wir haben Glück gehabt. Wir haben es gut. Sie haben einen Mann ...« Er wies mit dem Kinn zur Tischkante, auf der Fatous Hand lag. Sie trug noch ihren Ring. Aytaç hatte ihn ihr aus Spaß geschenkt, als sie sich kurz vor Yesims Geburt versprochen hatten, nie zu heiraten. Sie hatten beide gelacht und zur Feier des Tages ein halbes Glas Sekt getrunken, aus Verlegenheit, und um nicht darüber zu sprechen, dass sie den Moment eigentlich ernst und feierlich fanden. Fatou hatte danach noch mehr Vertrauen in ihre Beziehung gehabt. In den letzten zwei Monaten hatte sie oft darüber nachgedacht, ob seine Bereitschaft zu dem Versprechen und Nichtheirats-Ritual vielleicht davon hergerührt hatte, dass er schon wusste, welchen Weg ihre Beziehung nehmen würde. Ihrer Tochter hatte sie erklärt, dass sie ihren »Nichtehering« weiterhin trug, weil Aytaç Yesims Vater bleiben würde und sie sich gern daran erinnerte, dass sie immer noch alle miteinander verbunden waren. Das hatte Yesim gut gefallen. Außerdem waren alltägliche Begegnungen leichter, wenn die Leute dachten, dass sie einen Mann hatte.

»Sie haben eine wundervolle Tochter«, holte Pater Simone sie in die Gegenwart zurück. Yesim trat sie erneut unter dem Tisch.

»Und auch ich habe meinen Platz gefunden. Im Leben in der Kirche, und in meiner Gemeinde in Altötting. Mit den Jugendlichen hier. Wir sollten sehr dankbar dafür sein. Es gibt viele, die es sich wünschen, aber ihren Platz nicht gefunden haben. Ich habe auch Migrationshintergrund. Ich fühle mit den Menschen, die hier ankommen. Der Heilige Vater liebt Südamerika. Er ist eine Inspiration, ein großes Vorbild.«

Familien sind aber auch keine Garantie dafür, Halt im Leben zu haben, dachte Fatou. Sie wollte dazu aber nichts sagen. Die Aufregung des Tages hatte als einziges Positives gehabt, dass sie für kurze Zeit nicht daran denken musste, dass sie mit ihren Problemen, von denen unbezahlte Stromrechnungen noch die geringsten waren, allein war.

Der Pater war bestimmt ein guter Mensch. Aber sie hatte nicht das Gefühl, im Moment noch weitere sakrale Plaudereien überstehen zu können. Wenn er nicht bald auf das offensichtlich interessanteste Thema zu sprechen kam, würde sie ins Koma fallen.

Der Kellner brachte ihren Kuchen und wünschte guten Appetit.

»Was glauben Sie, wer die Schmiererei an Ihrer Kapelle fabriziert hat?«, fragte Fatou.

Pater Simone hob ausdrucksvoll die Schultern und breitete seine Unterarme aus. Wenn Fußball irgendwann nicht mehr sein Ding wäre, würde er einen guten Pantomimen abgeben. Auch sein Gesicht spiegelte wider, was er sagte.

Im Prinzip sagt er alles dreimal gleichzeitig, dachte Fatou.

»Ich war in der Sakristei«, berichtete er, sah verzweifelt drein und drehte seine Handflächen nach oben. »Deswegen wollte ich auch mit Ihnen sprechen, aber natürlich nicht Sie einfach so … befragen, ich freue mich sehr, dass wir uns kennenlernen. Aber es interessiert mich, was Sie gesehen haben. Sie wurden von der Polizei befragt. Waren Sie denn schon da, als es passiert ist? Denken Sie nicht, dass ich nur das Gespräch mit Ihnen gesucht habe, um Sie damit zu belasten, dazu habe ich kein–«

Fatou unterbrach ihn, bevor sich seine Sätze noch öfter um sich selbst wickeln konnten. »Wir standen gerade im Gang«, sagte sie, »und haben uns die Bilder angesehen.«

»Ah, die Votivtafeln.«

Fatou erzählte, wie sie die Sprüh-Attacke erlebt hatten. Simone nickte eifrig.

»Ob sie uns gesehen haben, weiß ich nicht«, fuhr sie fort. »Sie haben uns jedenfalls nicht beachtet. Mit dem Megafon … sie wollten wahrscheinlich gesehen werden.«

Pater Simone nickte weiter.

»Sie waren jung. Recht sportlich. Hatten Skimützen an und Handschuhe. Aber das Seltsamste war, dass sie im Gesicht schwarz angemalt waren. Ich meine, braun.«

Der Pater sah drein, als habe er sich verhört. »Braun?«, fragte er.

»Mit Schminke oder Schuhcreme. Sie waren keine Schwarzen oder so, sondern braun angemalt.«

»Ts«, stieß Simone aus und lehnte sich schwungvoll gegen seine Stuhllehne zurück. »Das gibt es doch nicht! Was ist das?« Er sah in den Himmel. Dann faltete er beide Hände vor sich auf dem Tisch. »Warum macht jemand so etwas, bitte, warum machen sie das?« Er sah sie an. »Was glauben Sie?«

Fatou musste nicht überlegen. Die Antwort war ihr schon durch den Kopf geschossen, als sie den Ruf durch das Megafon gehört hatte. Sie hatte die Kerle nicht einmal sehen müssen. Der Polizist hatte sie im Grunde nur darin bestätigt. So naiv konnte doch selbst ein Pfarrer nicht sein, dass ihm der Gedanke nicht schon selbst gekommen war! Sie lehnte sich ebenfalls zurück und bedeutete dem Kellner, die Rechnung zu bringen. Nachher würden sie noch etwas Herzhaftes einkaufen, vielleicht eine Salami oder zwei Stücke Pizza auf die Hand.

Pater Simones Gesichtsausdruck war nicht zu entnehmen, ob er dasselbe dachte wie sie und dafür nur Bestätigung suchte, oder ob er wirklich keine Idee zur Motivation der Sprüher hatte.

»Die werden schon ihre Gründe haben«, sagte Fatou. »Mir sind jedenfalls bestimmte Wahlplakate aufgefallen.«

Simone betrachtete eingehend seine leere Espressotasse. Fatou hoffte, dass Yesim genauso müde war wie sie selbst.

Sie wollte nach Hause gehen, sich hinlegen und den Rest des Tages nichts mehr hören und sehen. Oder den Rest der Woche. Oder des Sommers. Alle anstehenden Entscheidungen einfach verschlafen und alle Sorgen und Anflüge von Panik über ihre finanzielle Situation und Zukunft mit dazu. Auch Pater Simone sah müde aus.

»Meinen Sie wirklich?«, fragte er.

»Sie wohnen hier«, sagte Fatou. »Sie kennen sich besser aus.«

Sie machte, dass es klang wie »Du musst selbst wissen, was passiert, wenn du ohne Knieschützer Rollschuh fährst.«

»Am Wochenende ist ein Kulturfest hier auf dem Kapellplatz«, sagte er. »Kommen Sie doch bitte, dann stelle ich Ihnen sehr nette Menschen vor. Wir brauchen mehr verschiedene Kulturen hier. Altötting ist nicht überall so konservativ wie sein Ruf. Wir sind nicht hinter dem Mond, wir sind auch international! Ich möchte gern Ihren ersten schlechten Eindruck ändern.«

Welcher erste Eindruck, dachte Fatou, *ich bin hier aufgewachsen.* Pater Simone steigerte sich in Schwärmerei hinein und betrieb umfänglich Überzeugungsarbeit. Er erinnerte an die vielen Touristen, die Wichtigkeit der katholischen Kirche in Südamerika und Afrika, beschrieb, wie toll zwei »junge ungarische Roma« in seiner Jugendgruppe Fußball spielen konnten, und schloss damit ab, dass sie gerade schließlich auch in einem ausländischen Café saßen. Fatou versprach ihm, dass sie sich das Kulturfest ansehen würde.

Warum nicht, dachte sie. Es war eine Unternehmung, die Yesim nicht langweilen würde. Eine weniger, die sie sich nicht aus den Fingern saugen musste. Im Moment wollte sie allerdings weder missioniert werden, noch einen weiteren Vortrag aus dem Fremdenverkehrsmarketing hören.

Sie wollte zu Tante Hortensia und dort so schnell wie möglich einen Mittagsschlaf im schattigen Zimmer machen, in dem die Jalousien den ganzen Tag über zugezogen waren, sodass es schön kühl war.

Der Kellner kam mit der Rechnung und entschuldigte sich dafür, dass er bisher noch nichts abgeräumt hatte. »Ein hektischer Tag heute,« sagte er, sonst aber nichts weiter über den Vorfall an der Kapelle, der den ganzen Platz in Aufregung gebracht hatte. *Vielleicht will er den Pater nicht aufregen*, dachte Fatou. Wenigstens einer, der sich Gedanken darum machte, wie es seinem Gegenüber im Moment eigentlich ging.

»Warum hast du mich denn dauernd ans Schienbein getreten?«, fragte sie im Auto auf der Rückfahrt nach Neuötting. »Das hat weh getan!«

Yesim lehnte sich nach vorne, so weit ihr Gurt es zuließ. »Der hat so schleimig geredet, Mama.« Fatou erklärte ihr belustigt, dass Yesim es für ihre erste Begegnung mit einem katholischen Pfarrer noch ganz gut erwischt habe.

***

»Habt ihr genug Kirchen angeschaut? Habt ihr Hunger? Wie schaut ihr denn aus?«, empfing sie Tante Hortensia. Sie trug eine graue Bleistifthose aus dünnem Tweedstoff und ein hellblaues Seidenhemd. In der Türöffnung vor dem dunklen Flur sah sie aus, als sei sie für ein Modefoto in Szene gesetzt worden.

»Wir waren bei einem Anschlag dabei!«, platzte es aus Yesim heraus.

»Mei«, sagte Tante Hortensia. »Was denn für ein Anschlag? Jetzt kommt erst mal rein.«

Zuerst ließ sie sich versichern, dass sie keinen Schaden genommen hatten. Dann stellte sie einen Krug Eistee auf den Tisch und nahm die Cellophanfolie ab, die ihn bedeckte.

»Ich habe Kopfweh bekommen. Da bin ich drinnen geblieben und hab mich ausgeruht. Das darf man auch mal«, sagte sie, während sie drei Gläser einschenkte und vor sie stellte. »Aber jetzt erzählt.«

»Es tut mir leid, Tante Hortensia, aber ich muss mich dringend hinlegen«, sagte Fatou. »Bin fix und fertig.«

Die Tante sah sie prüfend an und bekam einen spöttischen rechten Mundwinkel.

»Ich kann dir alles erzählen«, bot Yesim an. »Wir haben vielleicht was erlebt! Der Pfarrer heißt Simone!«

Fatou ging in Yesims Schlafzimmer, wo es kühl und ruhig war. Zum ersten Mal seit langer Zeit war ihr nach einem Dankesgebet zumute.

Was machen wir denn heute?« Yesim kaute auf einem Nutellabrot herum. Draußen fuhr ein Motorrad vorbei. Ein Hund kläffte. Die Store-Gardine vor dem Küchenfenster bewegte sich nicht. Es würde wieder ein heißer Tag werden.

Den Rest des vergangenen Tages hatten sie gemeinsam im Garten verbracht. Tante Hortensia hatte versucht, Yesim das Kartenspiel Rommé beizubringen, und Fatou hatte versucht, die Augen offen zu halten und nicht andauernd zu gähnen. Für Tante Hortensia war der Vorfall in Altötting anscheinend gar keine große Sache. Niemand war verletzt worden, und die Kapelle interessierte sie nicht besonders. Über junge Männer, die mit Sprühdosen Vandalismus begangen, regte sie sich nicht auf. So lange es nicht an ihrem Haus geschah, war ihr das »wurscht«. Über Pater Simones Vornamen schüttelte sie nur den Kopf.

Fatou war froh, dass die Tante an Tratsch nur mäßig interessiert war. Mehr als einen knappen Kommentar zur Lage der Nation ließ Hortensia selten verlauten. Sie war in dieser Hinsicht anders als die meisten Menschen, die Fatou kannte. Viele nahmen jede Gelegenheit zu Klatsch und Geläster wahr, egal, ob es um eine persönliche Angelegenheit ging, um Alkoholismus in Russland oder um die Frisur von Angela Merkel.

Fatou bekam noch nichts herunter. Die dünnere und bessere der beiden Brötchenhälften duftete auf ihrem Teller vor sich hin. Tante Hortensia hatte die Semmeln schon früh morgens vom Bäcker geholt. Mit deren Duft kamen auch Erinnerungen an Fatous Kindheit. Die Wiesen, die ihr fast zur Hüfte reichten, Schlittenfahrten im Winter, Tante Rosas Küche. Hier hießen Brötchen nicht nur anders, sondern schmeckten auch anders als in Hamburg. Sie waren innen perfekt weich und außen kross knusprig. Als Kind hatte sie immer nur die untere Hälfte gegessen. Sie goss sich eine zweite Tasse Filterkaffee ein und bestrich dann die fluffige Fläche mit einer dünnen Lage Süßrahmbutter.

»Gehen wir ins Freibad?« Yesim ging so gern schwimmen. Fatou wollte ihr nicht die Freude daran verderben. Aber sie wollte sie auch unbedingt noch vor Erfahrungen schonen, die ihr schmerzhaft zeigen würden, dass ihr Körper für viele Menschen nicht in erster Linie ihr eigener Besitz war. Sie hatte vielleicht noch ein, zwei Jahre, dann würde es schonungslos werden. Dann käme der Schock darüber, dass das Privateste auf der Welt, der eigene Körper, nicht privat war. Fatou wusste, dass es unausweichlich geschehen würde. Sie war nicht gut darauf vorbereitet, Yesim gut darauf vorzubereiten. Sie konnte ja selbst nicht damit umgehen. Halbe Nächte lag sie wach, schwitzte so stark, dass sie das Nachthemd wechseln musste, und grübelte und grübelte, was in solchen Situationen die beste Reaktion sei. Sie hatte eine Liste angefangen mit Erwiderungen, wie zum Beispiel »Zischen Sie gefälligst ab oder ich hole einen großen Schwarzen Mann«, aber so etwas war höchstens eine kurze gedankliche Erleichterung, nicht tauglich für das echte Leben. Das echte Leben war keine schlagfertige Antwort, kein ironisches Duell. Wenn sie an dieser Stelle ihrer Gedankenschleife angekommen war, dachte sie wieder an Yesim, fragte sich, ob es falsch gewesen war, ein Kind zur Welt zu bringen, das das alles würde durchmachen müssen, woraufhin sie sich Vorwürfe über diesen Gedanken machte. Dann beruhigte es sie ein wenig, dass sie nichts an der Sache ändern konnte – woraufhin sie ein schlechtes Gewissen bekam, dass sie sich so einfach geschlagen gab. Es endete jedes Mal damit, dass sie sich vornahm, zeitnah ein Gespräch mit Yesim über die Sache mit ihrem Körper zu führen.

Sie würde wirklich bald damit anfangen müssen.

»Wenn du unbedingt willst, gehen wir ins Freibad. Aber hier ist das ein bisschen anders als in Hamburg.«

Yesim wickelte sich ein Zöpfchen mit grüner Perle um den Finger und sah sie verschwörerisch von unten bis oben an. »Was, weil hier nur Weiße wohnen?« Fatou verschluckte sich fast an ihrem Kaffee. Sie hustete und versuchte dabei, möglichst wenige Tröpfchen auf die Tischdecke zu sprühen.

»Mama!«, zischte Yesim. Sie machte ein angeekeltes Gesicht und schob ihre Kakaotasse demonstrativ aus der Schusslinie.

»Ihr könnt die Stefans besuchen«, sagte Hortensia. »Die Nachbarn. Die haben einen echten Swimmingpool.«

Yesim klatschte vor Begeisterung in die Hände und rief: »Jaaa!«

Fatou konnte aushandeln, dass sie wenigstens bis nach dem Mittagessen warten würden. Sie war noch nicht bereit für Smalltalk mit einer Person, die sie zuletzt vor über dreißig Jahren im Kindergarten gesehen hatte. Obwohl es so lange her war, hatte Anita Stefan einen bleibenden Eindruck bei ihr hinterlassen, denn sie war schuld an Fatous Spinnenphobie. Mehrere Kinder hatten unter einem Baum gespielt, an einem heißen Augusttag wie heute. Eine

Spinne hatte sich in Anitas Haaren verfangen, eigentlich keine große Sache. Bis dahin hatte Fatou sich noch nie Gedanken über Spinnen gemacht. Anita hatte aber wie in Todesangst geschrien und geweint. Sie hatte geschrien, bis sie heiser war, die anderen Kinder angefleht, ihr die Spinne aus dem Haar zu entfernen, dabei aber nicht still gehalten, sondern unkontrollierte Bocksprünge gemacht, sich mal mit den Händen, mal mit einer Trinkflasche auf den Kopf geschlagen, ihr kurzes blaues Sommerkleid an einer Hecke zerrissen und die ganze Nachbarschaft zusammengebrüllt. Die hatten schließlich einen Krankenwagen gerufen, weil sie dachten, das Mädchen stünde kurz vor dem Exitus. Bevor der Krankenwagen angekommen war, war Fatou schon weggelaufen. Sie hatte sich zu sehr erschrocken. Nach diesem Vorfall war sie Anita im Kindergarten aus dem Weg gegangen, und seither hatte sie selbst Angst vor Spinnen. *Überempfindliche Saftnase,* dachte Fatou.

»Schau'n wir doch mal, ob sie was über euren Anschlag bringen«, verkündete die Tante. Die beiden folgten ihr ins Wohnzimmer.

Im Lokalfernsehsender stand die Nachrichtensprecherin im roten Kostüm an einem asymmetrischen Tisch. Hinter ihr war eine Leinwand zu sehen, die den Landkreis von oben zeigte, ein weichgezeichnetes Bild von Feldern, Wiesen, dem Fluss und roten Hausdächern. Neben der Leinwand hing ein Kreuz an der Wand. Eine schlecht animierte Uhr im Vordergrund zählte von neun zurück.

»Grüß Gott«, sagte die Nachrichtensprecherin. Yesim lachte. Tante Hortensia sah sie streng an.

»Psst. Ich hör nicht mehr so gut.«

Sie nahm die Fernbedienung und stellte den Ton zwei Stufen lauter.

»Altöttings Politiker reagieren auf den Anschlag auf die Gnadenkapelle. Gestern Mittag hatten zwei Attentäter das weltweit bekannte Kulturdenkmal angegriffen und beschädigt. Sie hinterließen arabische Graffitis und muslimische Drohungen.« Das neongrüne »ALLAH WAKBA« wurde eingeblendet, dazu der Untertitel »Allah ist groß«, dann kam eine Nahaufnahme der besprühten Bildtafeln und einer Gruppe älterer Frauen, die daneben weinten. Darunter stand eingeblendet »Aufzeichnung vom Vortag«.

»Das ist doch wohl klar, dass das keine Muslime waren«, sagte Fatou. »Muslime können ihre eigenen Gebete ohne Rechtschreibfehler sprühen.«

»Die das gemacht haben, sind selber wack«, sagte Yesim.

»Psst«, sagte Hortensia.

»Bei dem Anschlag sind keine Personen verletzt worden. Zeugenaussagen beschreiben zwei junge Männer muslimischen Aussehens, wahrscheinlich mit nordafrikanischem Hintergrund. Die Täter haben Skimützen und blaue Latzhosen getragen. Hinweise nimmt die Polizei Altötting entgegen.«

Tante Hortensia, die mit übereinandergeschlagenen Beinen neben Fatou auf der Couch saß, drehte sich ostentativ herum. »Dass das afrikanische Araber waren, habt ihr mir aber nicht gesagt. Ich dachte, ihr wart dabei?«

Yesim wandte sich im Fernsehsessel um. »Ich hab die gesehen«, sagte sie. »Das waren sowieso gar keine Afrikaner. Die waren im Gesicht braun angemalt. Die hatten außerdem blaue Augen.«

»Also, so was!« Tante Hortensia schüttelte den Kopf. »Habt ihr das der Polizei gesagt?«

Fatou seufzte. Sie hatte noch nicht einmal ein halbes Brötchen gegessen. »Ja, Tante. Aber die hat das nicht interessiert.« Tante Hortensia sah sie skeptisch an. »Das passt denen nicht gut ins Konzept«, sagte Fatou.

Hortensia wollte etwas antworten, da kam Pater Simone ins Bild. »Das ist doch euer Padre Sibille«, sagte sie. Yesim lachte schallend auf.

»Pater Simone, Tante«, korrigierte Fatou.

»Pater Gisela«, schlug Yesim vor und rollte vor Lachen mit ihrem Sessel ein paar Zentimeter nach links.

»Psst«, machte Hortensia.

Der Pater sagte in seinem Interview, dass er den Vorfall bedauere, aber vor der »Vorverurteilung muslimischer Mitbürger« warne. Er hatte nur zwei, drei Sätze in dem Beitrag. Die Kapellenwand hinter ihm war mit weißem Stoff verhängt.

Wahrscheinlich versuchen sie gerade, das Graffiti zu entfernen und wollen in der Zwischenzeit kein Internet-Meme werden, dachte Fatou.

Nun kam ein älterer Mann mit dunkelgrünem Hut und Gamsbart ins Bild. Er stand in der Fußgängerzone mit der Kapelle im Hintergrund. »Bürger« war unter ihm eingeblendet.

»Des hamma davo wemma imma tolarant san so a Schand' do muass jetz amoi oana duachgroafa sonst tanzna di uns no auf da Nosn rum des Gsch-« bevor er seinen Satz zu Ende sprechen konnte, trat ein bebrillter Reporter im blauen Hemd vor ihn und moderierte in sein übergroßes Mikrofon. »Die Bürgerinnen und Bürger sind verständlicherweise besorgt. Wird der Anschlag auch Auswirkungen auf die Bürgermeister- und Landtagswahl am Sonntag nächste Woche haben? AÖ-TV fragte die Parteien.«

Vor einem Banner der Rechtspartei stand eine Frau in rosafarbener Rüschenbluse. Während sie vor Empörung bebte, bewegte sich ihre blonde Fönfrisur so wenig, als bestünde sie aus Beton. Sie gab zu Protokoll, dass ihre Partei – wenn sie die Mehrheit bekäme – alle Abschiebungen beschleunigen würde, damit »kriminelle Ausländer« keine Chance bekämen. Was sie mit kriminellen Inländern vorhatte, verriet sie nicht. Als Nächstes zeigten sie einen Wahlkampfstand der SPD vor einem Baumarkt. Ein junger Mann mit rotem Schal und runder Brille versuchte, fehlerfrei einen auswendiggelernten Text aufzusagen. »Die SPD ist für kulturelle Vielfalt, aber natürlich in gewissen Grenzen, die unsere Integrationskapazitäten und die Sorgen der Bürger berücksichtigt. Wir stehen für ein Zuwanderungsgesetz, das … qualifizierte Arbeitskräfte, äh … unseren Bedürfnissen zuführt. Wir haben natürlich keine Toleranz gegenüber Terrorismus und radikalem Islamismus.«

Danach kamen noch ein paar verunsichert oder empört dreinblickende Einheimische, die Sätze sagten wie »Muss man jetzt schon Angst haben, wenn die Kinder draußen spielen«, und »Das darf man ja heutzutage alles nicht mehr sagen, aber …«

Tante Hortensia machte ein abschätziges Schnalzgeräusch und schaltete den Fernseher auf lautlos. »Das ist ja ein ganz ein Fescher, der neue Pfarrer.« Ihr Tonfall klang wie »Schade, dass das neue Auto schon so schmutzig ist.« Dass sie persönlich unbeeindruckt von seiner Erscheinung war, war Fatou klar.

»Die Politiker sind doch alle nur faul und verzogen«, konstatierte die Tante. »Ich hab noch nie gewählt, und ich werd auch am Sonntag nicht wählen.« Sie stand auf und ging in die Küche. Kurz darauf klapperte Geschirr.

Yesim hatte sich zu Fatou umgedreht und die Arme auf ihren Knien aufgestützt. »Mama, wir müssen da was machen.«

Fatou versuchte, ihr zu erklären, dass es da nicht viel zu »machen« gab. Sie wussten beide, dass die Männer keine »nordafrikanischen Islamisten« gewesen waren. Wenn das der Polizei nicht gut passte, konnten sie sie schlecht dazu zwingen, es zur Kenntnis zu nehmen.

»Aber wenn wir bekannt machen, dass es Angemalte waren, dann lassen doch alle die Muslime wieder in Ruhe«, sagte Yesim.

Fatou wünschte sich eine Welt, in der das zutreffen würde. »Du und ich, wir wissen, dass wir recht haben. Aber so, wie der Polizist sich uns gegenüber verhalten hat, so werden die anderen Polizisten sich auch verhalten. Was wir gesehen haben, passt denen nicht. Die werden uns wegschicken.«

Yesim biss mit den Vorderzähnen auf ihrer Unterlippe herum. »Dann müssen wir es halt beweisen«, sagte sie.

»Schatz, wir sind in den Ferien. Damit du hier alles kennenlernst und wir eine schöne Zeit haben. Wir können noch ganz viel miteinander machen.«

Yesim sah traurig drein und runzelte die Stirn.

»Du bist doch Detektivin, Mama. Und wir waren dabei. Wenn du nicht beweisen kannst, wer es war, dann gar niemand.«

Fatou holte Luft und schloss die Augen. Sie ahnte, was als nächstes kommen würde. Yesim verfügte über atomare Waffen der Überzeugung. Meistens hatte sie keine Chance, dagegen anzukommen. Ein nervöses Pochen in ihrer rechten Schläfe kündigte an, dass sie gleich einer Sache zustimmen würde, die sie hinterher bereuen würde.

Yesim rutschte auf dem großen Sessel herum. Sie sprach schnell und lauter. Ihre Stimme bewegte sich gefährlich nahe an einem Vorwurf. »Stell dir vor, ich und Papa würden hier leben!«

»Na gut.«

Yesim stand auf und umarmte sie.

»Danke, Mama!« Ihre Arme waren warm an Fatous Hals.

»Du weißt aber, dass ich Kaufhausdetektivin bin«, sagte sie, »und keine Kriminalpolizistin.«

»Gottseidank«, sagte Yesim.

Fatou lächelte. »Ich kann dir nichts versprechen.«

Yesim löste ihre Umarmung und sah sie an. »Okay, Mama. Aber du schaffst das,« befahl sie.

Nach dem Frühstück, einer ausgedehnten Partie Mau-Mau auf dem Balkon und einer kühlen Dusche saßen sie im Wohnzimmer und sahen fern. Tante Hortensia räumte in der Wohnung herum und kochte das Mittagessen. Zweimal lehnte sie ab, als Fatou ihr Hilfe anbot. Fatou entspannte sich etwas bei einem Kreuzworträtsel, und Yesim war in eine schrottige Realitysoap vertieft. Es roch nach Bratkartoffeln.

»In einer halben Stunde können wir essen«, streckte Hortensia den Kopf zur Wohnzimmertür herein. »Ich hab Anita angerufen. Ihr könnt nach dem Mittagessen zu ihr rübergehen. Sie kann es kaum erwarten«, verkündete sie und verschwand wieder, bevor Fatou etwas dazu sagen konnte.

Es gab Leberkäse, Spiegelei und Bratkartoffeln. Yesim hatte noch nie Leberkäse gegessen. »Jetzt bist du endlich eine echte Bayerin,« scherzte Fatou. Yesim rollte mit den Augen. All zu viel bekamen sie nicht herunter.

Es war schwül geworden. Am Pool zu sitzen, würde ihnen gut tun. Tante Hortensia wollte allerdings nicht mitkommen, denn sie war nicht gern bei anderen Leuten zu Hause. Wenn die anderen Leute einen Swimmingpool hatten, hatte sie eben Pech gehabt, sagte sie. Etwas später würde sie vielleicht noch spazieren gehen, und bis dahin wollte sie etwas lesen. Fatou nahm sich vor, auch so konsequent zu werden.

Wenn ich wie Tante Hortensia von der Rente leben könnte, wäre es leichter, dachte sie.

Nach dem Mittagessen zog Fatou trotz der Hitze eine Bundfaltenhose und eine langärmlige Bluse an. Sie wollte zu viel Hemdsärmeligkeit vorbeugen. Es war schließlich noch nicht klar, wie Anita und sie sich verstehen würden. Wenn sie sich unsympathisch wären, würde Fatou sich besser fühlen, wenn sie nicht gerade in Shorts herumsaß. Sie war etwas nervös, freute sich aber auch darauf, eine Kindergartenfreundin wiederzutreffen. Nicht so sehr wegen Anita selbst, schließlich kannten sie einander eigentlich gar nicht. Aber sie hatte nicht mehr viele Menschen übrig, an die sie sich seit ihrer Kindheit erinnern konnte. Aus Neuötting war sie weggezogen, als sie in die dritte Klasse gekommen war. Ihre Mutter war fortgegangen und Tante Rosa schwer krank geworden. Eine Tante mütterlicherseits hatte sie in Frankfurt bei sich aufgenommen. Zu ihr hatte sie heute keinen Kontakt mehr. Als Erwachsene war Fatou dann ins ferne Hamburg ausgewandert. Außer Tante Hortensia kannte sie niemanden länger als zehn Jahre. Dadurch blieben ihr aber auch manche Peinlichkeiten erspart. Einmal hatte sie in der zweiten Klasse nach dem Sportunterricht eine Strumpfhose vergessen, und jemand hatte sie an die Tafel gehängt. Die ganze Klasse hatte sich schlapp gelacht. Diese Geschichte würde ihr als Erwachsene wenigstens niemand mehr vorhalten. Auch, wenn sie sich heute in manchen Situationen nicht unbedingt viel souveräner fühlte als damals.

Yesim trug ein knielanges Smiley-T-Shirt und Shorts. Tante Hortensia ermahnte sie, daran zu denken, dass Anitas Mann gestorben war. Yesim nickte feierlich. Fatou war etwas aufgeregt, als sie durch Tante Hortensias Garten gingen und nach rechts über die Kreuzung. Auch aus der Nähe war die Hecke vor Anitas Haus blickdicht. Neben dem roten massiven Gartentor hing ein verziertes Messingschild mit der Aufschrift »Stefan« und einem Klingelknopf. Fatou drückte ihn und räusperte sich. Yesim zupfte sich ein Löwenzahnschirmchen vom Arm. Fatou hörte Kinderschritte und ein kratzendes Geräusch.

»Wartet, wartet. Isa!«, rief eine Frauenstimme. Anita öffnete das Gartentor. Neben ihr stand ein Mädchen in Yesims Alter, mit kinnlangen glatten schwarzen Haaren und Sommersprossen. Sie trug ein rosa gepunktetes Jeanskleid und Flip-Flops. Yesim und das Mädchen sahen einander an und strahlten. Halb hinter dem Tor versteckt hielt sich ein kleines blondes Mädchen an einem Tretroller fest. Sie hatte ein zerzaustes Plüschtier in der Hand und starrte Fatou an.

»Wie schön, dass ihr vorbeischaut«, sagte Anita.

Fatou war geschockt, wie wenig sich Anitas Aussehen seit dem Kindergarten verändert hatte. Sie war dünn, blond, hatte durchsichtige Haut und einen etwas gepeinigten Gesichtsausdruck. Genau wie ihre Jüngste. Fatou brauchte einen Moment, um das doppelte Lottchen zurück in die Zukunft zu verarbeiten.

Anita lachte. »Ja, die Sophie sieht genau so aus wie ich, oder? Das sagen alle.« Fatou sah das ältere Mädchen an, die immer noch Yesim anstrahlte. »Das ist meine große, großartige und einzige Tochter Yesim«, sagte Fatou. »Und du bist bestimmt die große, großartige und einzige Isabel?«

Isabel nickte verlegen und kicherte. Yesim winkte ihr etwas schüchtern zu.

»Was stehen wir hier herum«, sagte Anita. »Kommt rein, die Gartenstühle stehen bereit.« Sie trat neben das Tor und eröffnete den Blick auf das Grundstück. Es war riesig.

Auf einem Kiesweg lagen zwei zur Hälfte biologisch abgebaute Bobbycars. Die Wiese, durch die der Kiesweg führte, war mit Blüten und verschiedensten Gräsern übersät, ob wildromantisch oder ungepflegt, war Interpretationssache. An einem kleinen Schuppen lehnte ein Skateboard. Bälle und Wurfspiele aus Plastik lagen herum und ein rosafarbenes Fahrrad stand an einen Apfelbaum gelehnt. Ein ausladender nierenförmiger Swimmingpool stellte das Herzstück des Gartens dar. Dahinter befand sich eine große Terrasse mit einer Sitzgruppe und verblassten rosafarbenen Sonnenschirmen vor dem Wohnhaus, einem zweistöckigen Bungalow. Die Scheiben der Terrassentür waren getönt.

»Wow«, sagte Fatou. Sie kannte solche Familien. Es waren Familien, in denen keine echten Peinlichkeiten vorkamen. Sie hatten Schicksalsschläge, Schwierigkeiten, Sorgen, Glück und Pech. Manchmal sogar Skandale. Aber keine Peinlichkeiten. In solchen Häusern gab es niemanden, der furzte, und wenn, dann war es nicht peinlich, sondern ein Zeichen, dass sie sich alle sehr nahe standen. Wenn jemand Durchfall hatte, wurde das besprochen wie andernorts eine Erkältung. Niemand schämte sich dafür. Fatou hatte solche Familien kennengelernt, wenn sie bei Schulfreundinnen zu Besuch gewesen war. Abends hatte sie fast angebettelt werden müssen, wieder nach

Hause zu gehen, so sehr hatte sie dort bleiben wollen. Während sie das charmante Laissez-Faire des protzigen Gartens betrachtete, kam etwas Neid in ihr hoch. Gefolgt von schlechtem Gewissen, als sie sich erinnerte, dass schließlich vor kurzem Anitas Mann gestorben war.

Ein Teenagerjunge mit strubbeligen blonden Haaren, RUN-DMC-T-Shirt und übergroßer Jeans kam aus dem Haus auf die Terrasse. Er trug ein Tablett mit einem Krug, Eiswürfeln und Gläsern.

»Das ist unser Mann im Haus«, sagte Anita und bedeutete Fatou und Yesim, Platz zu nehmen. »Mein Ältester, der Martin. Nächstes Jahr wird er volljährig.« Sie strich ihm über die Haare und er machte eine ausweichende Kopfbewegung.

»Hallo«, brachte er zwischen geschlossenen Zähnen heraus und gab Fatou die Hand, ohne sie anzusehen.

»Hi«, sagte er zu Yesim, die bei ihrer Mutter auf dem Schoß Platz genommen hatte. Die kleine Sophie lief zu ihrem Bruder und klammerte sich an seinem Hosenbein fest. Sie stellte sich mit beiden Füßen auf seinen Turnschuh, und er hob das Bein an. Während sie in der Luft herum fuhr, gluckste sie vor Freude.

»Mama, ich will nachher noch los«, nuschelte Martin.

»Schön, dass du kurz vorbei geschaut hast«, sagte Anita. »Bring doch bitte die Sophie noch zum Reiten.«

»Okay. Tschüss.« Martin ging am Haus vorbei und schwang die kreischende kleine Schwester dabei über seine Schulter.

»Er ist ein Guter«, sagte Anita. Isabel stand noch immer neben dem Tisch. Sie nahm den Krug und begann, Anita Eistee einzuschenken. »Danke, Isabel, ich mach das schon. Ihr zwei könntet doch zusammen spielen. Habt ihr Lust? Ihr könnt in den Pool gehen, die Isa kann dir bestimmt Schwimmsachen leihen«, sagte Anita zu Yesim.

»Der Pool ist leer, Mama«, sagte Isabel verlegen.

»Ach ja, stimmt. Ich komm einfach nicht dazu, den säubern zu lassen.« Sie wurde ein bisschen rot. »Oder du zeigst ihr dein Zimmer, Isa. Ja?«

Yesim drehte sich um und sah ihre Mutter an.

»Bist du seit heute schüchtern?«, fragte Fatou.

»Komm mit«, sagte Isabel und streckte die Hand aus. Yesim ergriff sie und zusammen liefen die Mädchen ins Haus.

»Ich zeig dir nachher auch das Haus«, sagte Anita. »Aber wir haben uns so lang nicht gesehen, da können wir uns erst mal ohne die Kinder unterhalten.«

Fatou überspielte ihr Zucken indem sie so tat, als würde sie eine Fliege von ihrer Bluse scheuchen.

»Bist du den ganzen Tag zu Hause?«

Anita betrachtete den Strohhalm in ihrem Eistee. »Ja, meistens. Martin hilft mir viel. Er bringt die Kleine herum, zur Kita und so. Er wohnt gar nicht mehr hier, aber ich bin froh, dass ich ihn habe. Ich hab ja sonst nichts zu tun.« Ihre Stirn furchte sich und sie schluckte. »Seit der Joachim nicht mehr da ist, bin ich krankgeschrieben.«

Fatou hatte eigentlich wissen wollen, ob Anita heute zu Hause bleiben würde. Dann könnte Yesim mit Isabel spielen und sie selbst in die Stadt gehen. Ein bisschen bummeln. Alte Erinnerungen suchen, vielleicht einen Kaffee trinken und eine Zeitschrift lesen. Ein paar Stunden für sich sein. Sie musste über Vieles nachdenken. Die Müdigkeit von gestern Abend war noch nicht ganz verschwunden.

»Wo wohnt er denn?«, fragte Fatou. Anita sah irritiert von ihrem Eistee auf.

»Er ist vor drei Jahren gestorben. So lang ist das schon her ... Die Sophie war erst zwei. Sie hat ihren Vater kaum kennengelernt.« Anita bekam feuchte Augen. »Hat dir deine Tante das gar nicht erzählt?«

»Mein Beileid«, sagte Fatou. »Ich habe eigentlich deinen Sohn gemeint. Wo er wohnt.«

Anita schniefte. »Ach so, der Martin.« Sie rührte in ihrem Becher herum. »Der wohnt im Internat. Da wollte er von sich aus hin. Inzwischen bleibt er da auch noch in den Ferien. Weil er da nicht von mir beobachtet wird. Ich bin froh drum, wenn ich ehrlich bin, ich könnte mich eh nicht um ihn kümmern. Eigentlich kümmert mein Sohn sich mehr um mich als andersrum, seit der Joachim nicht mehr ist.« Anita sah Fatou entschuldigend an.

Jetzt will sie hören, dass ich voll in Ordnung finde, dass ihr Sohn sich um sie kümmert, dachte Fatou und entschied sich für ein neutrales Nicken.

»Deine Tochter ist ja total goldig! Die Isabel haben wir kurz nach ihrer Geburt aus Bangladesch adoptiert. Hier fällt sie natürlich auf. Überall ist sie die einzige mit brauner Haut. Wir haben das vielleicht unterschätzt.«

Wie grausam naiv sie ist, dachte Fatou.

»Hat sie keine Schwarzen Spielkameradinnen?«

Anita sah sie irritiert an. »Also komm, sie ist doch nicht schwarz! Klar, ein bisschen dunkel, aber doch fast so wie deine, wie die–«

»Yesim«, ergänzte Fatou mit zunehmender Stirnfalte.

Anita fuhr munter fort: »Oder so wie du. Oder irgendwo dazwischen.« Fatou riss sich zusammen, zum Wohl des Mädchens.

»Hier wohnen ja kaum ausländische Familien«, plapperte Anita weiter, »jedenfalls nicht bei uns in der Siedlung. In Isas Klasse sind noch zwei türkische Mädchen, aber das ist ja wieder was anderes. Da will ich auch unbedingt aufpassen. Die tragen schon Kopftuch, obwohl sie erst elf sind.«

Unerhört, dachte Fatou, *wie können die Gören es nur wagen. In einer Stadt, in der überall Nonnen herumlaufen, einfach ein Kopftuch zu tragen. Wo kommen wir denn da hin.* Sie sagte nichts.

»In Bangladesch sind Frauen nicht viel wert. Deswegen haben wir sie ja extra von da weg adoptiert. Ich hab schon eine Verantwortung, dass sie emanzipiert wird und unsere Werte lernt. Wenn sie jetzt lauter türkische Mädchen als Freundinnen hätte …«

Fatou stellte geräuschvoll ihr Glas auf den Tisch, neben dem dafür vorgesehenen Untersetzer.

»Yesims Vater ist Türke. Yesim ist ein türkischer Name«, sagte sie.

»Oh«, sagte Anita. »Aber die ist doch ganz modern und selbstbewusst.« Sie lächelte bestätigend. Fatou stellte sich vor, wie sie Anita ein Kissen mit der Aufschrift »Klischee« aufs Gesicht drückte, bis sie sich nicht mehr bewegte.

»Seid ihr noch zusammen, du und der Vater?«

»Ja«, sagte Fatou und schaute dezent auf ihren Ring. »Er ist Tanzlehrer und Schauspieler. Er kümmert sich ganz toll.«

Anita lehnte sich zurück, griff in die Tasche ihrer Shorts und holte eine Zigarettenschachtel heraus. Während sie sich eine anzündete, sagte sie durch die geschlossenen Zähne »Ich bin jetzt alleinerziehend.« Sie atmete genussvoll ein und erschien gleich viel weniger nervös. »Ach, entschuldige«, sagte sie und hielt Fatou die goldene Benson's Schachtel hin. »Auch eine?« Fatou verneinte.

»Der Joachim hat am Wochenende immer viel mit den Kindern gemacht. Es ist schon eine Umstellung gewesen. Wenn ich gewusst hätte, dass er stirbt–«, Sie sah wieder auf ihr inzwischen leeres Glas und sprach nicht weiter. Fatou konnte es sich denken. … *hättest du Isabel nicht adoptiert*, ergänzte sie innerlich. Anita beugte sich nach vorne. »Wie machst du denn das mit deiner Tochter – dass die sich nicht so ausgeschlossen fühlt?«

Fatou streckte sich. Sie rollte ihren Kopf in den Nacken, dann nach vorne und dehnte sich zu beiden Seiten. Was sollte sie ihr sagen? Dass sie in Hamburg den ganzen Tag umgeben von Menschen aus vier Kontinenten waren? Dass Fatou eine Schwarze Mädchenclique hatte? Dass Binta aus Senegal war, Sandra aus Österreich, Ngozis Eltern aus Ghana, Denises Mutter aus den USA und ihr Vater aus Singapur? Dass ihr jeden Tag das Herz aufging, wenn sie sah, wie ihre Tochter eine Jugend erlebte, die so anders, so viel weniger von Vereinzelung geprägt war als ihre eigene Jugend? Sie hätte Anita raten können, gefälligst umzuziehen, wenn sie ihre Tochter wirklich liebte. München war nicht so weit weg, und wie es aussah, hatte sie in Neuötting sowieso kein Leben mehr. Aber Anita machte nicht den Eindruck, dazu in der Lage zu sein. Sie konnte sich ja kaum auf den Beinen halten. Wenn Fatou ihr eine ehrliche Ansage machte, würde sie höchstens riskieren, dass Anita direkt kollabieren oder zumindest dichtmachen würde. Isabel würde weiterhin voller … Fremdheit aufwachsen. *Dass sie sich nicht so ausgeschlossen fühlt,* allein schon dieser Satz, dachte Fatou. Als wäre das Problem Isabels Gefühl, nicht die Ahnungslosigkeit ihrer unfähigen Mutter. *Vielleicht reagiere ich über, wegen meiner eigenen Mutter,* dachte eine zusätzliche Kontrollstimme in ihrem Kopf.

»Wenn die zwei sich gut verstehen, hat Isabel doch schon mal eine Schwarze Spielkameradin«, schlug Fatou vor. Anita machte reflexartig den Mund auf, doch Fatou sah ihr so eindringlich und intensiv mitten ins Gesicht, dass ihre Botschaft ankam. *Verbessere. Keine. Schwarze. Frau. Wenn. Sie. Das. Wort. Schwarz. Verwendet.* Fatou hasste es, politische Sachen denken, sagen und erklären zu müssen. Sie wollte keine Politik in ihrem Leben. Politik war manipulativ, trocken und entschied über Menschenleben. Politik war niemals lustig und immer zu viel. Ihr war schleierhaft, warum Leute freiwillig Politik betrieben. Fatou ärgerte und erschöpfte es, wenn ihr Alltag sie dazu zwang, diplomatische Verhandlungen wie diese zu führen.

»Darf ich dir Yesim heute Nachmittag da lassen? Dann könnte ich schnell in der Stadt noch was einkaufen.«

Anita sah etwas perplex drein und schloss die Augen lange genug um zu zeigen, dass sie litt, aber die Schwere ihrer Existenz mit Fassung trug.

»Ja klar«, sagte sie mit brüchiger Stimme. »Es ist komisch, ich wollte dich eigentlich dasselbe fragen.« Fatou blinzelte. »Aber das wäre ja Quatsch, du warst noch nie hier, warst du noch nie bei uns? Ich bin ja in dem Haus geboren. Aber wir haben immer nur in der Siedlung gespielt früher.« Fatou erinnerte sich ein bisschen zu gut. »Aber das wär wirklich zu viel verlangt von mir«, hauchte Anita. »Ich versteh auch, wenn du noch was machen musst. Ich hab ja den Martin. Es ist nur, ich komm selber kaum noch raus, um mal was für mich zu machen. Und jetzt gerade, vielleicht weil du da bist, fühle ich mich …«

… *als hättest du eine Nanny*, dachte Fatou. Sie wollte sich etwas passend Zynisches ausdenken, was freundlich klang, aber böse genug war, um Anita zu bedeuten, dass das in der Tat immens unpassend war, aber es fiel ihr nichts ein.

»Das war eine furchtbar schlechte Idee von mir«, jammerte Anita.

Fatou dachte nach. *Warum eigentlich nicht?* Sie hatte vorgehabt, in die Stadt zu gehen, um ihre Ruhe zu haben. Wenn sie hier bleiben würde und die Kinder auf ihrem Zimmer spielten, hätte sie genau so viel Ruhe und noch einen Liegestuhl dazu.

»Hast du Zeitschriften?«

Anita sah sie hoffnungsvoll an. »Aber das geht doch nicht«, sagte sie und zwirbelte eine Haarsträhne zwischen den Fingern. Sie hatte Spliss.

Fatou hatte keine Lust auf das Spiel. »Wenn du meinst.« Sie stand auf und streckte sich. »Ich nehme Yesim in die Stadt mit. Sie hat noch gar nichts von Neuötting gesehen.«

»Lass sie ruhig hier,« sagte Anita. »Ich geh ja sonst auch nie raus. Ich bin ja selber Schuld.« Fatou unterdrückte den Impuls, mit den Augen zu rollen. Sie vereinbarten, dass Fatou in zwei Stunden zurück kommen würde. Anita bestand allerdings darauf, Fatou zuvor durch das Haus zu führen. Im Erdgeschoss befand sich die große offene Küche im amerikanischen Stil mit Barhockern vor einem Marmortresen und Fließen auf dem Boden, eine ausladende cremefarbene Ledercouchlandschaft und ein riesiger Fernseher. Fatou ärgerte sich, dass sie zu stolz gewesen war, um darauf zu bestehen, an Anitas Stelle hierzubleiben. Ein kurzer Blick in Martins Jungenzimmer, passenderweise neben der Garage, ergab, dass er sichtlich nicht mehr vollständig darin zu Hause war, denn es war zu ordentlich. Über dem perfekt gemachten Bett hing ein Sylvester-Stallone-Poster, daneben eines von Jay-Z. Die andere Wand zierte ein Werbeplakat der Bundeswehr neben einer Urkunde vom örtlichen Schützenverein. Auf einem großen, teuer aussehenden Schreibtisch, der wahrscheinlich seinem Vater gehört hatte, lagen ein paar Werkzeuge. Daran angrenzend lag das

Elternschlafzimmer mit begehbarem Kleiderschrank und eigenem Badezimmer. Im ersten Stock befanden sich ein Nähzimmer, das staubig roch, ein Gästezimmer, ein weiteres Badezimmer und schließlich die Zimmer der Mädchen. Die kleine Sophie war auf guten zwanzig Quadratmetern in der Ponyhofphase. Bilder von echten und Zeichentrickpferden pflasterten die Wände.

Aus dem Zimmer von Isabel drang Gelächter und Gekicher. Anita ging hinein, ohne anzuklopfen. Isabels Zimmer war groß und hell. Gelb war anscheinend ihre Lieblingsfarbe, im Zimmer stand eine blassgelbe Zweisitzercouch mit bunten Kissen. An der Wand hingen Poster von Harry Potter und Rihanna. Yesim und Isabel saßen gerade auf dem Boden. Um sie herum lagen aufgeschlagene Mädchenzeitschriften, große glitzernde Sticker und kleine Kartons, aus denen Urlaubsfotos herausquollen. Fatou fragte Yesim, ob sie hierbleiben oder in die Stadt mitkommen wolle. Die fragte Isabel. Isabel wollte, dass Yesim blieb, doch am allerliebsten wollte sie mit Yesim in die Stadt mitkommen. Fatou lachte verlegen und sagte, dass sie das noch gar nicht mit ihrer Mutter besprochen habe, und sie vielleicht ein andermal alle zusammen etwas unternehmen würden. Sie würde jetzt erst einmal allein in die Stadt gehen und in zwei Stunden zurück sein.

»Seid schön brav«, fügte Anita hinzu. Hinter ihrem Rücken machte Fatou ein lustiges Gesicht, und Yesim lachte. Isabel sah amüsiert aus. Anita begleitete die beiden noch bis zum Gartentor. »Schön, dass du hergekommen bist«, sagte sie. »Tut mir leid, wenn ich keinen allzu passablen Eindruck auf dich mache. Ich hoffe, das hält dich nicht davon ab, uns noch oft zu besuchen, so lang ihr jetzt hier seid.«

Fatou zwang sich zu dem zugewandtesten Lächeln, das sie finden konnte. Sie mochte es nicht, wenn Leute Zustimmung einforderten, indem sie sich selbst schlecht machten. Sie wollte dann immer herzlose und ehrliche Dinge sagen wie »Ja, es stimmt, du machst wirklich keinen passablen Eindruck. Reiß dich zusammen.« Wahrscheinlich hatte sie das von Tante Hortensia. Sie erinnerte Anita daran, dass sie sich in zwei Stunden sowieso schon wiedersehen würden und brachte sich sogar dazu, ihr nach regionaler Sitte links und rechts ein Bussi auf die Wange anzudeuten. Dabei hielt sie Anita an den Schultern auf Abstand. Als sie zurück über die Kreuzung ging und den Autoschlüssel aus ihrer Tasche kramte, atmete sie zweimal tief durch.

***

Neuötting war die kleine Schwester des ehrwürdigen Altötting und vom Wallfahrtstourismus weitgehend verschont. Hier gab es keine Stände mit Marienfiguren aus Plastik, kein Madonnen-Merchandise, keine Touristenbusse, keine Systemgastronomie der Seligkeit. Der Marktplatz von Neuötting leerte und füllte sich nach dem ruhigen, natürlichen Rhythmus kleinstädtischer Geschäftigkeiten. Wer durch den Torbogen den langen schmalen Marktplatz betrat, betrat eine andere Zeit. Es war dort nichts Kitschiges zu sehen, nichts für Prospekte geschöntes, keine Häuser in den Pastelltönen gestrichen, mit denen sich manche andere bayrische Innenstädte sich den touristischen Erwartungen annäherten. Die Innenstadt von Neuötting war grau. Dass sie beeindruckend war, rührte von den Stadtplanungen vergangener Jahrhunderte.

Links und rechts der Straße, die mittwochs und samstags wegen des Wochenmarkts gesperrt war, gab es statt eines profanen Bürgersteigs Arkadengänge. Diese glichen einem gotischen Gewölbe. Sie waren rußig von den Abgasen der Traktoren und Brauereilaster und beschützten Läden und Kundschaft vor der oberbayrischen Witterung. Der Boden der Arkadengänge bestand aus glattem Stein. Wer darauf ging, verursachte ein Hörspiel. Das Knirschen der Absätze wurde verstärkt, ein Räuspern oder Husten hallte gleich so, als wäre es wichtig für die Handlung eines beginnenden Dramas. Um die Wichtigkeit und Ernsthaftigkeit der Innenstadt noch zu unterstreichen, thronte am anderen Ende der Marktplatz-Arena die Stadtpfarrkirche St. Nikolaus. Ihr schmaler Turm hatte nichts Heimeliges, Gemütliches wie die Münchener Frauenkirche und nichts Apokalyptisches wie der Kölner Dom. Sie war, wenn es so etwas geben konnte, ein Wahrzeichen mittelalterlichen

Understatements. Spitze Giebel und Fenster kontrastierte ein unspektakulär gestaltetes Kirchenschiff. Erst von nahem war zu sehen, dass die Mosaiken der hohen Kirchenfenster in hundert bunten Farben in der Sonne glänzten.

Fatou war erstaunt, dass sie auf einen Blick sofort alles wiedererkannte. Sie überquerte den Marktplatz und blieb neben einem altmodischen Fahrradgeschäft stehen. Es konnte doch nicht sein, dass sich hier seit ihrer Kindheit kaum etwas verändert hatte? Sie drehte sich um und überschaute den Marktplatz noch einmal von ihrer Position am hinteren Ende. Der H&M war neu. Nun fiel ihr auch auf, dass die Fassade des Kaufhauses gegenüber vom Rathaus großflächig verglast war. Die Läden unter den Torbögen waren wahrscheinlich auch ganz andere als früher. Sie war damals noch zu klein gewesen, um sich für Einkäufe zu interessieren. Fatou überlegte kurz, ob sie ihrem alten Kindergarten einen Besuch abstatten oder nachsehen sollte, ob das Wohnhaus noch da war, in dem sie die wenigen Jahre mit ihrer Mutter verbracht hatte. Ein energisches Ziehen hinter ihren Rippen bedeutete ihr, dass sie das lieber bleiben lassen wollte. Was hatte sie sich eigentlich dabei gedacht, ihre Tochter mitzuschleppen auf die Spuren ihrer eigenen Kindheit, wenn sie selbst zu feige war, sich die alten Orte anzusehen? Sie wollte Yesim das gemütliche Bayern vermitteln, wo die Leute sich auf der Straße grüßten, die Männer ihren Hut hoben und die Kinder aufs Gymnasium gingen. Nicht das Bayern, in dem ihre Mutter sie im Stich gelassen hatte. Fatou überkam eine Welle schlechten Gewissens. Sie ging zu einem freien Zweiertisch, der zu einer Café-Kette gehörte und ließ sich auf einen Holzstuhl plumpsen. Was hatte sie noch verdrängt? Wie es hier eigentlich wirklich war? Sie hatte gedacht, dass Hamburg ihr zu sehr aufs Gemüt schlug. Dass es anstrengend sei. Dass sie es verdient hatte, für ein paar Tage rauszukommen.

Und dass es wichtig sei für Yesim, endlich die heile Welt von Bayern kennenzulernen. Der Gedanke an Urlaub in der geruhsamen Kleinstadt hatte sofort Fatous Herzrhythmus reguliert. Er hatte ihr geholfen, die letzte Woche überhaupt durchzustehen. Jeden Tag ins Kaufhaus zu gehen, obwohl ihr schon gekündigt worden war. Sich mit Aytaç abzustimmen und dabei zu sehen, wie *erleichtert* er gewirkt hatte. Dem Tratsch der Frauen im Wandsbeker Afroshop zu entkommen, die sie für so ziemlich alles beurteilten. Ausgerechnet in die katholischste Stadt im katholischsten Bundesland hatte sie Yesim geschleppt, und sie waren nicht mit einem Konfettiregen christlicher Nächstenliebe empfangen worden, sondern von einer politischen Vandalismus-Aktion in Blackface, einer hauptberuflich verwundeten Nachbarin und einem rassistischen Wahlkampf. Überhaupt, der Wahlkampf. Auch hier in Neuötting klebten überall diese furchtbaren Plakate.

Es wählte nicht nur die Stadt Altötting ihren Bürgermeister, sondern der ganze Kreis die neue Regionalregierung. Auf dem Bürgersteig gegenüber waren gleich vier Poster nebeneinander an einem Gestell um einen Baum festgebunden. »Alles hat seine Grenzen!«, stand darauf. Die Partei kannte sie nicht. »Die Bürger«. Wahrscheinlich ein Verein, dem die Republikaner zu links und zu grün waren. Was auch immer. Über dem Slogan war nachträglich ein rotes »NEIN zum Moscheebau!« aufgeklebt. Ein paar Meter weiter befand sich ein Plakat der CSU. Es zeigte einen spießigen, schlanken, nicht lächelnden aktuellen Bürgermeister, der seinen Posten behalten wollte. »Mit Hans

Piekow für Ordnung und Sicherheit«, war der Slogan. Auch auf diesem Plakat war eine Banderole nachträglich hinzu geklebt worden, wahrscheinlich in der vergangenen Nacht. Darauf stand ›Integration steuern«.

Wenn sie ehrlich war, war das hier nichts für Yesim. Es war ihr eigener Wunschfilm gewesen, und er wurde langsam zur Tragikomödie. Fatou hatte Yesim versprochen, dass sie versuchen würde, die Täter zu finden, aber sie hatte explizit nicht versprochen, es zu schaffen. Yesim würde es bestimmt verstehen. Eine grundlegende Lektion lernen. Dass es wichtig war, manchmal sogar überlebenswichtig, zumindest für die Nerven, sich Fehler einzugestehen und entsprechend darauf zu reagieren. Es war keine Kardinaltugend, etwas durchzuziehen, das sich ungut entwickelte. Tante Hortensia würde es auch verstehen und vielleicht sogar ein bisschen froh sein, dass sie nicht die ganzen zehn Tage bleiben würden. Sie wurde auch nicht jünger. Ihr Verstand und ihr Witz waren immer noch messerscharf, aber es war ihr anzumerken, dass ihre gewohnte Lebensweise – der Garten, der Haushalt alleine – ihr doch schon einiges abverlangte, und Gäste waren noch eine zusätzliche Belastung. Wenn Fatou ehrlich zu sich war, war sie hergekommen, um sich zu erholen und bekochen zu lassen. Sie schüttelte den Kopf über ihre übers Knie gebrochene Ferien-Aktion. Besser eine späte Erkenntnis als nie. Jetzt würde sie sich erst einmal für den Entschluss, vorzeitig nach Hamburg zurückzufahren, mit einem Eiskaffee belohnen und dann Fatou und Tante Hortensia beim Abendessen alles erklären.

»Und was möchtst du?« Eine höchstens zwanzigjährige Kellnerin im schwarzen Kostüm mit weißer Plisséeschürze stand schräg neben ihr. Fatou konnte sie nur verschwommen aus dem Augenwinkel erkennen. Sie wartete wohl darauf, dass sie sich zu ihr umdrehte, um zu bestellen. »Bringen Sie mir einen–« Fatou überlegte und hielt kurz inne. Sie nahm ihre Handtasche vom Schoß und stand auf. Dann straffte sie die Schultern und sah weiterhin nach vorne, nicht zu der Kellnerin, die jetzt in ihrem Rücken stand. »Ich hab's mir anders überlegt«, sagte sie zum Marktplatz und ging.

Als sie im Auto saß, war ihr Ärger über die Bedienung bereits verflogen. Sie war stolz, so reagiert zu haben. Vielleicht ließ sich so etwas ja doch üben. Außerdem konnte sie es sich sowieso nicht leisten, überflüssig Geld auszugeben. Diese Einstellung hätte Tante Hortensia gutgeheißen. Fatou schaltete den MP3-Player ein und lächelte. Notorious BIG sang »Mo Money Mo Problems.«

∗∗∗

»Ihr seids ja früh dran«, stellte Tante Hortensia fest. »Habts Ihr schon Hunger?«

»Ja!«, rief Yesim. Anita hatte ihr anscheinend nichts zu essen angeboten. Fatous Magen meldete sich auch schon mit einem leichten Grummeln.

»Ich kann uns einen Snack herrichten«, bot sie an.

»Einen – Sneck?«, wiederholte Tante Hortensia gespreizt. Sie hatte es nicht gern, wenn einfache Ausdrücke ohne Not verkompliziert wurden. Künstlich kompliziert wurden Wörter allein dadurch schon, dass sie neumodisch waren. »Brotzeit heißt bei euch Sneck? Habts ihr im Norden schon komplett dem Tommy seine Sprache übernommen?«

Während Yesim gebannt zuhörte, ließ Fatou es widerspruchslos über sich ergehen. *Das ist ein echtes humanistisches Bayernerlebnis*, dachte sie und bewegte sich ins Wohnzimmer, weil sie sich nicht streiten wollte.

»Hast du dich mit Isabel gut verstanden?« Yesim nickte so heftig, dass ihre Zöpfchenperlen klackerten.

»Voll. Wir mögen dieselbe Musik. Isabel hat so tolle Haare. Kann ich auch solche Haare haben?«

Ja, dachte Fatou, *wenn du dir Chemikalien reinschmierst und dich dann wochenlang über deinen herausgewachsenen Haaransatz ärgerst, kein Problem.* Sie hatte gewusst, dass das irgendwann kommen würde. Wenigstens wollte sie keine blonden glatten Haare, sondern asiatische glatte Haare.

»Bei Isabel sind das aber ihre natürlichen Haare. Deine natürlichen Haare sind auch wunderschön.« Yesim rollte mit den Augen. Fatou machte einen zweiten Anlauf. »Glätten ist ganz schlecht für die Haare. Die werden brüchig und sehen irgendwann aus wie Stroh. Und es wächst raus. Dann musst du immer nachglätten. Von den giftigen Dämpfen wirst du ganz high und wenn du Pech hast auch abhängig.

Dann stehst du an der Straßenecke und wartest auf den Dealer, der dir deinen Relaxer bringt. Das würde ich gar nicht erst anfangen.«

»Aber du hast dir doch auch die Haare geglättet, Mama!«

»Das stimmt«, sagte Fatou, »deswegen weiß ich, wovon ich rede.«

Fatou hatte sich die Haare geglättet, weil sie als Kaufhausdetektivin nicht auffallen durfte. Mit einem stolzen Afro wäre ihr das kaum gelungen. »Jetzt arbeite ich da nicht mehr, also glätte ich mir auch die Haare nicht mehr«, rutschte es ihr heraus.

Yesim sah sie an wie eine Zirkussensation. »Und was machst du dann?«

»Was ich will.« *Kommt darauf an, wie lange ich arbeitslos bleibe*, fügte sie in Gedanken hinzu. »Vielleicht ganz kurz oder einen Afro.« Yesim lachte.

»Wir können dir ja erst mal die Zöpfchen aufmachen«, schlug Fatou vor. »Dann hast du schöne weiche Wellen und kannst sie flechten. Und danach überlegen wir uns was.«

»Nein«, befand Yesim. Ihre Zöpfchen waren ihr ganzer Stolz. Doch langsam wuchsen sie über den bestimmungsgemäßen Gebrauch heraus, außerdem waren sie im Sommer gar nicht mehr so pflegeleicht. Fatou seufzte und ließ es dabei bewenden. Sie wollte das Thema im Moment nicht weiter strapazieren. Ihr Haar war schon strapaziert genug.

Tante Hortensia deckte im Wohnzimmer für das Abendbrot. Sie wollte alles von der Nachbarsfamilie erzählt bekommen, und Fatou versuchte, dem so gut wie möglich gerecht zu werden. Dass es Anita anscheinend nicht besonders gut ging, dass die Mädchen schöne geräumige

Zimmer hatten, dass Isa und Yesim sich gut verstanden hatten, dass der Älteste schon nicht mehr zu Hause wohnte.

»Geh«, schnaubte Hortensia, »Wo wohnt er denn? Wenn er noch nicht mal volljährig ist?«

Yesim wusste genau Bescheid. Sie berichtete, dass das Internat nicht weit entfernt war, aber er trotzdem dort wohnen wollte. Dass es ein katholisches Jungeninternat war und seine Mutter sich deswegen keine Sorgen machte. Fatou verschluckte sich an einem Stück Essiggurke.

»Der ist wahrscheinlich von daheim geflüchtet«, merkte Hortensia trocken an, während sie eine Scheibe Wurstbrot in dünne Streifen schnitt.

Martin war erst vierzehn gewesen, als von heute auf morgen praktisch die ganze Verantwortung auf ihm lag. *Und das, während er eigentlich hätte trauern und unterstützt werden müssen,* dachte Fatou. Hortensia berichtete, dass Anita nach dem Tod ihres Manns krank geworden war.

»Mit den Nerven irgendwas. Ich hab überlegt, ob ich ihr anbieten soll, ab und zu auszuhelfen, aber dann hab ich's doch gelassen. Das wär sonst ein Fass ohne Boden geworden. Es sind ja gleich drei Kinder, und die Anita, die hätte statt dem kleinen Finger die ganze Hand genommen, in ihrer Situation, und dann hätt ich schön dagestanden, in meinem Alter auf einmal mit so großen Verpflichtungen. Die ist ja so hilflos. Im Krieg hätte die keine fünf Minuten überlebt.«

»Also bitte, Tante Hortensia«, protestierte Fatou.

»Erst hat sie noch viel Geld gehabt. Lebensversicherung«, fuhr Hortensia unbeeindruckt fort. »Sie hat's aber nicht geschafft, ein Kindermädchen einzustellen. Mit dem Joachim seiner Firma war es nicht mehr gut gelaufen, schon zu Lebzeiten nicht. Jetzt, hört man, hat sie kein Geld mehr. Hast ja gesehen, wie der Garten verwildert ist. Sie kann sich keinen Gärtner mehr leisten. Eigentlich müsste sie das Haus verkaufen. Das kriegt die nie im Leben hin. Die hockt da noch, wenn sie ihr die teuren Möbel raustragen.«

Dass es wirklich so schlimm um Anita stand, hatte Fatou nicht geahnt. Ein bisschen tat sie ihr genauso leid wie ihre Kinder. »Mein Mann im Haus«, hatte sie ihren Sohn genannt. Fatou schüttelte sich.

Yesim, ich bin jetzt arbeitslos. Bitte werde schnell Popstar, damit du uns ernähren kannst, überlegte sie innerlich vor sich hin. Nein, das fühlte sich falsch an, sogar im Spaß.

»Der Martin ist nicht geflüchtet, sondern er will BWL studieren«, wusste Yesim. Fatou und Tante Hortensia warfen sich einen vielsagenden Blick zu. »Hat dir das die Isa erzählt?« Yesim nickte. Fatou überlegte kurz. Nein, sie konnte Yesim nicht einspannen und zur Aushorcherin manipulieren. Einiges an Martin hatte sie irritiert und sie aufmerksam werden lassen. Wie er sie nicht angesehen hatte. Wie schnell er fort gewollt hatte, als sie zu Besuch gekommen waren., und wie er versucht hatte, es sich nicht anmerken zu lassen. Der Junge war fast in sich selbst hinein gekrochen. Sein Bundeswehrposter.

All das war genug, um ihn nicht mit Yesim allein im Haus zu lassen. Zumindest, bis sie ihn sich einmal ausgiebig und in Ruhe angesehen hatte. Gott sei dank würde das gar nicht notwendig sein. Fatou musste Tante Hortensia und Yesim noch verkünden, dass sie es für besser hielt, wenn sie wieder abreisten.

»Ich muss euch was sagen«, fing sie an. Es war am besten, es schnell hinter sich zu bringen, ohne lange um den heißen Brei herumzureden. »Ich freue mich, dass ihr euch so gut versteht. Tante Tensi, es ist schön, dich mal wieder zu sehen, auch wenn du immer noch die ganze Arbeit alleine machen willst.« Es gelang ihr nicht. Sie befürchtete, dass beide ihren Beschluss abzureisen als Egoismus auffassen würden und als Beleg dafür, dass sie wirr und unzuverlässig war. »Ich war heute in der Stadt, in Neuötting.« Was sollte sie als Grund angeben? Sie konnte schlecht sagen, dass die Neuöttinger Innenstadt und der Besuch bei Anita sie komplett deprimiert hatten.

»Es ist besser, wenn wir bald wieder fahren. Wir können ein andermal für länger herkommen«, versuchte sie. »Das mit der Kapelle … und die Politik macht eine … feindliche Stimmung. Das gefällt mir überhaupt nicht. Und ich muss eigentlich dringend in Hamburg eine neue Arbeitsstelle suchen.«

Tante Hortensia blickte von ihrem Teller auf. »Willst du jetzt vorzeitig abhauen?«, fragte sie kühl. Ihre Augenbrauen bildeten kleine Warndreiecke.

»Mama!«, rief Yesim. »Warum denn? Du hast es versprochen!«

»Ich habe versprochen, es zu versuchen«, korrigierte Fatou. »Ich finde auch, dass es ungerecht ist, und wenn das alles jetzt in Hamburg wäre, würde ich mich zu hundert Prozent reinhängen. Aber hier ist … einfach zu viel auf einmal.«

Yesim und Tante Hortensia verschränkten gleichzeitig die Arme.

»Dass hier mehr los ist als in Hamburg, das glaubst du doch selber nicht«, sagte Hortensia.

»Und was ist mit Isa?«, fragte Yesim in anklagendem Tonfall.

»Die kann uns in den nächsten Ferien besuchen kommen«, log Fatou.

»Aber es sind doch *jetzt* Ferien,« sagte Yesim.

Tante Hortensia sah Fatou von der Seite an. Da hatte sich ja ein Gespann gebildet. »Ich weiß, dass es nicht in Ordnung ist, wenn meine Erwachsenen-Sachen auf Kosten von deinen Ferien gehen. Das sollen sie auch nicht. Sonst wären wir gar nicht hergefahren,« versuchte Fatou ihre unsortierten Gedanken so wenig egoistisch wie möglich klingend mitzuteilen. »Aber das mit der Kapelle, und diese ekelhaften Wahlplakate – das finde ich einfach zu viel für den Moment.«

»Zu viel für den Moment«, ahmte Tante Hortensia nach. »Gibt's in Hamburg vielleicht keine Rechten und Kriminellen?«

Fatou wechselte die Schulter, mit der sie sich in die Couchlehne hinein drückte. »Natürlich gibt es die da auch«, sagte sie. »Aber da sind auch mehr von unseren eigenen Leuten. Da sind wir nicht überall die einzigen.«

Tante Hortensia griff nach einem Apfel und begann, ihn zu schälen. Das rhythmische Kratzen hob die unangenehme Stille nicht auf. Zustimmung würde Fatou hier keine mehr bekommen.

»Also, ich bin ja auch noch da«, merkte die Tante pikiert an.

»Die Isabel ist auch da«, sagte Yesim. Als hätte Fatou das Mädchen vergessen. Es war ja unter anderem gerade Isabel, die sie so schwer ertragen konnte. Sie konnte sie nicht aus diesem inadäquaten Haushalt befreien, wahrscheinlich hätte Isabel das auch gar nicht gewollt, aber sie konnte auch nicht mitansehen, wie ignorant ihre Mutter war.

»Bitte, Mama.« Yesim hatte ihren besten flehentlichen Neugeborenes-Kätzchen-Gesichtsaudruck aufgesetzt. Die internationale Töchter-die-ihren-Willen-bekommen-Überredungssprache. Sie nahm Fatous Hand und drückte sie. Fatou getraute sich nicht, den Mund aufzumachen, aus

Angst, weich zu werden. Um sich Zeit zum Nachdenken zu erkaufen, pflückte sie als Übersprungshandlung Mandelplättchen von einem Stück Bienenstich.

»Was zerfieselst du den jetzt?«, fragte Hortensia. »Den hab ich vorhin geholt. Ich kann dich schlecht zwingen, dass du da bleibst. Überleg's dir bis morgen nochmal in Ruhe.«

Eigentlich hatte Fatou den Abend dazu verwenden wollen, sich endlich einmal ausgiebig mit der Tante auszutauschen. Sie hätte vielleicht einen Rat gehabt zu ihrer Arbeitssituation und ihren finanziellen Nöten. Später hätte sie sie gebeten, ein Fotoalbum herauszuholen. Sie hätten zusammen die Bilder angeschaut, als sie alle noch zusammen waren, sie beide, mit Tante Rosa, im Winter, mit großen selbstgestrickten Mützen auf. Und die Bilder von Fatous Mutter, als diese selbst noch klein gewesen war. Beim Picknick. Und im Tierpark. Tante Hortensia würde Dinge erzählen, die sie noch nicht über ihre Mutter gewusst hatte und Geschichten, die sie schon kannte. Dann würde sie über Fatous Vater lästern und über ihren eigenen Vater und über die Männer generell. Nachdem sie sie gerade so enttäuscht hatte, würde das heute Abend bestimmt nicht in dieser Form stattfinden. Wie oft würden sie wohl noch Gelegenheit haben, es nachzuholen?

Fatou wurde von Yesims Schrei schlagartig hellwach.

Sie riss ihre Decke beiseite, sprang auf und stieß sich am Türrahmen den Ellbogen. Yesims Bett war leer.

»Aua!«, hörte sie Yesim wieder. Es kam gedämpft aus dem Badezimmer. Erst im Flur bemerkte Fatou, dass es schon hell war. Die Jalousien hatten das Schlafzimmer komplett verdunkelt. Mit einer hektischen Bewegung schlug sie die Tür auf.

Yesim saß auf dem Klodeckel. Tante Hortensia versuchte gerade mit einer altmodischen, ungeeigneten Bürste, ihre Haare zu kämmen.

»Mama!«, rief Yesim. Ihre Zöpfchen waren zum Großteil entfernt. Hinten waren noch ein paar wenige übrig. Ein verknoteter Berg entfernter Haarsträhnen Farbe 30 lag auf dem Boden. Yesim hatte nicht schlafen können und sich nachts die Zöpfchen entfernt, berichtete Hortensia. Fatou konnte nicht glauben, dass sie es allein versucht hatte. Bei ihrer Haarlänge war das eine anstrengende und unerquickliche Angelegenheit. Fatou kannte es noch gut. Es war eine stundenlange Tortur. Nach spätestens einer halben Stunde schmerzte es in den Schultern und Oberarmen, und gerade wenn es am peinlichsten aussah – eine Seite schon geschafft, die andere noch geflochten – ließ die Kraft vollständig nach. Dann musste eine Pause gemacht werden. Das luftige Gefühl, die schweren Strähnen los zu sein, stellte sich ein, und mit neu gefasstem Mut ging es weiter auf die Zielgerade.

Die zog sich dann jedoch hin und dauerte nochmal über eine Stunde lang. Überfordert und übellaunig wurde das Unterfangen schließlich zu Ende gebracht. Mit tauben Fingern und einem Tennisarm waren auch die letzten Reste irgendwie zu schaffen. Am Hinterkopf und hinter dem Ohr befanden sich allerdings tote Winkel, in denen immer irgendwelche Fransen übrig blieben. Weit genug vom Spiegel weg sahen die Haare schließlich und endlich sogar ganz passabel aus. Sie hatten Struktur. Sie bewegten sich. Allerdings forderten sie auch eine Wäsche. Zu nah an den Spiegel zu gehen war allerdings keine gute Idee, dann wurden die kleinen grauen Knoten am Ansatz sichtbar. Sie waren schon deutlich genug mit den Fingern zu spüren und verhießen die unweigerliche Tortur des Auskämmens, die folgen musste. Das war nun aber beim besten Willen nicht auch noch allein zu bewältigen. Zu diesem Zeitpunkt lautete der Beschluss meist, eine Mütze oder ein Tuch zu tragen und am nächsten Tag weiterzumachen. Nach dem Aufstehen sah die Frisur aus wie ein flaumiges Adlerküken. Wehe, wenn dann nicht genügend glitschige Pflegespülung zum Auskämmen zur Hand war! Oder wenn nur eine Tante in der Nähe war, die gar nicht wusste, welche Spülung und welche Technik für das Auskämmen zwingend notwendig waren.

»Yesim!«, rief Fatou. »Warum hast du denn nicht gewartet?«

Ihre Tochter sah sie mit einer Mischung aus Stolz, Schmerz und Eigensinnigkeit an. Fatou verstand. Tante Hortensia hielt ihr die Bürste hin.

»Willst du weitermachen? Ich mache das Frühstück. Mir war das schon bei dir früher zu viel. Du hast dich genauso angestellt.«

Fatou nahm die Bürste und legte sie auf den Badewannenrand. »Heute gehen wir doch auf das Kulturfest«, sagte sie. »So lang hättest du doch noch warten können.«

Yesim sah sie weiterhin trotzig an. Sie wirkte übermüdet und aufgekratzt.

»Um wieviel Uhr bist du aufgestanden? Wie spät ist es jetzt?«

»Acht«, sagte Yesim.

»Wie lang hast du gebraucht?«

»Drei Stunden.«

Fatou verkniff sich ein Lächeln. »Dann gehen wir früh genug, dass dir nicht die Augen zufallen«.

Tante Hortensia hatte für mittags »ihre Rentner« zum Kartenspielen eingeladen. Fatou war froh, dass sie für diese Zeit schon einen alternativen Aufenthaltsort für sich und Yesim hatte. An ein oder zwei der Leute erinnerte sie sich noch vage von früher, und sie wollte um jeden Preis verhindern, dass sie Yesims Namen verunglimpfen und ungeniert vergleichende ethnologische Studien über ihre Hautfarben und Nasenformen anstellen würden. Dieser Brauch sollte ruhig mit ihnen aussterben.

Eine ganze Stunde lang kämmte Fatou einer wortkargen Yesim die Zöpfchenknoten aus den Haaransätzen. Die ertrug stoisch das Ziepen und ging auf keinen Scherz ein. Wenn ihr an einer besonders hartnäckigen Stelle eine Träne ins Auge schoss, wischte sie sie unprätentiös beiseite. Fatou holte die Kurspülung, die sie eigentlich für ihre eigene Wellness vorgesehen hatte, und verteilte den ganzen Beutel in Yesims Haaren. Sie waren weich und so gesund wie nur Haare einer Elfjährigen sein konnten.

Nachdem die letzten Reste der Rastaphase ausgespült waren, betrachtete sie Yesims Haarpracht. Sie war um Einiges gewachsen. Die nächsten Rasta beim Afrofriseur würden mindestens zweihundert Euro kosten.

Sie konnte sich das eigentlich nicht leisten. Eigentlich konnte sie es sich auch uneigentlich nicht leisten.

Wir können es uns nicht leisten, Punkt.

Das würde ein schweres Gespräch werden. Sie würde auf der Rückfahrt versuchen, es kreativ zu lösen, und sich Stars einfallen lassen, die weniger aufwändige Frisuren hatten. Um Yesims Haar für ein paar weitere Tage die Fluffigkeit zu erhalten, flocht sie es zu zwei Zöpfen zusammen, die ihr bis knapp unter das Kinn reichten.

Yesim stand ohne ein Dankeswort auf, verschlang ein Honigbrot und ein Glas Eistee und ging hinüber zu Isabel. Sie wollte ihr die Hiobsbotschaft überbringen, dass sie vorzeitig abreisen würden. Fatou hoffte nur, dass Yesim nun nicht den ganzen letzten verbleibenden Tag ein beleidigtes Gesicht ziehen und bockig sein würde. Schließlich wollten sie den Tag noch gemeinsam auf dem Kulturfest verbringen und den Abend mit Tante Hortensia.

Auf der Fahrt nach Altötting sah Yesim aus dem Fenster und zog eine Miene wie in den letzten Minuten vor einem Gefängnisaufenthalt. Sie ignorierte sogar die jugendfreie Version von »Drop it Like it's Hot«, die Fatou extra aufgelegt hatte. Normalerweise wippten sie dazu immer wie die Gummibälle auf ihren Sitzen auf und ab. Fatou wippte allein.

Es war so schwül, dass Fatou die beiden Vorderfenster ganz heruntergelassen hatte. Am westlichen Horizont wurde das Hellblau etwas dunkler. Vielleicht würde es später regnen.

Nervenaufreibend lange suchte sie einen Parkplatz. Für das Fest waren Gassen, die zur Innenstadt führten, gesperrt worden, und anscheinend waren an diesem Sonntag alle katholischen Autofahrer Europas zu Besuch. Sie erinnerte sich, dass die Altstadt auch ein hinteres Ende hatte, nicht nur einen Anfang, und fuhr mit Hilfe der gelben Umleitungsschilder um den Stadtkern herum. Dort hatte sie endlich Glück. Sie parkte ihr Auto unter einer Kastanie und neben einem Recyclingcontainer. Da passte die alte Mühle gut hin. Fatou nutzte die Heilige Stadt, um ein Stoßgebet abzusenden, dass ihr Auto noch so lange reparaturfrei bleiben möge, bis sie einen neuen Job gefunden hatte.

Yesim verweigerte die Hand, die ihre Mutter ihr anbot, und nestelte stattdessen an den Enden ihrer beiden Zöpfe herum, als sie in die Innenstadt marschierten. Auf ihrer Baseballmütze stand »No Fear«. Sie war ein Geschenk von Aytaç gewesen, der sie als Teenager selbst getragen hatte. Durch das viele Waschen war sie so eingelaufen, dass er sie schließlich Yesim vermacht hatte, die schon lange ein Auge darauf geworfen hatte.

»Kann ich Geld haben? Ich will mir ein Eis kaufen«, sagte sie in knappem Befehlston. Fatou gab ihr drei Euro und erklärte ihr deutlich, dass das nicht hieß, dass sie deswegen allein in der Stadt herumlaufen könne. Yesim hatte noch kein Handy. In der nächsten Klasse würde sie eines brauchen, schon allein aus Teenagergründen. Noch eine Anschaffung, die irgendwo her gezaubert werden musste. Bald würde sie sich mit drei Euro auch nicht mehr zufrieden geben.

Fatou trug zur Feier des Festes einen ärmellosen grauen Overall, den sie besonders gern mochte. Er machte schöne Schultern und räumte alles dort hin, wo es gut aufgehoben war. Und sie sah darin auch europäisch aus, fand sie. Nicht wie eine Touristin aus Chicago.

Je näher sie der Innenstadt kamen, desto lauter hörten sie die Musik. Schiefe Stimmen und eine ungestimmte Gitarre schmetterten ein christliches Kinderlied. Jesus hatte Besseres verdient.

Yesim musste sich sichtlich anstrengen, um ihre beleidigte Ernsthaftigkeit beizubehalten. Ihr Gang wurde zunehmend schwungvoller, und fast hätte sie mit den Armen geschlenkert. Noch riss sie sich aber offenbar zusammen, ihren Gesichtsausdruck der Finsternis nicht versehentlich ins Fröhliche abgleiten zu lassen.

»Blockflötehen verstimmehen sich in der Hitze – und auch ich schwitze«, dichtete Fatou spontan zur Melodie des Kinderlieds, und Yesim sah schnell von ihr weg.

Die ersten Stände waren Grillbuden. Der Duft von Würstchen, Burgern und Steckerlfisch stieg ihnen in die Nase. Es zischte und brutzelte. Um die Stände herum war die Luft noch heißer. Fatou erschnupperte und beäugte einen Stand mit Auszognen – köstlichem Schmalzgebäck, das sie als Kind geliebt hatte. Sie hatte es sich oft auf dem Schulweg beim Bäcker kaufen dürfen. Es war eine regionale Spezialität, nach der sie später noch manchmal vergebens Ausschau gehalten hatte. In Hamburg hatte sie sie nicht wiederfinden können. Wahrscheinlich war es besser so. Wenn sie das Fettgebäck mit circa sieben Milliarden Kalorien pro Kubikzentimeter in Hamburg hätte kaufen können, hätte sie wahrscheinlich schon Cholesterin.

Zwischen den Essensbuden waren Schankwagen, aus denen frisch gezapftes Bier und Limonade verkauft wurde. Davor standen zu Tischen umfunktionierte große Fässer, an denen sich schon viele Leute unterhielten und erfrischten. Es waren noch Plätze frei. Fatou fand ein freies Fass und sah sich um. Touristengruppen begutachteten Kerzen,

Krippen und Heiligenfiguren aus Plastik an den Souvenirständen. Sie gab Yesim zehn Euro, um Cola im Pfandbecher für sie beide zu holen, und hielt Ausschau nach der »Kultur« am »Kulturfest«.

Etwa zwanzig Meter entfernt befand sich ein überdachter Wahlkampftisch der örtlichen CSU, mit Pavillon, bayrischer Flagge, karierten Fähnchen und allem Schnickschnack. Zwei strahlend gebügelte Mutter Beimers verschenkten riesige blauweiße Luftballons an Kinder, und von einer Girlande, die hoch zwischen zwei Laternen gezogen war, hing in mehrfacher Ausfertigung das Konterfei des nicht lächelnden Bürgermeisters. Auf der anderen Seite des Platzes wehte eine spanische Fahne. Vielleicht fand die Kultur ja dort statt. Fatou leitete Yesim, die mit den Getränkebechern zurück kam, dort hin. Auch hier roch es nach Grillspezialitäten. Fatou bemerkte, dass sie den Geruch von Knoblauch vermisst hatte. Der spanische Stand verkaufte Chorizos, daneben gab es Döner, und zwei blonde junge Männer mit gelbem Halstuch schnitten an einem ikeafarbenen Holzstand, vor dem Pappaufsteller von Elchen standen, Schinkenscheiben ab. Sie richteten sich an einem Stehtisch ein und sahen sich um. Fatou überlegte, wie sie die Stimmung herumdrehen könnte, um nicht dieses präpubertäre Schweigen dauerhaft aushalten zu müssen. Ihr fiel ein Reim ein, der die Mutter Gottes mit der örtlichen Brauerei in Zusammenhang brachte, doch sie kam nicht dazu, ihn zum Besten zu geben. Yesim war plötzlich losgelaufen, winkte mit beiden Armen und schlängelte sich zwischen Bierbänken hindurch. Erst als sie stehenblieb und Isabel umarmte, erkannte Fatou Anita und Anhang, die gerade auf dem Weg in ihre Richtung waren. Zu ihrer eigenen Überraschung war sie erleichtert. Sie würde sich nun keine Gedanken mehr darüber machen müssen, wie sie Yesim bei Laune halten könnte. So hilfsbedürftig Anita Stefan auch war oder tat, mitten in der Stadt würde sie wohl nicht zusammenklappen.

Sie trug ein weites blassgrünes Kleid, das ein breites Band um die Taille hatte und in dem sie aussah wie ein Gespenst. An der Hand hatte sie die kleine Sophie, die ihr Stofftier an einer Pfote führte. Vorne hielten Yesim und Isabel Händchen und blockierten Anita den Weg. Hinter ihnen schlurfte ein teilnahmsloser Martin mit Baseballkappe und Kopfhörern, die Hände in den Hosentaschen. Er sah sich andauernd um, als würde er etwas suchen. Dann hatte er es anscheinend gefunden. Er sprach kurz mit seiner Mutter, die zusammenzuckte und ihm die Kopfhörer abnahm. Dann gab sie ihm einen Zwanzig-Euro-Schein, er gab ihr ein flüchtiges Bussi und verschwand zwischen zwei Getränkeständen in Richtung der Fußgängerzone.

Anita begrüßte Fatou und stützte sich mit den Ellenbogen auf dem Stehtisch auf. »Gut, dass ich mal rauskomm«, sagte sie. »Die Isa wollte unbedingt, weil ihr ja morgen schon wieder fahrt. Sonst wär ich wahrscheinlich nicht gekommen.«

Während sie mit Fatou sprach, massierte sie sich ihren Nacken, so dass ihr Hals abwechselnd faltig und geliftet aussah. Fatou war froh, dass sie nicht nach dem Grund ihrer Abreise gefragt hatte. Sophie lachte und spielte mit einem Dackel, den eine ältere Dame am Tisch neben ihnen dabei hatte.

»Im Museum ist bis 16 Uhr eine Kinderfreizeit. Dürfen wir da hin?«, fragte Isabel.

»Meinetwegen«, sagte Anita mit müder Stimme.

Statt froh und dankbar zu sein, tut sie so, als wäre es anstrengend, nicht auf die Kinder aufzupassen, dachte Fatou.

Ungleich fröhlicher erlaubte sie es Yesim ebenfalls. Anita instruierte Isabel, nicht unterwegs auf dem Fest herumzulaufen, sondern auf direktem Weg dort hin zu gehen. Fatou bot an, die Mädchen zur Kinderfreizeit zu bringen: »Du kannst so lang die Stellung halten und den Tisch verteidigen.« *Und Isabel bekommt mal normale Gesellschaft,* dachte sie. Die kleine Sophie versteckte ihre Arme lachend hinter ihrem Rücken. Isa spielte ein bisschen Herumdrehen mit ihr, bis sie aufgab.

»Die Sophie kann aber nicht mit, die ist noch zu klein«, sagte Anita. Yesim sah Anita fragend an. Fatou zuckte mit keiner Wimper und erwiderte so schnell es ihr möglich war: »Okay.« Nein, in dieses oberbayrische Erziehungsversagen wollte sie sich wirklich nicht einmischen.

Immer noch Händchen haltend und ab und zu flüsternd gingen Isabel und Yesim an den Ständen und Stehtischen vorbei. Ab und zu drehte sich Isabel zu Fatou um und sah sie mit großen Augen an. Wahrscheinlich war sie die erste Schwarze Frau, zu der sie seit ihrer Adoption Kontakt gehabt hatte. Das konnte sie so traurig finden wie sie wollte, die Abreise am Montag war beschlossene Sache. Wenigstens hatten sie noch ein paar Momente zusammen.

Isabel steuerte sie zu einem großen alten Gebäude. Der Eingang war mit Luftballons geschmückt, die auch nach eingehender Kontrolle keinerlei Parteiwerbung aufwiesen. Die große schwere Doppeltür war weit geöffnet. An den glatten Steinwänden im Inneren standen Glaskästen mit alten Stadtplänen. Fatou betrat mit den Mädchen den kühlen Flur. Zwei zahnlückige Jungen, etwa acht oder neun, kamen ihnen entgegen um die Ecke geschlittert.

»Nicht so schnell, hey!«, rief jemand hinterher. Eine junge Frau mit Pferdeschwanz und gesprenkelter Brille folgte ihnen energisch und grinste. »Wenn ihr euren Gewinn wollt, müsst ihr euch ordentlich aufführen! Ah, hallo. Wollt ihr zur Freizeit?«

Yesim und Isabel betrachteten die Jungs, die gerade kichernd versuchten, sich gegenseitig auf den Fuß zu treten. Die junge Frau lachte. »Keine Angst, wir haben alle Altersgruppen da. Von vier bis vierzehn.«

Ein kurzer Blick in den »Freizeitraum« genügte, um Fatous Vertrauen zu erwecken. Kinder mit Betreuung waren an Tischen und in Nischen verteilt und bastelten. Die ganz Kleinen übten gerade einen Tanz ein und die Großen bestäubten einen Schaukasten mit Fingerabdruckpulver. Aus einem Tisch lagen Käsebrötchen. Fatou gab der Betreuerin ihre Handynummer und vereinbarte mit Yesim und Isabel, dass sie sie um vier Uhr wieder abholen kommen würde. Sie bezahlte die zwölf Euro Eintritt und wettete mit sich selbst, dass Anita sie nicht fragen würde, ob es etwas gekostet hatte.

Fatou blieb einen Moment lang vor dem Museum stehen und beschloss, dass es keinen Grund zur übertriebenen Eile gab. Sie sog das Geruchsgemisch von Bratäpfeln, Schinken und Sauerkraut ein und blinzelte in die Sonne. Falls es später wirklich regnen würde, hätte sie wenigstens diesen einen Sommermoment in Ruhe verbracht. Sie schlenderte und trödelte die Fußgängerzone entlang, nahm sich die Zeit, einen Stand mit Souvenirs genauer zu betrachten und hielt vor einem Haus an, weil es uralt und geschmackvoll renoviert aussah. Es war eine Sparkassenfiliale. Daneben lud eine Gaststätte in ihren großen Innenhof ein. Viele der Gebäude im Wallfahrtsort waren mehrere hundert Jahre alt.

Sie haben im Krieg Glück gehabt, dachte Fatou, *oder die Alliierten waren abergläubisch.*

Wuchtige Giebel aus schweren Steinen ragten über den Platz. Jedes Haus war eine kleine Burg, mit dreimannshohen Toren, die massive metallene Beschläge trugen, mit Felsenkellern, in denen Vorräte oder Schätze lagerten, mit uneinsehbaren Hinterhöfen, Nebentrakten im Verborgenen und Dachfenstern, hinter denen bestimmt wertvolle Artefakte aufbewahrt wurden. Die schweren dunkelbraunen Balken der Dächer und Türen ließen sie ans Mittelalter denken. Zu Romantik vergangener Zeiten hatte Fatou zwiespältige Gefühle. Traditionspflege gab ihr selbst manchmal ein Gefühl der Sicherheit. Wenn sie Lieder hörte, die sie vor zwanzig Jahren schon gehört hatte, fühlte sie sich lebendig. Sie hatte dann einen Platz und kam sich vor wie ein Baum, der wuchs und wuchs und nicht fort ging. Manchmal blätterte sie in Büchern über die Heimat ihres Vaters und berührte mit den Fingerspitzen die Haushaltsgegenstände, die darin abgebildet waren. Töpfe und Pfannen aus Metall, Keramik, Stein und gebranntem Ton, sie konnten Generationen lang vererbt werden und verankerten ihre Besitzerinnen in der Geschichte und in ihrem Familienleben. Fatou hätte jederzeit ihre Sammlung billiger beschichteter Pfannen gegen jedes dieser Gefäße getauscht, um sich etwas verwurzelter zu fühlen. Mit den vergangenen Jahrhunderten wurde sie deswegen aber trotzdem nicht warm. Eine Zeit, in der sie wahrscheinlich verkauft oder verbrannt worden wäre, konnte ihr keinen romantischen Gedanken abringen. Warum Menschen freiwillig auf ganzen Festivals eine Ära ohne Rechte, Apotheken und Waschmaschinen feierten, war ihr schleierhaft.

Über dem Eingang, vor dem sie gerade stand, prangte ein Wappenschild. Es zeigte zwei gekreuzte Degen und einen Tierkopf unbestimmter Art, es konnte ein Löwe oder auch ein Drache sein, der mit strengen Augen dreinsah. In altdeutscher verschnörkelter Schrift stand darunter »KDStV Superia«. Fatou schlug »KDStV« in einer Lexikon-App nach. »Katholisch deutsche Studentenverbindung«. Eine Gänsehaut breitete sich in ihrem Nacken aus und bewog sie zum weitergehen.

Ein lauter Tusch hallte über den Platz. Auf der Bühne rückte sich ein kleines Orchester zurecht. Sie erkannte Musiker in verschiedenen Landestrachten, die ihre Buzukis, Flamencogitarren, Trommeln, Blasinstrumente und einen Kontrabass stimmten. Dann spielten sie mit viel Energie ein Stück, das Musikrichtungen miteinander kombinierte. Eine Flöte trällerte eine asiatische Melodie, der Kontrabass zupfte zum Tanzen wie bei einer Polka und der Schellenkranz klapperte Backbeat. Die Saiteninstrumente versetzten die Luft und auch die Beine und Hüften der ersten mutigen Tanzwilligen, die schon vor die Bühne kamen, in Schwingungen.

Es war voller geworden. Vor dem Kebabstand warteten Leute in einer langen Schlange, lachten, unterhielten sich und wippten zur Musik. Ein junger Mann im weißen T-Shirt mit der Aufschrift »Jusos für AÖ« balancierte zwei Armvoll Brote und Getränke durch die Menge bis zum Wahlkampfstand der SPD, der neben dem spanischen Grill aufgeschlagen war. Es war so viel los, dass Fatou Anita zuerst gar nicht ausmachen konnte. Als sie näher kam, sah sie, dass an ihrem Tisch inzwischen noch weitere Menschen standen. Die kleine Sophie befand sich auf Martins

Arm. Sie kreischte vor Vergnügen und winkte aufgeregt ihr Stofftier durch die Luft. Daneben stand Pater Simone.

»Frau Fall, wie schön, Sie zu sehen!« Er schüttelte schwungvoll ihre Hand. »Sie kennen die Familie Stefan? Das ist schön.«

Schön, dachte Fatou, *lassen wir heute einfach mal alles schön sein. Das wird echt schön.*

Martin fand es nicht so schön. Er stellte seine kleine Schwester ab und betrachtete einen Wurstrest auf dem Tisch so eingehend, als sei darin Christi Antlitz zu erkennen. Es war überdeutlich, dass er jedes Mal verkrampfte, wenn Fatou anwesend war. Sie wollte nicht wissen, warum.

»Die Fatou und ich waren zusammen im Kindergarten«, sagte Anita.

»Wie schön«, sagte Pater Simone und klatschte in die Hände. Er fasste Fatou an den Oberarm. »Ich muss Ihnen jemand vorstellen. Meinen Freund aus der Kulturarbeit. Er macht sehr viel Kulturarbeit in Altötting. Sie müssen ihn kennenlernen. Vielleicht wird er sogar Bürgermeister.«

Fatou musste sich anstrengen, um ihn zu verstehen. Die Musik war wirklich laut. Sie hätte lieber getanzt als Smalltalk geschrien. Pater Simone roch nach Weihrauch und Aftershave.

Martin verabschiedete sich hektisch von seiner Mutter und huschte von dannen. Langsam aber sicher nervte er Fatou mit seiner Unhöflichkeit. Er konnte denken und verkrampfen, was und so viel er wollte, aber er sollte doch wenigstens minimalen Anstand bewahren. Warum ließ Anita zu, dass er so offensiv unhöflich war, und tat, als wäre das nicht ihre Sache? Wenn sie sich Fatou so nah fühlte, dass sie sie ständig mit Bussi begrüßen wollte, konnte sie wohl ihrem Teenagersohn beibringen, sich zu ihr nicht wie zu einem

Möbelstück zu verhalten. Stattdessen stand Anita da wie bestellt und nicht abgeholt.

Die kleine Sophie pöbelte halbherzig um Aufmerksamkeit. Sie wollte zur Bühne. Anita stellte sie auf den Tisch, damit sie besser sehen konnte. Fatou nahm es missbilligend zur Kenntnis. Als das Lied zu Ende war, wollte Sophie lautstark »Mamaaaaaaa!« rufend sofort wieder vom Tisch heruntergenommen werden.

»So eine süße Maus«, sagte Pater Simone.

»Gibt es denn in der Sache mit Ihrer Kapelle schon Neuigkeiten?«, lenkte Fatou sich von dem Erziehungsdrama ab.

»Nein, leider nicht«, sagte er, während er an einem Obstspieß kaute. »Es gehen Hinweise ein, auch bei mir, Menschen beschuldigen sich gegenseitig, meistens beschuldigen sie Migranten, leider, das ist ja klar.« Seine Stirn furchte sich in Anteilnahme. *Wie bei einer Beerdigung von jemandem, den er nicht gekannt hat,* dachte Fatou.

Als von seinem Obstspieß nur noch das Holzstückchen mit kleinen hellen Faserresten übrig war, sagte er: »Warten Sie«, und ging zum SPD Stand in Sichtweite hinüber. Dort diskutierte er kurz mit einem untersetzten Mann, den Fatou auf Ende fünfzig schätzte, und kam mit ein paar Flyern zurück. »Mein Freund, von dem ich eben erzählt habe, kann jetzt nicht. Sie haben am Stand feste Schichten eingeteilt. Um 15 Uhr hat er frei, wenn Sie so lang noch bleiben?«

»Ihr wart bei dem Anschlag dabei, hat die Isabel erzählt«, unterbrach Anita. »Das ist ja unheimlich … war das nicht gefährlich?«

»Das musst du die Typen fragen, die das veranstaltet haben«, sagte Fatou. »Sie waren nur mit Sprühdosen und einem Megafon bewaffnet, aber erschrocken sind wir natürlich

111

trotzdem. Wir standen direkt daneben.« Fatou sah Simone an. Er lauschte gebannt. »Vor allem haben sie sich die Gesichter mit Make-up oder Schuhcreme braun angemalt. Das war schon eklig. Das hätte ich Yesim gern erspart.«

»So sind sie natürlich noch besser getarnt«, sagte Simone.

»Mit Schuhcreme«, sagte Anita. »Das hat mir die Isa gar nicht erzählt.«

Fatou fächelte sich mit einem Pappteller Luft zu. Die Schwüle fühlte sich an wie eine Decke, die ihr während dem Schlaf über den Kopf gerutscht war. Sie wollte tief durchatmen, ohne Öl und Wurstgeruch und beginnenden Kopfschmerz. *Eine Wiese wäre jetzt gut*, dachte sie, riss sich aber zusammen und sah Anita in die Augen. »Anscheinend hat es ja funktioniert«, sagte sie. »Seitdem diskutieren sie in den Lokalnachrichten über die Unmöglichkeit von Integration. Der CSU hat es wohl nicht geschadet.«

Simone lehnte sich verschwörerisch nach vorne. »Wissen Sie, ich bin Katholik, natürlich. Aber in der Politik bin ich frei. Natürlich. Nur meinem Gewissen verpflichtet und Gott. Ich unterstütze die SPD. Deswegen will ich Ihnen unseren Bürgermeisterkandidat vorstellen. Die SPD macht wichtige Jugendarbeit. Mit Migranten.« Er sprach es aus, als sei es etwas ganz Besonderes. Wahrscheinlich war es das hier sogar. Fatous Mund war trocken. Sie bat Anita, ihr eine Limonade zu holen. Die versuchte nicht, sich ihren Schreck nicht anmerken zu lassen. Wahrscheinlich war das letzte Mal, dass jemand sie ganz selbstverständlich um einen Dienst gebeten hatte, mehrere Jahre her. Sie stand herum wie eine Teenagerin bei »Die strengsten Eltern der Welt« und nestelte auffallend hilflos an ihren Haaren und dann an dem Portemonnaie, das sie nur erreichen konnte, wenn sie ihre Tasche vom Arm nahm. Schließlich zupfte sie an der inzwischen auf dem Boden mit einem heruntergefallenen Brötchen spielenden Sophie herum. Fatou machte einen Punkt daraus, sich nicht zu bewegen. Sie hätte sich jetzt gerne eine Zigarette angezündet. Und anstatt einer Fanta ein großes Glas Wein getrunken.

»Aber wissen Sie, wen ich Ihnen vorstellen kann inzwischen?«, fragte Simone. Sein Enthusiasmus war beneidenswert. »Die Flüchtlingshilfe hat natürlich auch einen Stand hier«, *natürlich,* »Sie werden sich sicher gut verstehen mit Grace. Ich hole sie«, sprach er und war mit wehendem Rock schon in Richtung Bühne verschwunden.

Anita kam mit drei Limonadenflaschen und einem gähnenden Kind zurück.

Fatou nahm ihr die Getränke ab.

»Gehst du zu ihm in den Gottesdienst?«

Anita schüttelte den Kopf. »Ich geh nicht in die Kirche. Der Martin ist oft bei Pater Simone im Fußballtraining.«

Fatou zog den Strohhalm aus ihrer Limo und nahm einen großen Schluck.

»Er soll ein sehr guter Trainer sein, ich kenn mich mit Fußball ja nicht aus. Der Martin spielt da so gern mit, weil er in der Mannschaft begehrt ist.«

Fatous widerstand dem Impuls, sich an Ort und Stelle Kopfhörer aufzusetzen.

»Ihm fehlen die Männer im Leben, denk ich«, sagte Anita und sah drein, als sei es ihre Schuld, dass sie nicht Fußball spielen konnte oder dass Martin keinen Vater mehr hatte, oder beides.

»Warum ist er denn vorhin so schnell wieder gegangen?«, fragte Fatou. »Hat der irgendwas?«

Anita zuckte mit den Schultern. »In letzter Zeit ist er verschlossen. Ich weiß immer weniger, was er eigentlich macht. Er erzählt zwar ständig von seinem Internat, und dass er unbedingt BWL studieren will, aber mit seinen komischen Burschenschaftlern tut er immer nur ganz geheim und duldet keine Einmischung von seiner Mutter.«

Fatou war sich nicht ganz sicher, ob sie sich gerade verhört hatte. Sie hoffte es. *Das Bundeswehrposter.* »Burschenschaftler?«, fragte sie vorsichtshalber nach.

Anita seufzte gequält. »Seit der Joachim nicht mehr da ist, bewundert er die auf einmal.« Irgendein Abgänger von seinem Gymnasium sei damals mit einem Schmiss im Gesicht und einer flammenden Rede an die Schule zurückgekehrt und habe dick aufgetragen, wie mächtig die Burschenschaft Superia sei. Dass sie sogar Mitsprache hatten, wer zum Studium zugelassen wurde und wer nicht. Dass sie eigentlich insgeheim die halbe Universität kontrollieren würden. Das hatte anscheinend Eindruck auf Martin gemacht. Seitdem hatte er die fixe Idee, dass er Burschenschaftler sein musste, um seinen Studienplatz zu bekommen. Das war zumindest die Version, die er seiner Mutter erzählt hatte.

»Ich glaub, dass es in Wirklichkeit irgendwas mit Männlichkeitsersatz ist«, sagte Anita und blinzelte.

Fatou war schwindelig geworden. Ihre Fantasie zog gerade an losen Fransen eines Gedankengewebes, das besser in Ruhe gelassen wurde. Mit spitzen Fingern zupfte sie eine Mücke vom Rand ihrer Limonadenflasche und trank den Rest in einem Zug aus. Dann atmete sie tief durch.

»Hör mal, Anita,« begann sie. Weiter kam sie nicht.

Pater Simone flatterte soeben wieder zu ihnen an den Tisch. »Ich habe heute früh zwei Messen gelesen, über die viele Menschen Gesprächsbedarf haben«, sagte er und wischte sich mit einem sakralen Stofftaschentuch über seine Stirn. »Es tut mir leid, dass ich so sprunghaft hier immer hin und her komme. Ich wollte Ihnen Grace vorstellen, aber sie kann gerade nicht von ihrem Stand weg. Kommen Sie mit, dann lernen Sie sie kennen. Sie ist in der Flüchtlingsinitiative, eine sehr beeindruckende Frau, eine Organisatorin. Ich will sie immer abwerben für unsere Jugendprojekte.« Fatou rollte innerlich mit den Augen. Sie konnte sich schon vorstellen, welche Michelle Pfeiffer der Helfenden Barmherzigkeit sie dort erwarten würde. Trotzdem wollte sie Simones Einladung folgen. Es war ein ganz schlechter Impuls von ihr gewesen, Anita sagen zu wollen, was sie dachte. Gut, dass es nicht dazu gekommen war. Was hätte es ihr maximal bringen können – nichts. Anita wäre in Tränen ausgebrochen oder Schlimmeres, hätte ihre Kleine noch weiter traumatisiert und wäre noch anstrengender geworden als bisher schon. Fatou schulterte ihre Handtasche. In der Hitze roch sie nach Plastik.

»Packen wir's?«, sagte sie so fröhlich zu Anita, dass der Untertitel »Hör auf, mimosig zu sein, das ist hier ein Fest« in neonfarbenen Großbuchstaben dazu erschien.

»Ja, klar, okay«, sagte Anita und strich Sophie über die Haare.

»REFUGEES WELCOME«, war in bunten handgeschriebenen Buchstaben über den kleinen Stand gespannt. Zwei sympathische Männer hinter dem Tisch diskutierten gerade mit einem jungen Pärchen, die beide blonde verfilzte Haare und große schmutzige Rucksäcke hatten. Fatou betrachtete einen Flyer. »NO RACISM NO BORDERS in AÖ«, stand darauf.

Die Knöchel einer gepflegten Faust klopften vor ihr auf die Tischplatte. Fatou sah auf.

»Hello«, sagte eine Dame. Sie war etwa in Fatous Alter und hatte einen wunderschönen kinnlangen welligen Weave, der ihr hervorragend stand. Zu ihrem lilafarbenen Sommerkleid trug sie einen luftigen Baumwollschal mit westafrikanischem Muster. »Ich bin Grace.«

»Hallo«, sagte Fatou und schämte sich ein bisschen, dass sie eine Aktivistin vom Typ Michelle Pfeiffer erwartet hatte. Eine falschere Prognose hätte sie nicht stellen können. Grace strahlte geradezu vor … Coolness. Obwohl sie nicht besonders groß war, war sie eine beeindruckende Erscheinung. Ihre Haltung war wie mit dem Lineal gezogen, so dass ihr Hals noch länger aussah. Dadurch wirkte sie stolz und unbesiegbar. Die Elf neben ihren Augen betonte ihre ausladend geschwungenen Wangen. Sogar die Impfnarbe auf ihrer Schulter sah apart aus, wie ein Schmuck oder ein Medaillon. Und ihre Farbe erst. Grace hatte den perfekten satten dunklen Hautton, den Fatou immer beneidete. Haut, die so aussah, war – makellos.

Über ihre Schulter hinweg machte Grace einen Witz in einer Sprache, die Fatou nicht verstand, und der die beiden Männer hinter dem Stand vor Lachen vornüber klappen ließ. Gleich darauf drückte sie mit hochseriösem Gesichtsausdruck, ohne eine Miene zu verziehen, einem ganz offensichtlich rechtskonservativen Mann mit »Heimatschutz«-Tragetasche eine Broschüre in die Hand.

»Lesen Sie«, sagte Grace, während der Mann noch leise Beleidigungen vor sich hin zischte. »Wenn Sie auch mal wieder flüchten müssen. Damit Sie gut vorbereitet sind.«

Er machte konsterniert den Mund auf und zu und verschwand, die Broschüre nahm er tatsächlich mit.

Fatou rückte ein wenig beiseite, um sie nicht nur penetrant bewundernd anzustarren. Pater Simone und Anita in ihrem Schlepptau hatte sie für einen Moment ganz vergessen. Anita sah nur mit großen Augen die Männer an, die am Infotisch Broschüren verteilten und machte keine Anstalten, näher heran zu kommen. Sophie verschwand hinter ihrem Rücken. Pater Simone rutschte auf.

»Ich bin Fatou.«

»Freut mich«, sagte Grace und reichte ihr die Hand. Etwas an ihr erinnerte Fatou an ihre Cousine Aissata. Die hatte auch so eine Ausstrahlung, wie eine geborene Autorität. Alle wollten es ihr recht machen, ihr gefallen, von ihr lernen. Aissata sagte immer, Fatou mache sich einfach zu viele Gedanken und hätte zu viel »Deutschenquatsch« im Kopf.

»Fatou Fall«, sagte sie.

»Fall!«, rief Grace und strahlte. »Mein Name ist Bâ.« *Grace Bâ. Was für ein Name.* »Bevor ich geheiratet habe. Jetzt heiße ich Brandl. Kannst du das glauben!« Sie lachte schallend und klatschte in die Hand. »Simone hat mir viel von dir erzählt. Ich mache hier nur noch eine Viertelstunde. Hast du Lust, dass wir dann etwas trinken?« Fatou wollte gerade begeistert zusagen, da fiel ihr Anita ein. Mit ihr würde sie das Treffen kaum genießen können. Wahrscheinlich würde sie wie ein schwindsüchtiger Schatten fasziniert zwischen Grace und Fatou hin und her schauen – hin und her und hin und her … Sie musste Anita zunächst ehrenhaft entlassen. Fatou drehte sich um und sah, dass Anitas Stirn in Falten lag. Sie kaute auf ihrer Unterlippe herum.

»Was überlegst du?«, fragte Fatou. »Hast du Kopfschmerzen? Du hast doch Sonnenschutz verwendet?«

»Mir ist nicht so gut«, sagte Anita. »Ich glaub, ich gehe heim.«

Ich sollte der Höflichkeit halber so tun, als würde ich sie zum Bleiben überreden, dachte Fatou. Sie brachte es aber nicht über die Lippen. Sie war zu angetan von Grace. Außerdem hatte sie noch nie zuvor mit einer Schwarzen Frau aus Altötting geredet. Mit ihr würde das Fest doch noch ein schönes Erlebnis werden.

Grace war derweil schon wieder in Aktion. Sie hatte gerade den Arm um eine kämpferisch dreinschauende junge Frau gelegt, die zwei bayrische Passanten darum bat, ihr auf einer Weltkarte »Arabien« zu zeigen. Die Kämpferische schnaufte, ihr Mund ging immer wieder auf und zu, ihr Blick war deutlich genervt. Grace lachte. Die starken Augenbrauen der jungen Frau entspannten sich etwas, sie schüttelte den Kopf und schielte zu dem hilflosen Pärchen hinüber, das die Karte festhielt und mit roten Köpfen suchte.

»Du hast nicht zufällig gerade Kinder auf dem Fest dabei?«, fragte Fatou. Grace verneinte.

»Für Kinder hab ich zu viel Stress«, lachte sie. Fatou drehte sich um. »Anita, könntest du vielleicht Yesim mit zurück nehmen und bei Tante Hortensia absetzen? Oder bei dir zu Hause? Dann können die zwei Grazien noch den letzten Abend miteinander verbringen.«

Anita hatte nichts dagegen, was Fatou ein wenig wunderte. Sie hatte mit mehr Gegenwehr gerechnet als einem erschöpften Seufzer und dem verwundeten Blick. Fatou verkniff sich, sie zu fragen, ob sie den Weg finden würde, und zeigte ihr stattdessen den Daumen nach oben.

Nachdem Grace sich ausgiebig von allen am Stand verabschiedet hatte, schulterte sie eine große bunte Tasche, aus der Flyer und Broschüren hervorquollen. »So. Jetzt muss ich etwas trinken.« Fatou schlug den spanischen Stand vor. Da kannte sie das Limonadenangebot schon, und er befand sich nicht so nah an der Bühne.

»Ah, das habe ich mir verdient!« Grace hatte das ganze Glas alkoholfreies Bier in einem Zug geleert. »Das ist überhaupt die beste Erfindung.«

Ihr ›s‹ klang nach Westafrika, ihr ›r‹ nach Oberbayern. Sie erklärte Fatou, dass sie schon seit über zehn Jahren, so lange sie hier wohnte, für die Refugee-Initiative organisierte. Als sie nach Europa gezogen war, hatte sie Schwierigkeiten gehabt, sich zu orientieren, und bedauert, dass es keine afrikanischen Ansprechpersonen für Neuangekommene gab. »Also habe ich das selbst angeboten, sobald ich mich ein bisschen ausgekannt habe.« Fatou war gebührend beeindruckt. So war Grace in die Initiative hineingewachsen. »Viele denken, ich bin der Vorstand, aber ich brauche nicht noch mehr Verantwortung«, sagte Grace und rückte ihren Schal zurecht. Sie half Leuten dabei, sich mit Behörden und Vermietern herumzustreiten, oder überhaupt erst einmal eine Busfahrkarte zu kaufen. Oft musste sie auch einen Rechtsbeistand suchen und gelegentlich jemanden kurzfristig an einem anderen Ort unterbringen, weil eine Abschiebung bevorstand. »So viel wie im Moment habe ich aber noch nie zu tun gehabt. Und du bist Deutsche?« Fatou bejahte und erzählte, dass sie ihre Kindheit bis zur dritten Klasse in Neuötting verbracht hatte. Wenn es damals schon Refugees gegeben hatte, hatte sie keine gesehen.

»Ich war die einzige Schwarze Person weit und breit. Nur einmal hab ich am Marktplatz einen Amerikaner gesehen, der eine Vorführung mit einem Kinderspielzeug gemacht hat. Er hatte einen Bauchladen dabei, darin waren lauter kleine flauschige Tiere. Er hat vorgeführt, wie sie sich von selbst bewegen. Es hat ganz echt ausgesehen. Das war ein einfacher Trick mit einem Nylonfaden«, lachte Fatou und fühlte, wie ihr Kinn sentimental wackelig wurde.

»Er hat mir eines davon geschenkt. Ich war tagelang ganz selig. Tante Rosa hat es aus Versehen mit dem Staubsauger aufgesaugt, und ich habe mich gar nicht mehr eingekriegt vor Heulen.«

Grace lächelte abwesend. Fatou befürchtete, sie gelangweilt zu haben. »Wegen der Sache mit der Kapelle ...«, begann sie.

Grace winkte ab. »Du kannst dir nicht vorstellen, was seitdem bei uns los ist. Jeden Tag rufen wildfremde Seppen an und beschimpfen uns im Büro. Jetzt schlachten es auch noch die Parteien im Wahlkampf aus. Viele von den Refugees haben mir erzählt, dass sie immer öfter beleidigt werden in der Stadt. Neulich hat mich ein kleines Mädchen aus Mali gefragt, ob sie jetzt kein Kopftuch mehr tragen darf, wenn sie groß ist, wegen dem ›muslimischen Anschlag‹. Stell dir das vor!«

Fatou nickte. Sie hatte sich selbst lange an den Gedanken gewöhnen müssen, dass es zur Freiheit eines Mädchens gehörte, dass sie ein Kopftuch tragen *durfte*. Sie selbst verdeckte ihre Haare eigentlich nur, wenn ihr Auto kaputt war und sie deswegen Bus oder U-Bahn fahren musste. Andernfalls grabschten Leute hinein oder starrten sie an wie ein UFO oder fragten sie, ob die echt seien. Reflexhaft strich sie sich über die Haare. Es war ihr etwas unangenehm, dass sie ein Potpourri an kaum gebändigten verschiedenen Haartexturen aufwies, weil ihr Relaxer herauswuchs und sie sich nur mit Gel helfen konnte, während Grace so gepflegt aussah.

»Wir sind schon viele«, sagte Grace. »Wenn du jetzt hier aufwächst, ist es bestimmt anders als früher. Wir haben sogar einen Afroshop und eine Moschee.«

Fatou berichtete Grace, dass sie bei dem Anschlag auf die Kapelle dabei gewesen war. Bei ihrer Beschreibung, dass es junge Männer waren, die sich das Gesicht angemalt hatten, machte Grace ein missbilligendes »Nh« und an der Stelle mit dem unverschämten Polizisten schnalzte sie verärgert. Als Fatou fertig war, schüttelte Grace den Kopf.

»Sie ist zu nichts gut hier, die Polizei. Zu nichts. Ich sage dir was: Das waren Leute von der CSU. Je fremdenfeindlicher die Stimmung ist, desto sicherer regieren sie wieder im Landtag mit der absoluten Mehrheit.«

So etwas war auch Fatous erste Vermutung gewesen, aber sie hatte es noch nicht vollkommen schlüssig gefunden. Irgendetwas hakte an dieser Theorie.

»Aber wenn stattdessen mehr Leute die Parteien ganz rechts wählen? Dann würde die CSU doch Stimmen verlieren«, sagte sie.

»Ah«, machte Grace und holte ein Stückchen Lakritzholz aus ihrer Tasche. »Die ganz Rechten sind so chaotisch, die CSU macht mit ihnen, was sie will und freut sich sogar, weil sie dann die ganz schlimmen Sachen nicht mehr selbst sagen muss.« Grace hatte das dünne Hölzchen im Mundwinkel. Sie sah cooler aus als Lucky Luke. Fatou wollte eine Zigarette, doch sie schob den Gedanken schnell beiseite.

»Ich habe meiner Tochter versprochen, zu beweisen, dass es keine Migranten waren«, sagte sie. »Das war unüberlegt von mir. Ich kann es nicht einhalten.«

Grace sah sie fragend an. »Was musst du ihr denn beweisen?«

Fatou rekapitulierte das Gespräch, das sie mit Yesim darüber geführt hatte. »Ich weiß nur eines. ›A LA WAKBA‹ wird der neueste Hit im Restaurant. ›Hallo, ich nehme einmal das Hühnchen à la Wakba.‹«, endete Fatou und prustete los. Grace lachte eher verhalten, wie über einen alten Witz oder einen, der im Kern nicht lustig war.

»Entschuldige«, sagte Fatou. »Bist du muslimisch?« Grace bejahte.

»Yesims Vater ist muslimisch«, sagte Fatou, »und seine Familie.«

»Ich gehe aber selten in die Moschee«, sagte Grace. »Die ist mir zu klein. Viele Leute fahren am Wochenende in die größere Moschee nach Burgkirchen, aber da habe ich meistens Dienst.«

Fatou gratulierte Grace dazu, dass es inzwischen überhaupt eine Moschee in Altötting gab. »Wir haben Religionsfreiheit«, merkte Grace an. »Die Moschee ist komplett aus Spenden finanziert worden. Sie ist klein und in einer ehemaligen Büroetage, das ist alles nicht so repräsentativ. Es soll aber jetzt ein Islamisches Kulturzentrum mit Moschee gebaut werden. Die Gelder sind schon lange beantragt.«

Ein Islamisches Kulturzentrum im katholischsten Wallfahrtsort der Welt? Fatou musste wohl einen ungläubigen Gesichtsausdruck gemacht haben.

»Doch, wirklich«, sagte Grace. »Natürlich bei der EU eingereicht. Beim Landkreis könntest du mit so einem Antrag höchstens Stress bekommen, aber keine Förderung.«

Fatou wollte höflich sein und sich interessiert an Graces Engagement zeigen. Aber sie hatte noch nie Interesse für Vereinsarbeit aufbringen können. Sie fragte sich, wie die Leute, die sowieso schon eine instabile Situation hatten, zusätzlich auch noch Aktivismus bewerkstelligten. Sie selbst wäre damit heillos überfordert. Wenn sie nach der Arbeit noch ein warmes Abendessen kochen und ihrer Tochter mit geöffneten Augen zuhören konnte, war sie schon froh. Grace blickte auf ihr Handy. Fatou deutete es als dezenten Hinweis, dass Grace selbst das Thema zu langweilen begann. Sie nutzte den Moment, um ebenfalls ihr Telefon zu checken. Anita hatte eine grußlose Mitteilung gesendet: »Kinder sind bei mir im Garten.«

»Meine Tochter«, sagte sie zu Grace, »Yesim.«

»Yesim«, wiederholte Grace. »Schöner Name, türkisch?«

Fatou nickte. »Ihr Vater und ich sind getrennt. Erst seit ein paar Monaten. Aber wir verstehen uns gut. Er ist ein feiner Kerl, wir können nur leider … keine Beziehung haben.«

An Graces Gesichtsaudruck war nicht abzulesen, ob sie das nachvollziehen konnte oder wirr fand. Sie kannten sich ja gar nicht. Vielleicht war Grace eine dienstbare Frau, die einen Mann niemals verlassen würde, und die dachte, dass es nur Fatous Versagen gewesen sein konnte, das ihre Beziehung nicht funktionieren ließ. Fatou hatte das selbst schon gedacht, in Momenten, in denen sie sehr übermüdet und frustriert war. Aber nur zwei Sekunden lang. Dass Aytaçs Schwulsein nicht von ihrem Versagen rührte, war ihr schon klar. Nur musste sie manchmal ihr Gefühl und die irrationale nörgelige Stimme in ihrem Kopf daran erinnern.

»Und dein Mann? versteht ihr euch gut?«, tastete sich Fatou vor. Sie hoffte, dass die beeindruckende Grace sich jetzt nicht als demütige Ehefrau entpuppen würde.

»Wir sind geschieden. Er wohnt jetzt in Frankreich mit seiner neuen Frau«, sagte Grace und mimte einen flatterigen Augenaufschlag dazu. Fatou murmelte ein Wort der Kondolenz, was Grace zum Lachen brachte. »Das braucht dir nicht leid zu tun. Ich habe ein großes Fest gemacht nach der Scheidung. Mir tut nur die Frau leid. Sie ist ganz jung.« Nun schüttelte sie doch den Kopf, als sei jemand gestorben. »Lass mal bisschen umschauen«, sagte Fatou.

Grace ging voran zu der Seite des Platzes, die hinter der Kapelle lag. Fatou sah, dass die Schmierereien entfernt worden waren. Gegenüber des Sakristeifensters saß einer der Musiker, der vorher im Orchester gespielt hatte, auf einem Stuhl und spielte Saz. Mehrere Generationen hatten sich um ihn versammelt und sangen bei manchen Stellen mit, ein älterer Herr klatschte im Takt, Kinder drehten sich und tanzten. Ein Mann mit ausdrucksvollen Augenbrauen wischte sich die Stirn mit einem Taschentuch. Die Musik war melancholisch, schön und rhythmisch. Fatou war ein bisschen neidisch, dass sie zu keiner Kultur gehörte, bei der sich Jung und Alt trafen und miteinander Lieder sangen. Selbst Musik aus der Kultur ihres Vaters hörte sie eher mit Interesse als mit Sehnsucht. Die Lieder erinnerten sie nicht an Orte, die sie verlassen hatte, sondern nur an Dokus, die sie im Fernsehen gesehen hatte. Sie verstand die Sprache nicht. Sie begann, sich fehl am Platz zu fühlen, wie eine Touristin.

Die Menschen, die in die Musik vollständig eintauchen, tolerieren mich nur aus Höflichkeit, dachte sie. *Ich gehöre nicht wirklich dazu.*

Mit der bayrischen Kultur hatte sie diese Sorgen nicht. Bayrische Musik interessierte sie kein bisschen.

»Der da ist Orhan«, sagte Grace.

»Der gerade in der Musik versinkt?«, fragte Fatou.

»Ja«, erwiderte Grace. »So habe ich ihn noch nicht gesehen, muss ich zugeben. Normalerweise diskutieren wir.«

Grace erzählte Fatou, dass er Orhan Daimagüler hieß und sie früher öfter zusammengearbeitet hatten. Er war Vorstand des Verbands der Muslime in Altötting und sozusagen für die muslimische Gemeinde das, was Grace für die Refugees-Initiative war.

»Dann will ich mit ihm über die Sprühgeschichte reden«, sagte Fatou. Sicherlich war Orhan interessiert daran, zu erfahren, dass die Männer angemalt waren.

»Kannst du machen, wenn du willst, aber versprich dir nicht zu viel davon«, sagte Grace. Fatou sah sie fragend an. »Manchmal ist er nicht so kooperativ. Vor allem in letzter Zeit. Aber mach dir selbst einen Eindruck.«

Als Orhan die Augen wieder geöffnet hatte, brauchte er anscheinend erst einen Moment, um ins Hier und Jetzt zurückzukehren. Er sah Grace, die ihm mit einer Handbewegung bedeutete, dass er herkommen solle. Orhan schlängelte sich an zwei Kindern und einem jungen Mann vorbei und kam auf sie zu. Fatou konnte sich gut vorstellen, dass er eine Respektsperson war. Er hatte Einiges, was ihn gleich auf den ersten Blick als solche auswies mit seinen grauen Schläfen und der aufrechten Haltung. Als junger Mann musste er ausgesehen haben wie Mehmet Ali Ağca. Bestimmt hatte er es damals nicht leicht gehabt in Altötting.

»Servus, Grace«, sagte er in tief oberbayrischem Akzent mit wohltönender Stimme. Grace stellte ihm Fatou vor. Er nickte wissend. »Sie haben sich schon mit Pater Simone angefreundet, habe ich gehört.«

Fatou sah Grace an, die zuckte mit den Schultern.

»In Altötting kannst du kaum einen Spatz verscheuchen, ohne dass es gleich jeder weiß«, erklärte er. »Wenn Sie exponiert sind, natürlich noch weniger.« Er lächelte immer noch nicht. Hatte er das mit dem ›exponiert‹ ernst gemeint? »Sie müssen aufpassen, dass der Superpater Sie nicht missioniert. Er versucht bei seinen Fußballtrainings schon mal, unsere Buben zum Christentum zu bekehren. Vielleicht ist das in Argentinien die feine Art, aber ...« Er sprach den Satz nicht zu Ende. Eine Zornesfalte deutete sich an. »Stellen Sie sich mal vor, wir würden beim Sport versuchen, Kinder zum Islam zu konvertieren. Da wäre die Hölle los.«

»Das ist richtig«, sagte Grace, als höre sie diesen Monolog nicht zum ersten Mal. »Wenn unser Zentrum genehmigt wird, machen wir ein eigenes Fußballtraining auf«, sagte Orhan, »aber ganz ohne Religion. Dann zeigen die Moslems mal den Katholiken, wie man Staat, Sport und Kirche richtig trennt.«

»Fatou war bei der Sache mit der Kapelle live dabei«, sagte Grace. »Sie und ihre Tochter haben direkt daneben gestanden.«

Orhan legte den Kopf schief. »Ah, Sie haben also gesehen, wie die christlichen Bengel an der muslimischen Rechtschreibung gescheitert sind?« Fatou lachte und war ein bisschen stolz, weil sie den interkulturellen Witz verstanden hatte. Orhan lachte nicht. »Katastrophal«, sagte er. »Jetzt sind wieder alle durcheinander und feinden uns an. Es ist wie am Strand. Sobald du dich sicher fühlst und eine Sandburg gebaut hast, kommt auch schon eine Welle und macht alles kaputt.«

Jetzt bräuchten sie erst recht ein Kulturzentrum, erklärte er, damit die Kids einen Rückzugsort hätten, weil ihnen mit so viel Misstrauen und Ablehnung begegnet wurde. »Ich habe gedacht, ich kann eine muslimische Gemeinde hier betreuen. Aber ich komme mir vor, als würde ich die Katholiken betreuen die ganze Zeit, weil wir nur mit ihren Vorurteilen beschäftigt sind.« Grace sah ihn amüsiert von der Seite an. »Aber ich soll nicht lästern. Unser Zentrum wird so oder so gebaut. Wir sind ja Gott sei Dank nicht auf hiesige Gelder angewiesen. Der EU ist es wurscht, wer wann wo und warum eine Kapelle angemalt hat. Die bestrafen muslimische Jugendliche nicht in Sippenhaft, nicht wie hier die ganzen Pfeifen im Wahlkampf.«

Fatou betrachtete ihn fasziniert. Er redete, als hätte er dazu andernorts kaum Gelegenheit. Oder er war einfach nur sehr sendungsbewusst. Seine buschigen Augenbrauen erinnerten sie an irgendeinen Politiker. Die ungeteilte Aufmerksamkeit schien Orhan zu beflügeln. Er schimpfte ungebremst weiter.

»Wäre das nicht meine Heimat, wo ich mir so viel aufgebaut habe, würde ich sagen: Macht euren Schmarrn doch alleine! Dann würde ich einfach nach Ankara ziehen.« Er wetterte auf die feigen Grünen, die Poster geklebt hätten mit der Aufschrift »Keine Moschee im Naturschutzgebiet«. Dabei habe das nie zur Debatte gestanden. Alles nur für den Wahlkampf; von den Grünen erwarte er sowieso gar nichts. Danach schimpfte er über die CSU und ihren Bürgermeister, der sich in Wirklichkeit für Helmut Schmidt hielt, und ›Arbeitern und echten Leuten‹ aus dem Weg ginge, wann immer er könne.

»Dann wählen Sie SPD?«, fragte Fatou.

»Die Sozis!«, polterte Orhan los. »Die gönnen uns rein gar nix. Das sind die Schlimmsten!«

Grace drückte Fatous Unterarm. »Erzähl ihm das mit der Schuhcreme.«

Fatou berichtete zum gefühlt zwölften Mal, was sie bei der Sprühattacke auf die Kapelle gesehen hatte. Orhan sah sie mit ähnlich ausdruckslosem Gesichtsausdruck an, wie Pater Simone es getan hatte, als sie es ihm im Eiscafé berichtet hatte.

»Dass sie braun angemalt waren, heißt ja nichts«, sagte Orhan. »Flüchtlinge, Migranten, Deutsche – mit oder ohne

Schminke, mit blauen Augen oder Kontaktlinsen, ist doch im Grunde vollkommen wurscht.«

Fatou verstand nicht, was er damit sagen wollte. Sie kam sich vor, als würde er gerade andeuten, dass sie nicht viel von der Welt verstand. Ein ärgerlicher Knoten begann sich in ihrem Hals breitzumachen, und sie schluckte. Grace war währenddessen schon in Rage geraten. Sie machte eine so heftige Kopfbewegung, dass ihr Schal verrutschte. »Was soll denn das heißen, Migranten, Flüchtlinge, Kontaktlinsen! Du hast doch gerade gehört, was Fatou gesehen hat. Willst du jetzt sagen, es waren Flüchtlinge mit blauen Kontaktlinsen? Willst du es jetzt umdrehen? Was ist los mit dir?«

Orhan winkte ab. »Ich bin nur ehrlich. Ich muss kein Detektiv sein, um meine Arbeit für meine Gemeinde zu machen. Du kannst gern die Welt retten.« Er drehte sich um und ließ die Frauen stehen. Fatou überlegte, wo sie ihn verärgert haben könnten, dass er so reagierte. Grace schnaubte. »Jetzt hast du ihn kennengelernt. Weißt du Bescheid.«

Ein Duo schwerer bauchiger Glockentöne schlug fünfzehn Uhr. Fatou hatte Hunger. Sie fragte sich, ob sie wirklich dreimal an einem Tag auswärts essen sollte. Auch wenn es nur Snacks waren, es war trotzdem teurer, als sich etwas im Supermarkt zu kaufen. Grace schlug vor, einen Hotdog zu essen.

»Wir haben immer nur heute«, befand sie. Unter dem Dach eines Würstchenstandes sahen die beiden ungeduldig zu, wie ihre Brötchen konfiguriert wurden.

Fatou entfernte mit einer kleinen Holzgabel den Senf vom Rand ihres Papptellers und erntete von Grace, die schon fast aufgegessen hatte, einen amüsierten Blick für ihre Fieselei.

»Triffst du dich nicht noch mit Simone?« Den hatte Fatou in dem Trubel ganz vergessen.

»Er will unbedingt, dass ich diesen SPD-Typen kennenlerne«, sagte sie. »Ich würde aber viel lieber mit dir ratschen.« Grace lachte und wischte sich mit einer Serviette die Mundwinkel ab. »Willst du in Altötting bleiben?«, fragte Fatou.

Grace zuckte mit den Schultern. »Woanders ist es auch nicht anders.« Sie wolle nicht in Deutschland alt werden und sterben, aber bis auf Weiteres habe sie noch keinen Drang, so schnell wie möglich auszuwandern. »Sonst wäre ich schon weg«.

Grace willigte ein, Fatou nicht mit Simones Missionierungen allein zu lassen, und gemeinsam machten sie sich auf zum SPD-Stand. Der Pater plauderte dort leidenschaftlich gestikulierend mit zwei Männern, die ihn ansahen wie eine Filmvorführung. Sie fischten mit spitzen Fingern Nüsschen aus raschelnden kleinen roten Papiertüten und wendeten die Augen nicht von ihm ab. Als er Fatou und Grace sah, unterbrach er seine Vorstellung und legte ihnen beiden je eine Hand auf die Schultern. *Der Hirte segnet seine Lämmchen*, dachte Fatou und duckte sich.

»Jetzt ist gleich der Kilian fertig. Bestimmt ist er gleich fertig«, sagte Simone und drehte sich zur Plakatwand. Dort war der Bürgermeisterkandidat der SPD im Gespräch, neben einem großen Poster, das ihn selbst zeigte. Fatou musterte ihn aus sicherer Entfernung. Er sah aus wie die Comicfigur Charlie Brown, nur waren seine Arme dünner. Wie angewinkelte Antennen fuhren sie im Takt zu seinen Wörtern herum. Mit seinen seltsamen Gesten sah er aus, als wollte er einen Fisch fangen. Auch seine Knie waren dauerhaft leicht angewinkelt. Entweder war er ein Kung-Fu Kämpfer, dann hätte er aber weniger unkontrolliert gefuchtelt, oder seine schluffige Haltung war einfach ein Überbleibsel der Sponti-Generation, die Körperspannung für ein Erkennungsmerkmal spießiger Imperialistennazis hielt. Dasselbe galt wohl für sein Schuhwerk.

Komisch, dass so viele Männer über fünfzig, die Turnschuhe tragen, Beamte sind, dachte Fatou. *Vielleicht weil sie besonders viel Freizeit haben, in der sie sich dann Aerobicvideos ansehen.*

Der Mann verabschiedete sich eher energisch als freundlich von den Leuten, die er soeben zugetextet hatte. Pater Simone nutzte die Atempause.

»Ich stelle Ihnen meinen Freund vor«, sagte er zu Fatou. »Kilian!«

Charly Brown kam hinter seinem Stand hervor, mit einem ganzen Stapel Flyer bewaffnet.

»Kilian Niederwieser«, sagte Simone. »Er ist Bürgermeisterkandidat von der SPD.« Fatou blickte auf das Poster, das hinter ihm hing und ihn in derselben Körperhaltung zeigte, mit der Aufschrift »BÜRGERMEISTERKANDIDAT DER SPD«. »Ach wirklich?«, sagte Fatou und lächelte.

»Kilian, das ist Frau Fall. Sie ist hier zu Besuch.« Fatous Lächeln verschwand.

»Hi«, sagte Niederwieser und legte seine Werbeprospekte von einer Hand in die andere. »Wo kommst du her?« Grace lachte schallend.

»Aus Neuötting, und jetzt wohne ich in Hamburg«, informierte Fatou die Umstehenden in ordentlicher Lautstärke. Niederwieser wollte noch eine Frage stellen, aber Simone unterbrach ihn. »Die Frau Fall habe ich kennengelernt, als die Sache an meiner Kapelle passiert ist.«

»Aha«, sagte Niederwieser und schüttelte bedauernd den Kopf. »Da sind Sie hier im Urlaub – und dann sowas.«

Simone fuhr unbeirrt fort. »Frau Fall hat eine kleine Tochter, ich habe ihr von unser Jugendarbeit erzählt.«

»Sehr gut, sehr gut.« Niederwiesers Gesicht hellte sich auf, soweit das noch zusätzlich möglich war. Er hielt einen Vortrag über die ›Ressourcen der Jusos‹, den schweren Stand, den seine Partei im erzkatholischen Altötting hatte, war ganz in seinem Element, gestikulierte, erklärte und verscheuchte kurzärmlig ein paar Insekten. Sein Oberkörper war leicht nach vorn gelehnt. Er war anscheinend keiner von denen, die Aufmerksamkeit bekamen, indem sie die Menschen auf sich zukommen ließen, sondern wurde in dieser Angelegenheit vorsorglich selbst tätig. Wenn er kurz Sendepause hatte, weil er so tat, als würde er zuhören, streckte er die Brust heraus und nestelte ungeduldig an seinem roten Schal herum. Pater Simone schien den Vortrag über die parteipolitische Nachkriegshistorie zu genießen. Er nickte mit dem Kopf und warf ab und zu ein »Ja, ja« ein oder lachte an den vorgesehenen Stellen. Fatou sah Grace an. Die drehte sich zu ihr, zog die Augenbrauen hoch und lächelte huldvoll mit geschlossenen Lippen. Ganz langsam schloss Grace die Lider und öffnete sie wieder, ein Blinzeln in Zeitlupe. Fatou wollte sie küssen für diese elegante Variante des Augenrollens. Sie war froh, Grace kennengelernt zu haben.

»Kilian, lade doch die Frau Fall auf den Kinder- und Jugendausflug am Mittwoch ein.« Niederwieser stockte und betrachtete Fatou. »Mit ihrer Tochter«, ergänzte Simone.

Fatou sah sich abwesend auf dem Platz um, der immer voller wurde. Anitas halbstarker Sohn Martin stand an einem Getränkezelt. Er hatte schon ein Bier in der Hand und fand anscheinend zur Abwechslung etwas nicht peinlich. Die jungen Männer, mit denen er trank, trugen alberne Burschenschaftsmützen.

»Kommen Sie mit?«, holte Simone Fatou an ihren Aufenthaltsort zurück.

»Äh«, war alles, was sie herausbekam.

»Na klar, Bergwandern, das kriegst du in Hannover nicht geboten«, verschrieb Niederwieser.

»Schau'n wir mal«, sagte Fatou und probierte dabei gleich das Pokerface aus, das sie gerade von Grace gelernt hatte.

»Sehr schön«, freute sich Simone. »Wir treffen uns um sechs Uhr früh am Busbahnhof. Ziehen Sie sich feste Schuhe an. Das wird sehr schön. Und nehmen Sie Sonnencreme mit.«

Niederwieser grinste. Als er gerade etwas sagen wollte, griff Simone ihn am Arm und fragte ihn etwas zum Fußballequipment für seinen Verein. Graces Brustkorb hob sich merklich. Niederwieser blickte kurz in die Runde, ohne jemand Bestimmtes anzusehen und verabschiedete sich mit einem fröhlichen »Tschüss«. Als er sich ungedreht hatte, winkte Simone ihm hinterher. »Ich muss auch bald zu meiner Jugendgruppe«, sagte er. »Ich gebe Ihnen meine Telefonnummer, für den Ausflug. Der Beitrag ist fünfzehn Euro.« Fatou notierte sich um des lieben Friedens willen seine Nummer im Handy. Am kommenden Donnerstag, wenn der Ausflug war, würde sie schon in Hamburg im Park oder in der Agentur für Arbeit sitzen. Simone schwirrte von dannen. Fatou war immer noch nicht über Niederwieser hinweg. Sie kam sich vor, als wäre gerade ein D-Zug durch ihr Wohnzimmer gefahren.

»Kanntest du den?«

»Von Bürgerversammlungen«, sagte Grace. »Aber er kann sich meistens nicht erinnern.«

»Der war vielleicht hektisch«, sagte Fatou. Grace machte ein Geräusch mit ihren Vorderzähnen.

»Das auch«, sagte sie.

Fatou versuchte sich an einer Vorlage für ein Lästerfest: »Dabei ist er doch eigentlich einer von den Guten.«

Grace sah sie ungläubig von der Seite an. »Er engagiert sich für Jugendliche«, sagte Fatou.

»Hast du seine Wahlplakate gesehen?«, zischte Grace. Natürlich hatte sie das: Integration fördern, Zuzug regulieren, bla bla bla. Dort hätte auch stehen können: Südeuropäer tolerieren, Roma und Afrikaner nicht reinlassen.

»Na also!«, sagte Grace. »Was ist daran denn gut? Dass er schlimmer sein könnte? Das ist das Problem mit euch Deutschen, ihr wollt ›gut‹ sein, aber ihr haltet immer zusammen.«

Fatou brauchte ein paar Momente, bis der Inhalt des Satzes bei ihr angekommen war. Dann hing sie in der schwülen Luft wie eine Spinne, der gerade der Faden abgeschnitten worden war. Das Gemurmel des Fests, das Klingen der Bierkrüge, der Geruch leckerer Fleischspieße schienen zurückzuweichen. »Entschuldige«, sagte Grace. Fatou hörte nicht zu. Sie war wie unter Schock. Wieso hatte Grace sie als ›Deutsche‹ angegriffen, wo sie doch ebenso eine Schwarze Frau war und deswegen die ganze Zeit für eine Ausländerin gehalten wurde? Das musste Grace doch klar sein. Fatou fühlte sich ungerecht behandelt. Sie fingerte in ihrem Blouson nach einem Taschentuch und fand keins. Sie wollte jetzt nicht weinen, noch mehr Aufmerksamkeit erregen und sich vor Grace blamieren.

»Ich wollte dich nicht verletzen. Bist du jetzt traurig, dass du Deutsche bist?«, fragte Grace.

»Nein«, sagte Fatou. »Nur ... ich dachte, dass wir so viel gemeinsam haben, und–«

»Das haben wir«, sagte Grace und legte Fatou eine Hand auf den Unterarm. »Ein paar Sachen haben wir gemeinsam. Aber nicht alles. Deine Mentalität ...«

Fatous Kinn begann zu zittern. Sie wusste noch nicht einmal, ob sie Niederwieser abgrundtief unsympathisch fand oder ob er ihr egal war. Sie wusste nur, dass sie seine ›Verteidigung‹ nicht aus Sympathie unternommen hatte, sondern aus Spaß. Sie rollte den Saum ihres T-Shirts um und trocknete sich damit den Schweiß von der Stirn ab. Dass dadurch alle ihren Bauch sehen konnten, war ihr egal.

»Hallo«, sagte Grace, »ich bin noch da.« Es klang wie »Sei nicht so empfindlich.«

Fatou schmerzte am meisten, dass sie, wenn sie ehrlich war, verschwommen nachvollziehen konnte, was Grace meinte. Sie blinzelte durch verlaufenes Mascara, das ihr in den Augen brannte. Grace machte mit dem Finger kringelförmige Bewegungen. »Jetzt siehst du aus wie so ein Gothicmädchen.«

Fatou schniefte. »Entschuldige«, sagte sie. »Du hast recht. Das war nicht witzig.«

»M-hmm«, summte Grace.

Gerade als Fatou sich fragte, wie viel Fastfood sie realistisch innerhalb von sechs Stunden verputzen konnte, zog sich der Himmel zu. Leichter Wind kam auf, der ihr das Gesicht kühlte und die Schwüle und die Essensgerüche des Fests beiseite schob. Der zuvor fast weiße Himmel wurde erst Postkarten-azurblau, dann Landhausstil-tiefblau, und als es anfing zu donnern, liefen sie beide unter das Vordach des Bierzelts. Es blitzte und roch nach den ersten Regentropfen auf Asphalt.

»Wie ist das eigentlich mit Blitzeinschlag und Bierzelten?«, fragte Fatou. Grace wollte gerade etwas vermutlich Fatalistisches sagen, da krachte es laut am Himmel. Zwei Sekunden später polterte es unmittelbar hinter ihnen. Männer riefen aufgeregt »Hey!«, »Nein!« und »Aufhören!«. Fatou sprang zur Seite. Da sah sie, dass an dem Außentisch hinter ihr Martin stand. Sein Hemd war ihm unter die Brust hochgerutscht, sein Gesicht war rot. Er wurde umringt und festgehalten von drei Kumpanen, die ihn beschwichtigten, während er aufgeregt fluchte und drohte. Was auch immer es war, es war ihm bitterernst. Ihm gegenüber stand ein junger Mann mit Schmiss im Gesicht. Er war einen Kopf größer als Martin und wischte sich Blut von der Lippe. Um seinen Mund spielte aber ein Lächeln, das gefährlich amüsiert war. Er spuckte auf den Boden aus, eine kleine Rakete aus rotem Schaum.

»Hey!«, rief Fatou, ohne nachzudenken.

Es begann in Strömen zu regnen. Durch den Regen sah Martin sie an. Er schrumpfte aus dem Griff seiner Aufpasser heraus. Fatou erkannte, dass ihr Gefühl sie nicht getäuscht hatte. Sie hatte es nicht weiter verfolgen wollen, weil sie es selbst zu abwegig gefunden hatte. Sie wünschte sich, sie wäre im Zelt geblieben. Ganz eindeutig war Martin einer der beiden Sprayer der Kapelle, und der junge Mann, den er gerade geschlagen hatte, war der andere. Sie sah es daran, wie er niederkauerte. Sie hatte schon eine Ahnung bekommen, als Martin seine kleine Schwester auf die Schultern gehoben hatte, im Garten von Anita. Sie hatte das leise Aufblitzen unterdrückt, das rechts hinten in ihrem Kopf begonnen und links vorne Meldung erstattet hatte. Sie hatte der Meldung befehlen können, sich auszustellen, weil sie sich im Urlaub befand. Es war ein Arbeitssignal gewesen, unangebracht, höchstwahrscheinlich ein Fehlalarm. So hatte sie es sich eingeredet.

Fatou fühlte sich unendlich müde. Sie war gleichzeitig resigniert wegen ihrer eigenen Ohnmacht – sie würde Martin kaum verpfeifen können, ohne Isabels Familie endgültig den Gnadenschuss zu geben –, beschämt, weil sie wusste, dass sie es auch Yesim nicht würde sagen können, und wütend, weil sie den kleinen Mistkerl wohl oder übel ungeschoren davonkommen lassen musste. Morgen würden sie abreisen, und sie würde dann für immer mit diesem ekelhaften Geheimnis leben müssen.

»Was ist los?« Grace legte ihr eine Hand auf den Rücken. »Ist alles in Ordnung? Geht es dir gut?« Fatou schnappte mit geballten Fäusten nach Luft. Sie hatte keine Energie mehr, ihre Tränen der Wut zu verbergen.

***

Ebenso schnell, hektisch und angeschlagen wie Martin und seine Kumpanen hatte Fatou das Fest verlassen. Grace hatte sie nur ungern so aufgeregt fahren lassen wollen. Im Auto war Fatou froh, dass das schlechte Wetter ihre ganze Konzentration verlangte. Sie fokussierte den Weichzeichner auf der Windschutzscheibe und die Straßenverhältnisse. Am Wichtigsten war es jetzt, Yesim so schnell wie möglich bei den Stefans abzuholen.

Sie parkte vor Tante Hortensias Haus, ging über die Straße und klingelte an Anitas Tor. Ihr Herz klopfte. Ihre Zähne waren zusammengepresst. Erst nach dem zweiten Klingeln und einer ewigen Zeit ging das Gartentor auf. Eine entspannt wirkende Anita in Gummistiefeln stand zwischen den Hecken und hielt sich einen rotgepunkteten Regenschirm über den Kopf. Sie lächelte. »Du bist ja früh wieder zurück. Wie schaust du denn aus. Komm doch rein.« Fatou ging nicht darauf ein, sondern bat sie nur, Yesim zu holen. Anita zuckte mit den Schultern, machte ein leicht säuerliches Gesicht und ging ins Haus. Fatou nahm sich vor, Yesim zu ihrem nächsten Geburtstag ein Handy zu kaufen. Nur für alle Fälle. Sie hielt ihre Handtasche über den Kopf, stand am Tor und wartete. Aus dem Haus gegenüber kam gedämpft Schlagermusik. Nach einer gefühlten Viertelstunde kamen Isabel und Yesim an die Tür.

»Warum muss ich jetzt schon gehen? Was ist los?«, begrüßte Yesim sie missgelaunt.

»Es regnet«, sagte Fatou. »Das Fest ist vorbei.« Yesim und Isabel umarmten sich und verabredeten sich für den nächsten Vormittag, bevor sie fahren würden. Fatou wartete, bis die beiden fertig waren. Ihr Overall klebte an ihr.

Yesim packte ihren Koffer zu einem alten Album der Su-
gababes. »Train comes, I don't know its destination ...«
Durch die geschlossene Schlafzimmertür war zu hören,
wie sie mitsang und dabei ihr Weinen unterdrückte. Fatou fürchtete sich schon vor der Rückfahrt. Es würde ein
langer Kampf werden. Yesim würde unendlich beleidigt
sein. Wenn sie sie dann noch gegen ihren Willen am Gymnasium anmeldete, hätten sie eine offiziell zerrüttete Mut-
ter-Tochter-Beziehung. Fatou seufzte. Dagegen, dass ihr
einmal die Worte »Es ist alles nur zu deinem Besten« im
Kopf herum spuken würden, hätte sie früher jede Wette
abgeschlossen.

Okay. Und komm uns mal in Hamburg besuchen.«
Fatou legte auf. Sie fand es auch unbefriedigend, dass sie
sich nicht mehr mit Grace treffen und austauschen würde.
Wenigstens hatte sie ihr die Sorgen um ihren Gesundheits-
zustand nehmen können. *Noch eine, der ich beizeiten die
Wahrheit sagen muss,* dachte Fatou. Politik war wirklich
das Letzte, und etwas Wichtiges erst zu einem ›geeigneten‹
Zeitpunkt zu sagen, fiel unter Politik. Sie gähnte und ging
ins Badezimmer, um sich endlich frisch zu machen. Gleich
würde Isabel kommen. Dazu wollte sie wenigstens aufgeräumt und präsent erscheinen. Nicht wie Anita. Fatou
hoffte, dass ihr das auch mit geschwollenen Augen gelingen
würde. Sie hatte schlecht geträumt und kaum geschlafen.

»Fahrt nur, dann brauche ich mir nichts zu denken,
wenn ich die ganze Woche Karten spiele«, rief Tante
Hortensia aus der Küche. Zu Mittag würde es noch einmal
Pfannkuchen geben, gegen ein Uhr wollte Fatou losfahren.
Mit einer Pause an der Raststätte würden sie vielleicht so-
gar noch bei Tageslicht in Hamburg ankommen.

Yesim sah aus dem Fenster und wartete auf Isabel. Fatou
ging hinunter und holte Sonnenschirm und Gartenmöbel
aus der Garage. Als sie gerade eine Tischdecke entstaubte,
hörte sie Yesim rufen. Isabel erschien an der Gartentür
und begrüßte sie schüchtern und etwas ungeduldig.
Fatou ließ die beiden Mädchen im Garten in Ruhe und
setzte sich auf den Balkon. Yesim warf ihr vorwurfsvolle

Blicke zu, die wohl transportieren sollten, dass sie, wenn schon nicht außer Sichtweite war, wenigstens weit genug weg bleiben möge. »Ich. Kann. Euch. Hören. Aber. Nicht. Verstehen!«, rief Fatou hinunter, ungeachtet der Straßenpeinlichkeitscredits, die es in Yesims Augen dafür sicher gab. Sie schlug die Beine übereinander und blätterte in einer Fernsehzeitung. Es war eine seltsame Stimmung. Sie hatte sich gar nicht richtig mit Tante Hortensia unterhalten können. Trotzdem wäre sie am liebsten sofort losgefahren. Ihre Tasche war schon gepackt.

Die zerbrochene Ehe der Königin von Dingens konnte ihre Aufmerksamkeit nicht halten. Unkonzentriert blätterte sie in dem Klatschblatt hin und her. Immer wieder erschien vor ihrem geistigen Auge Martin. Sie hatte keinen Albtraum gehabt, der in der Morgensonne verblasste und sich mit dem Zähneputzen auflöste. Es war real. Martin hatte sich betrunken, Martin hatte sich geprügelt, Martin hatte die Kapelle vandalisiert, Martin hatte dabei Blackface getragen, Martin hatte einem ganzen Landkreis ein Alibi für rassistische Wahlkampfstimmung verschafft. Seine linke Schulter, die etwas weniger mobil war, seine Fersen, die sich in der Hocke nach außen drehten. Sie bemerkte solche Dinge, ohne es zu wollen. Schlechtes Gewissen überkam sie. Es konnte nichts Gutes dabei herauskommen, wenn sie allein auf ihre Beobachtungsgabe gestützt einen Jungen beschuldigte, etwas getan zu haben, das die Polizei selbst sich weigerte, vollständig zur Kenntnis zu nehmen. Wenn sie auf das Polizeirevier ginge, konnte sie froh sein, wenn nicht sie selbst verhaftet wurde, anstatt Martin. Wenn sie anonym anriefe, würden die Beamten der Sache wahrscheinlich nicht einmal nachgehen. Vielleicht würden sie sogar ihre Telefonnummer herausfinden und ihr danach Stress machen. Es war nicht ihre Angelegenheit.

»Es ist aber deine Heimat«, sagte eine oberbayrische Stimme in ihrem Kopf, »und die deiner Tochter. Die Gegend ändert sich mit den Leuten. Wenn du helfen kannst, dass sie hier aus dem finsteren Zeitalter heraus kommen, solltest du das tun.«

Genervt schlug Fatou die *Bild und Funk* zu und ignorierte das penetrante Grinsen von Florian Silbereisen. Er hatte keine Ahnung. Er konnte nicht mal richtig Bayrisch sprechen. Er war viel weniger authentisch *volkstümlich* als sie. Es war zu viel verlangt. Ein vorsichtiger Blick vom Balkon ergab, dass die Mädchen beschäftigt waren. Sie beschloss, die Entscheidung der übergeordneten Instanz zu überantworten.

»Ich mache es, wenn in den nächsten drei Sekunden ein Vogel vorbei fliegt, von rechts nach li–« Ein Schwarm Tauben zog in Höhe des ersten Stockwerks durch die Florastraße, an den Bäumen und Balkonen vorbei.

»Verdammt«, murmelte Fatou und ging ins Haus. Tante Hortensia lag auf der Couch und schnarchte leise. Im Fernsehen lief ein Bericht über Gefäßkrankheiten.

»Mh?« Die alte Dame öffnete ein Auge.

»Bleib liegen«, sagte Fatou und setzte sich zu ihr. »Ich müsste noch schnell was Wichtiges erledigen. Die Mädchen spielen im Garten. Ist es okay, wenn ich kurz wegfahre, für eine Stunde?«

Tante Hortensia zog ihr »Wer versteht schon die Wege der Jugend«-Gesicht. Fatou küsste sie auf die Wange. Sie roch nach Creme und 4711.

Fatou sagte den Mädchen, dass sie für eine halbe Stunde fort sein würde. Das klang kurz genug, um sie nicht auf schlechte Ideen kommen zu lassen. Sie rang ihnen das Versprechen ab, dass sie im Garten bleiben und Tante Hortensia auf keinen Fall nerven würden. Yesims Augenrollen und Stöhnen ignorierte sie. Sie stieg ins Auto, betätigte absichtlich elterlich-peinlich die Hupe und fuhr auf die Landstraße nach Altötting. Hoffentlich war Pater Simone in der Kapelle, wo er hingehörte. Wenn nicht, hatte sie seine Handynummer.

Sie parkte neben einem Plakat mit der Aufschrift »Altötting bleibt katholisch«, konnte sich ein »Pfft« nicht verkneifen, schulterte ihre Handtasche und ging zur Kapelle. Das Kopfsteinpflaster zeigte keine Spuren der Festivitäten mehr, es war im Regen schmutzig dunkelgrau gewaschen worden. Fatou hatte Mühe, mit ihren Sandalen die Pfützen zu vermeiden. Kirchenglocken von allen Seiten schlugen elf Uhr. Schnell ging sie über den Kapellplatz, unter das Dach des Oktogons und fröstelte. Die Plane vor der Kapellenwand war entfernt worden. Von dem Graffiti, wenn es überhaupt so bezeichnet werden konnte, war nichts mehr zu sehen. Einige der Bildertafeln waren offensichtlich durch Duplikate in neuen Rahmen ersetzt worden. Auf dem Boden lagen ein paar kleine Blumensträuße und Holzkreuze.

Als wäre jemand gestorben, dachte sie.

Anstatt den kürzesten Weg links herum zum Kapelleneingang zu nehmen, ging sie rechts entlang und blieb am Sakristeifenster stehen. Vielleicht gab es ja einen Hintereingang. Sie wollte eigentlich nicht in die Kapelle hineinmarschieren, Betende aufscheuchen, Weihwasser riechen und sich christlich beklommen fühlen.

»Bist du katholisch?«, hatte der greise Stadtpfarrer gefragt. Die Mädchen in ihren Kommunionskleidern waren in einer Reihe vor den Altar getreten, wie sie es geprobt hatten. Sie hielten die langen Kerzen in den weiß behandschuhten Händen und waren aufgeregt, weil alle ihre Verwandten in den Kirchenbänken saßen. Tante Hortensia war auch dabei. Bevor die Hostien ausgeteilt wurden, hatten drei Mädchen Fürbitten gesprochen, Fatou war eine von ihnen gewesen, sie hatte laut und mit sicherer Stimme den Text vorgelesen. Und jetzt machte der Pfarrer keine Anstalten, die nächste Hostie aus seinem Kelch zu nehmen. Er wartete auf eine Antwort und starrte Fatou an. Sie war eingeschüchtert und nervös. In der vorderen Bank wurde es unruhig. »Bist du katholisch?«, wiederholte der alte Pfarrer mit brüchiger Stimme, die in der Kirche nachhallte.

»Ja«, sagte Fatou. Sie gehörte dazu. Es war ihre Kommunion. Mit skeptischem Blick und einem Stirnrunzeln ließ er ihr nach einer gefühlten Ewigkeit endlich die Hostie in die Hände fallen. Als Fatou danach am Arm einer blutarmen Mitschülerin aus der Kirche kam, fragte Tante Hortensia sie, was denn der Pfarrer genau zu ihr gesagt habe. Die Tante sagte nichts dazu, Fatou kam es aber vor, als sei sie verärgert. Als Wiedergutmachung deckte sie am Tag darauf vorsichtshalber den Frühstückstisch und malte Tante Hortensia ein Bild.

Ich sollte austreten, dachte sie, *wozu zahle ich überhaupt Kirchensteuer.*

Zwei Klosterschwestern standen vor dem Sakristeifenster. Fatou blieb in ausreichendem Abstand stehen, um nicht von ihnen angesprochen oder kommentiert zu werden. Mit geneigtem Kopf tat sie, als würde sie eingehend die Bildertafeln betrachten. Sie grüßte eine Zeichnung der Schwarzen Madonna mit »Hi Sister« und betete, dass das heilige Grüppchen sich in alle Winde des Herrn verstreuen möge. Als die beiden nach mehreren Minuten immer noch keine Anstalten machten, Fatous Fürbitte umzusetzen, gab sie auf. Wenn sie sich einigermaßen unauffällig verhalten wollte, musste sie wohl oder übel hineingehen, um Simone zu finden. Sie seufzte und trat zum Kapelleneingang. Es gab keine Zeit zu verlieren.

Die Kapellentür öffnete sich leichter, als sie erwartet hatte. Ihr wurde schwindelig. Eine barocke Ansammlung goldener und silberner Figuren, verschnörkelter Bänke und Kreuze aus dunklem Holz, rubinroter Samtkissen und Kerzen mit eindringlichen Bildmotiven prasselten auf sie ein. Gläubige und Heilige mit gelben Strahlen um sich herum sahen von ihren Bilderrahmen und Sockeln aus entrückt gen Himmel. Hundert Eindrücke konkurrierten um Platz und Aufmerksamkeit. Sie fragte sich, wie ein im Grunde kleiner Raum so viele Erker und Nischen haben konnte. Aus Feng-Shui-Gesichtspunkten war diese Kapelle außerordentlich optimierungsbedürftig. Fatou schloss die Tür hinter sich. Aus einem prähistorischen Teil ihres Nervensystems meldete sich der Reflex, in das Weihwasserbecken zu fassen und sich zu bekreuzigen. Sie unterdrückte ihn. Sie war nicht zum Beten hergekommen. Die Kapelle schien leer. Alter Kerzenrauch hing schwer in der Luft. Staubpartikel tanzten in einem dünnen Sonnenstrahl, der durch ein Oberfenster schräg in die Mitte des Gangs fiel. Lang konnte die letzte Messe noch nicht zu Ende sein. Vielleicht legte Pater Simone gerade seinen Talar ab und frühstückte. Ihre Schritte im Gang hallten nur wenig. Es war nicht genug Platz für Hall. Sie musste sich überwinden, den hinteren Raum der Kapelle zu betreten, in dem Gläubige zum Gebet vor der Schwarzen Madonna niederknien konnten. Auch dort schien sich außer ihr niemand aufzuhalten. Noch nie war sie in diesem hinteren Raum gewesen, und wusste nun auch, warum. In Vitrinen an den Seitenwänden standen Urnen. Eine Tafel verkündete:

Dreizehn Königsherzen aus dem Hause Wittelsbach sollten nach zu Lebzeiten vorgefasstem Willen ihrer Träger als Wächter und Beter im Antlitz der Gnadenmutter stehen bleiben.

»Diese Parade in Urnen gebannter Frömmigkeit legt eine Hauch des Unheimlichen über uns und regt zum Nachdenken an, auch zur Nachahmung in einfacherer Form, und zum Verbleiben wollen an der Gnadenstätte. Die Gottesmutter hat die Königsherzen in Blick.« ROBERT BAUER

Fatou fand diese Begräbnisart bedrückend und übertrieben. Sie wollte in jedem Fall in einem Stück beigesetzt werden, selbst wenn sie noch unverhofft die Königin von Bayern werden sollte. Sie nahm sich vor, es in ihrem Testament zu vermerken, und ging schnell zurück in den Hauptraum.

Neben dem Altar befand sich eine kleine Tür. Priesterliches Hoheitsgebiet. Sich dem Altar auch nur zu nähern, war tabu. Dort hatten nur Ministranten und Geistliche etwas zu suchen. Das hatte sich in den letzten 1500 Jahren nicht verändert und auch nicht seit Fatous Kindheit. Sie räusperte sich, um nicht den Eindruck zu erwecken, sie schleiche herum. Nur für den Fall, dass doch jemand in der Nähe war. In dieser maximal verwinkelten Kapelle war das nicht leicht zu erkennen. Noch nie hatte sie sich in einer Kirche gefragt, welche Zimmer es jenseits des Gebetsraumes gab, wo die Aufgänge und Zugänge zu Nischen und Kanzleien waren, wohin die Galerie auf der anderen Seite der Kirchenorgel führte, oder wer im Beichtstuhl saß. Mit dem Eintreten in ein katholisches Gotteshaus hatte architektonische Neugier zu verschwinden und der Glaube zu übernehmen.

Ob die Rahmen aus echtem Gold waren, die Statuen hohl oder massiv, der Pfarrer gestern Abend bei seiner Freundin und der Messwein aus einem Tetrapack – sich solche Fragen zu stellen, grenzte bereits an Gotteslästerei. Fatou stellte sich alle diese Fragen in diesem Moment zum ersten Mal.

Sie beschleunigte ihre Schritte und war aufgeregt, als sie auf die Stufen zum Altar trat. Schnell klopfte sie zweimal an die Tür, an der sie nichts zu suchen hatte. »Simone?« Es war nichts zu hören. Vielleicht war die Tür schallgedämpft. Sonst würde niemand, der sich dort aufhielt, während einer Messe in Ruhe frühstücken können. Sie klopfte noch einmal und wartete etwa eine halbe Minute lang. Erleichtert gab sie auf. Sie würde ihn von draußen anrufen. Vielleicht war er ganz in der Nähe. Im Eiscafé zum Beispiel. Sie ging ein paar Schritte in Richtung des Ausgangs und horchte auf. Es war doch noch jemand da. Aus der Richtung, aus der sie gerade gekommen war, hörte sie eine Stimme, die sie nicht identifizieren konnte. Es klang gedämpft, aber intensiv. Es konnte ein Stoßgebet sein. Oder ein aufgeregtes Telefonat. Ein langgezogenes Quietschen ließ sie instinktiv einen Satz hinter einen großen hölzernen Vorsprung machen. Sie fasste sich mit einer Hand an die Brust. Ihr Puls raste. Die gedämpfte Stimme war noch zu hören. Es quietschte erneut. Fatou lugte hinter ihrem Vorsprung hervor. Die Tür neben dem Altar öffnete sich einen Spalt weit. Dann trat ein junger Mann rückwärts heraus und gestikulierte aufgeregt. Es war Martin.

Fatous Nackenhaare stellten sich auf. Hastig griff sie nach einem schweren roten Brokatvorhang, der neben ihr hing. Der Beichtstuhl. Sie schlüpfte hinein.

Ein kleiner Schemel stand darin. Wenn sie jetzt nachsehen würde, ob Pater Simone ebenfalls aus der Sakristei kam, würde er sie entdecken. So langsam sie konnte, raffte sie ein winziges Stück des Vorhangs beiseite, um besser hören zu können.

»Martin!«, rief Simone. »Warte!« Der Junge stampfte in ihre Richtung und blieb wenige Zentimeter von ihr entfernt stehen.

»Was!«, rief er. »Dann ruf doch die Polizei!«

Simone kam ihm hinterher. »Ich will es doch vermeiden, dass du dein Leben ruinierst!« Der Junge gab ein Grunzen von sich. »Du willst doch studieren, Martin. Und denk auch an deine Mutter!«

»Aber das tue ich doch!«, rief Martin.

»Pssst,« ermahnte ihn Simone. »Jetzt beruhige dich. Hab ein bisschen Glauben und Vertrauen.« Er sprach hastig. »Es ist gut, dass du zu mir gekommen bist. Bleib jetzt stark. Behalte die Nerven.« Martin begann zu schluchzen. »Manchmal müssen wir Druck aushalten können, damit der Herr alles regelt und zum Guten wendet«, sagte Simone.

Manchmal werden wir dadurch auch krank, und alles wird ganz furchtbar, dachte Fatou. Martin schluchzte erstickt.

»Hey«, sagte Simone. »Du schaffst das.« Martin schniefte. »Versprich es mir. Vertrau der Heiligen Maria.« Nach ein paar Sekunden murmelte Martin etwas Leises, Unverständliches in besiegtem Tonfall. »Sei vorsichtig und provoziere nur nichts. Dann kann dir nichts passieren.«

Martin schniefte noch einmal und ging dann schnellen Schrittes an Fatous Beichtstuhl vorbei zum Ausgang. Die Tür der Kapelle fiel ins Schloss. »Santamariamadonna«, sagte Pater Simone. Fatou versuchte es ebenfalls mit einem Gebet: *Bitte geh in deine Sakristei zurück.* Simone murmelte lateinische oder italienische Worte und tat ein paar weitere

Schritte. Eine Sitzbank knarrte. Fatou dachte einen äußerst unchristlichen Fluch. Es war nicht abzusehen, wie lang er für sein Gebet brauchen würde. Wie spät war es überhaupt? Ihr Herz setzte fast einen Schlag aus. Ihr Handy. Wenn es jetzt klingeln würde, wäre sie aufgeflogen.

In Zeitlupe griff sie in ihre Hosentasche. Dort war das Handy nicht. Hatte sie es im Auto liegen lassen? Oder war es in ihrer – Handtasche! *Oh nein!*

So geräuschlos wie möglich ließ sie den Riemen von der Schulter gleiten. Der Reißverschluss der Handtasche war zugezogen. *Heilige Sister Maria, bitte lass mich jetzt nicht im Stich*, dachte Fatou. Sie konnte ihre eigene Nervosität riechen. Da war sie in diesem Beichtstuhl wahrscheinlich nicht die erste Person. Das Handy lag in der Handtasche und schimmerte blau. Es war elf Uhr sechzehn. Hektisch fummelte sie mit den Knöpfen und hielt dabei den Atem an, bis es abgeschaltet war. Sie horchte durch den Vorhang. Ihr unterer Rücken juckte. Ein Schweißtropfen rann dort quälend kitzelnd in Zeitlupe herab. Sie wagte nicht, sich zu kratzen.

Es kam ihr vor, als würde sie schon seit einer Stunde in dem muffigen Beichtstuhl warten. Kaum Licht fiel hinein, nur durch ein winziges Gitter in der hölzernen Wand, die die Kabine für Beichtende und Pfarrer trennte. Sie hatte das Gefühl, keine Luft mehr zu bekommen. Sie fühlte sich eingesperrt und alles in ihr rebellierte dagegen. Fatou schloss die Augen und zwang sich dazu, langsam durch die Nase ein und durch den Mund auszuatmen. Erst als Pater Simone wieder in einen Sermon verfiel, traute sie sich, sich vorsichtig am Rücken zu kratzen. Wann war er endlich fertig?

»In nomine Patris et Filii et Spiritus Sancti Amen«, schloss er ab. *Amen*, wiederholte Fatou im Geiste. Sie würde rechtzeitig zurück sein und vor dem Mittagessen noch einmal duschen können.

Pater Simone seufzte schwer, wie ein alter Mann. Dann ging er an ihr vorbei in Richtung der Sakristei. Ob er wirklich hineingegangen war, konnte sie nicht hören. In Zeitlupe zog sie einen weiteren Zentimeter des Beichtstuhlvorhangs zur Seite. Sie zögerte, hinauszusehen. Was, wenn er stutzig geworden war, irgendetwas gespürt hatte, stehengeblieben war und sie dann direkt ansehen würde? Sie konnte doch aber nicht ewig in der Beichtkabine bleiben. Vorsichtig drehte sie ihren Kopf zu dem Spalt am Vorhang. So weit sie durch den dünnen Schlitz erkennen konnte, war er fort. Wenn er nicht an der Decke schwebte. Nichts wie raus hier, dachte sie. So schnell sie konnte, schlüpfte sie aus dem Beichtstuhl und zog den Vorhang hinter sich zu. Die Sakristeitür war geschlossen. Anstatt die Kapelle zu verlassen, plumpste sie auf eine Kirchenbank. Es war besser, noch einige Minuten zu warten. Auch auf die Gefahr hin, Simone zu begegnen. Falls er sie jetzt die Kapelle verlassen sähe, würde er misstrauisch werden. Wenn er sie in der Bank sitzen sähe, würde er dagegen denken, sie sei gerade erst herein gekommen. Sie würde sich etwas ausdenken, sich von ihm verabschieden, weil sie morgen aufbrechen würde, ganz einfach. Über Martins furchtbare Fehlleistung brauchte sie ihm gegenüber wohl nichts mehr anzudeuten. Simone war zweifellos im Bilde. Sicher lag es an seiner sakralen Selbstbeherrschung, dass er den Bengel nicht der Polizei melden wollte. Sie erinnerte sich, wie ablenkend Simone reagiert hatte, als sie ihm gleich nach dem Vorfall von der braunen Schminke der Täter erzählt hatte. Verstand er die Dimension dessen nicht? War ihm nicht klar, dass es einen großen Unterschied machte, ob die Täter braun angemalt waren oder nicht? Vielleicht war es ihm tatsächlich egal. Vielleicht war er der Migrant und Ausländerfreund, der sich für die Gefühle Schwarzer Leute nicht interessierte. Wie sie grundsätzlich als Gefahr betrachtet und gleichzeitig von Nichtschwarzen Leuten in Karnevalskostümen und mit brauner Schminke im Gesicht verunglimpft wurden. Vielleicht waren seine Vorfahren Plantagenbesitzer gewesen. Oder er hatte sich so gewunden und war dem Gespräch ausgewichen, weil er damals schon gewusst hatte, dass es Martin gewesen war. Fatou erinnerte sich, dass sie sich das Sakristeifenster hatte ansehen wollen. Es hätte sie interessiert, ob es von dort aus theoretisch möglich gewesen war, die Tat zu beobachten. Jetzt konnte sie dort nicht mehr herumschnüffeln, denn der Pater war im Haus. Es war auch nicht mehr so wichtig. Der Fall lag nunmehr in Gottes Hand.

Fatou fand, dass sie lange genug gewartet hatte. Verstohlen schaltete sie ihr Handy wieder ein. Es war elf Uhr vierunddreißig. Sie würde sich erst einmal einen Kaffee zum Mitnehmen kaufen. Und eine heimliche Zigarette dazu. Vielleicht. Sie stand auf und ging den Gang entlang zur Eingangstür. Als sie sie aufschwang, blendete sie das Tageslicht. Jemand stieß an ihre Schulter. Fast wäre sie in den stämmigen jungen Mann hineingelaufen, der gerade die Kapelle betrat. Er hatte millimeterkurz geschorene Haare, einen Schmiss im Gesicht und eine alberne Mütze auf. Die setzte er ab, grüßte wortlos und musterte Fatou dabei von oben bis unten, unverschämt schmutzig grinsend und hochgradig unreligiös. Dann spitzte er die Lippen und machte ein Kussgeräusch. Fatou lächelte reflexhaft und schlüpfte schnell an ihm vorbei. Dann ging sie auf den Platz und spuckte auf den Boden.

»Shit«, zischte sie. Zittrig steuerte sie auf das Eiscafé zu. Unterwegs fiel ihr ein, dass sie sich um ein Haar mit dem Mann allein in der Kapelle aufgehalten hätte. Ihre Nackenhaare stellten sich auf. Sie überlegte es sich anders und ging anstatt zum Café direkt zum Auto.

***

Yesim kam zum gemeinsamen Mittagessen geschlurft, als sei es ihre letzte Mahlzeit. Dort stocherte sie in ihren Pfannkuchen herum und schob sie einzeln wie kleine Boote durch die Marmelade. Das Festnetztelefon klingelte schrill aus dem Flur.

»Nanu?«, fragte Hortensia, während sie aufstand. Nie bekam sie Anrufe zu den Essenszeiten. Alle wussten, dass sie das nicht schätzte. Das konnte nur ein Versehen sein.

»Jessesmaria.« Fatou hörte auf zu kauen. Wenn Tante Hortensia fluchte, hörte es sich normalerweise anders an. Weniger gedämpft. »Ja«, hörte sie sie sagen. »Um Gottes willen!« Sie sprach ungewöhnlich leise. »Aber natürlich. Ja, ich bin gleich da.«

In Fatous Magengrube erwachte wieder dieses Ziehen. Wie ein Fahrstuhl, der zu schnell nach unten fuhr. Tante Hortensia stand im Türrahmen. Sie hatte keine Farbe im Gesicht.

»Das war die Polizei, bei Anita. Ihre – die Sophie ist entführt worden.« Yesim ließ ihr Glas aus der Hand rutschen. Eine Pfütze Orangensaft breitete sich auf dem Tisch aus. Fatou bog die Ecken der Wachstuchtischdecke nach oben um.

»Das kann doch gar nicht sein«, brachte sie hervor.

»Und Isa?«, krächzte Yesim.

»Deswegen haben sie bei mir angerufen«, sagte Hortensia. »Ob ich schnell vorbei kommen kann. Isa ist daheim, aber Anita geht's nicht gut.«

Fatou stand auf und schlüpfte in ihre Sandalen.

»Ich komme mit«, sagte Yesim und war schon an der Wohnungstür.

»Meingottmeingott«, murmelte Hortensia, während sie Hut und Schal von der Garderobe nahm. »Da bleibt einem nichts erspart«, sagte sie leise zu Tante Rosas Bild auf der Kommode.

Ein Streifenwagen und ein Krankenwagen waren an der Straßenecke geparkt. Anitas Gartentor stand offen. Fatou, Yesim und Tante Hortensia gingen auf Anitas Terrasse und sahen im Wohnzimmer einige Männer in Uniform. Neben ihnen stand mit ausdruckslosem Gesicht Isabel. Tante Hortensia strich sich an einem Vorleger die Schuhe ab. Yesim lief gleich zu Isabel. Niemand sagte etwas. Fatou schob einen Polizisten zur Seite und sah Anita auf der Couch sitzen. Neben ihr kniete ein Sanitäter und hielt ihre Hand. Eine Kanüle steckte in ihrem Arm. Sie sah aus wie ein Zombie. Die dünnen Haare klebten ihr schweißnass am Kopf, ihre Augen waren rot gerändert, in einer Hand hielt sie ein Handy als wollte sie Saft aus ihm pressen.

»Frau Fideltaler?«, fragte der Polizist. Fatou erkannte einen Anflug von Panik in seinem Blick.

»Jawohl«, sagte Tante Hortensia.

»Wie … , äh, trauen Sie sich denn zu, die-, öh, also, dürfte ich Ihre Personalien aufnehmen?«

»Das dürfen Sie natürlich. Ich kann Ihnen aber auch direkt sagen, dass ich zweiundachtzig bin.«

Der Polizist errötete. »Und sie?«, fragte er, nickte mit seinem Kinn in Fatous Richtung und sah dabei weiterhin Tante Hortensia an. »Wohnt sie bei Ihnen?«

»Na, entschuldigen Sie mal!«, fuhr Fatou ihn an. »Was ist denn überhaupt genau passiert?« Anita wimmerte.

»Darüber darf ich ihr keine Auskunft geben«, sagte der Polizist zu Tante Hortensia. »Aber die Frau Stefan muss jetzt erst mal ins Krankenhaus.«

Fatou hatte die Nase voll und spürte die Wahrscheinlichkeit steigen, dass sie gleich vor den Augen ihrer Tochter etwas tun würde, was sie lange bereuen würde. »Also«, sie stemmte einen Arm in die Hüfte und legte den anderen um Yesim. »Wir nehmen jetzt die Isabel mit zu uns rüber, und wenn Sie unsere Personalien wollen oder irgendwas, dann kommen Sie nachher vorbei. Florastraße sieben.« Fast wäre ihr ein perfekter Abgang gelungen. Sie hätte auf dem Absatz kehrt gemacht und wäre mit den Kindern und Tante Hortensia von dannen gezogen, doch dann fiel ihr ein, dass sie Anita noch gar nicht begrüßt hatte. Mit einem Seufzer des Bedauerns ging sie neben ihr in die Hocke und suchte nach möglichst beruhigenden Worten.

»Die Sophie ist entführt worden«, krächzte Anita und sah ins Leere.

»Frau Stefan hat ein Beruhigungsmittel gekriegt«, sagte der Sanitäter. Fatou streifte leicht Anitas handyumklammernde Hand.

»Gut«, sagte der Polizist. Warum war es überhaupt nur ein Polizist? Normalerweise waren es doch immer zwei. »Wir haben das Einverständnis von der Frau Stefan, dass die Isabel jetzt ein paar Tage vorerst bei Ihnen bleibt.«

Er gab Tante Hortensia eine Visitenkarte. Auf mehrfaches Nachfragen hin bestätigte Isabel dem Polizisten, dass sie den Haustürschlüssel bei sich trug und dass sie auf Tante Hortensia »immer schön hören« würde. Sie umarmte Anita, die sie nicht zurück umarmte, und ging dann mit Fatou und Yesim durch den Garten zur Straße. »Geht schon mal vor«, sagte Tante Hortensia und winkte Fatou und die Mädchen hinaus.

Yesim packte mit Isabel ihren Koffer wieder aus, während Fatou zwei Pfannkuchen aufwärmte. Isabel hatte zwar gesagt, dass sie nicht hungrig sei, aber das kam bestimmt vom Schock. Sie konnte jetzt nicht auch noch so anämisch werden wie ihre Adoptivmutter. Fatou ertappte sich bei lauter bösartigen Gedanken und fragte sich, was mit ihr los war. Warum brachte Anita sie so auf die Palme? Es ging ihr sichtlich schlecht, sie war überfordert, und jetzt auch noch diese Katastrophe, die Fatou keinem Menschen wünschte. Warum waren ihre Gedanken Anita gegenüber so gemein? Tante Hortensia kam zu ihr in die Küche. Beim Hinsetzen hielt sie sich an der Stuhllehne fest.

»Ist es wirklich okay für dich?«, fragte Fatou. Tante Hortensia winkte ab. Sie wolle nur einen Moment verschnaufen. Sie sei keine solche Mimose wie – sie sprach nicht zu Ende. Ihre Augen sahen müde aus.

»Ich hab da ein neues Gerstenkorn«, sagte sie. Fatou schaltete die Herdplatte aus und goss eine große Tasse Kakao für Isabel ein. »Wenn es dir zu viel ist, gehe ich mit den Mädchen rüber in Anitas Haus.«

»Ach geh!«, sagte Hortensia. »Wir bleiben alle miteinander hier.«

Fatou brachte vorsichtig ein, dass es kein Zeichen von Schwäche wäre, wenn sie auf ihren Kreislauf achten und sich eine Weile hinlegen würde. »Ein Mittagsschlaf zur Verdauung?«, bot sie an. Hortensia stimmte mürrisch zu. Ebenso langsam, wie sie sich hingesetzt hatte, stand sie auf und ging in ihr Zimmer.

Isabel und Yesim saßen auf einem der beiden Betten und hielten Händchen. Fatou vermeldete, dass die Pfannkuchen aufgewärmt besonders gut schmeckten und jetzt fertig seien. Isabel stand auf und ging in die Küche, Yesim kam hinterher.

»Wo ist dein Bruder gerade?«, fragte Fatou. Isabel rollte ihren Pfannkuchen zusammen.

»Martin ist bei der Polizei«, sagte sie und biss hinein.

»Warum denn bei der Polizei?«

Isa sah nicht von ihrem Teller auf. »Der wird verhört.« Fatou zog Isabel so schonend und chronologisch wie möglich die Geschehnisse aus der Nase.

Martin hatte Sophie von der Kita abholen sollen. Wie jeden Montag. Im Sommer spielten die Kinder draußen, bis die Eltern sie abholen kamen.

Als Martin Sophie abholen wollte, war sie nicht auf dem Spielplatz, und niemand hatte sie gesehen. Eben hatte sie noch mit den anderen Kindern gespielt, plötzlich war sie verschwunden. Alle hatten nach ihr gesucht. Die Kindergärtnerinnen riefen Anita an. Die habe Isabel gesagt, dass Sophie vermisst werde und dann geweint. Gleich darauf habe das Telefon geklingelt.

»Ich bin drangegangen«, sagte Isa, »Da hat eine Roboterstimme gesagt, dass die Sophie in einer Woche wiederkommt und wir uns keine Sorgen machen sollen. Es geht ihr gut und sie ist in Sicherheit, hat der gesagt.« Die Stimme habe aber sehr unheimlich geklungen, sagte Isabel. »Ich musste dann auch weinen, aber erst musste ich meiner Mutter erzählen, was die Stimme gesagt hat. Da ist die Mama auf die Couch umgefallen und hat gar nichts mehr gesagt. Dann hat Martin angerufen, dass er bei der Polizei ist und denen alles nochmal ganz genau erzählt, und die Polizei sucht nach Sophie.«

Fatou drehte ihr leeres Glas hin und her. »Was hat die Roboterstimme ganz genau gesagt? Kannst du dich erinnern?«

»Nicht mehr an alles so genau,« sagte Isa. »Aber den Anfang weiß ich noch. Das war: ›Es geht ihr sehr gut und sie kommt in einer Woche wieder zurück.‹«

Fatou bat sie, kurz zu warten, und holte einen Notizblock und Stift. Sie schrieb den Satz auf. »Und dann hat er so was gesagt, wie ›Sie ist in Sicherheit, suchen Sie sie nicht und gehen Sie nicht zur Polizei.‹« Fatou schrieb auch das auf, mit einer Welle am Rand, für ›ungefähr‹. Isabel fuhr fort: »Auf jeden Fall hat er auch gesagt: ›Machen Sie sich keine Sorgen.‹« Fatou notierte es. Isabel überlegte. »›Machen Sie sich *bitte* keine Sorgen‹, glaub ich.«

Fatou schrieb das ›bitte‹ dazu und unterstrich es mit einem Fragezeichen daneben. »Glaubst du, da hat jemand direkt gesprochen, oder war es eine Aufzeichnung?«

»Weiß nicht«, sagte Isabel. »Es war ein Roboter. Das war keine echte Stimme.«

»Wahrscheinlich eine SMS«, sagte Yesim. Isabel sah sie an. »Wir schicken manchmal aus Spaß SMS an eine Festnetznummer. Das Telefon liest den Text dann laut vor, mit einer Roboterstimme.«

Fatou fragte Isabel, ob die Polizei sie das alles auch schon gefragt hatte. Schließlich war sie die einzige, die die Stimme gehört hatte. Isa verneinte. »Die wollen erst mal versuchen, ob sie die Nummer von dem Anrufer ermitteln können.« *Viel Glück,* dachte Fatou. Wer ein Kind entführte, hatte bestimmt nicht von seinem eigenen Handy eine Sprach-SMS gesendet und seine Rufnummer übermittelt. »Könntest du dir vorstellen, dir verschiedene SMS-Stimmen anzuhören, und zu sagen, ob du sie wiedererkennst? Vielleicht benutzt jede Telefongesellschaft eine andere Stimme.«

Isabel nickte zögerlich. Der Gedanke bereitete ihr anscheinend Unwohlsein. Fatou nahm ihre Hand. »Erst wenn du dazu bereit bist. Ich weiß, dass dir das schwer fallen muss. Du sagst, wann du es machen kannst. Ich werde dich nicht drängen. Versprochen.« Isabel nickte. »Und die Stimme hat dich gesiezt?«, fragte Fatou nach. Isabels Kinn zitterte. Sie brach in Tränen aus.

»Mama«, zischte Yesim und nahm die Freundin in den Arm.

»Tut mir leid, Isa«, sagte Fatou. Wie konnte sie der Sache nachgehen und gleichzeitig Isabel nicht über die Maßen strapazieren? Sie konnte schlecht sagen »Ich weiß immerhin schon mal, dass dein Bruder die Kapelle angesprüht hat, also hat er wahrscheinlich auch was mit der Entführung zu tun.« Die Polizei suchte jetzt nach Sophie. Die Sache mit der Kapelle würden sie bestimmt hinten anstellen. Sie wussten ja nicht, was sie wusste. Obwohl … denkbar war es. Schließlich war Martin in diesem Moment auf dem Polizeirevier. Vielleicht gestand er gerade.

»Ich lasse euch jetzt in Ruhe«, sagte Fatou. »Ihr könnt auf den Balkon gehen. Zur Sicherheit bleibt bitte heute noch im Haus.«

Pater Simone. Er würde es als Erster erfahren, wenn Martin gestanden hatte. Sie würde ihn anrufen. Nein, besser: Sie würde ihn ohne Ankündigung treffen, um seine Reaktion zu sehen. Um vielleicht herauszufinden, warum er Martin beschützte. Als Seelsorger war er sicher gut darin, unsagbare Dinge geheim zu halten. Und sie würde Grace anrufen und sie bitten, mit ihr gemeinsam die Stimmen von SMS-Vorlesefunktionen aufzunehmen. Fatou beäugte ihr Handy. Sie musste sich eine App herunterladen, mit der sich Aufnahmen machen ließen. Und sie musste sich Anitas Telefonanlage ansehen. Vielleicht war die Nachricht noch gespeichert.

»Aber wir können doch wenigstens zu Isa in den Garten gehen«, sagte Yesim.

Fatou zögerte. Ihr war bewusst, dass sie sie nicht unendlich lange in Tante Hortensias Wohnung und Balkon einsperren konnte, aber wenn sie nur daran dachte, dass sie sich in irgendeinem Garten aufhalten könnten, bekam sie Bauchschmerzen. Wer konnte schon wissen, was der oder die Entführer wirklich vorhatten? Es hatte mit Martin zu tun und offensichtlich auch mit seiner Familie. Es kam nicht infrage, etwas zu riskieren. Die beiden würden es bestimmt verstehen. Sie wollte Yesim nicht verängstigen und Isabel noch weniger. Ihr war allerdings immer klar gewesen, dass sie Yesim irgendwann würde beibringen müssen, dass die Welt voller Monster war. Jetzt brachte die Welt es ihr gerade von selbst bei, ohne Zustimmung der Erziehungsberechtigten. Sie war elf Jahre alt. Nach dem Sommer würde sie mit fremden Menschen in eine fremde Schule kommen. Dann würde sie langsam Teenagerin werden – der Beginn aller möglichen neuen Gefahren. Die ganze Stadt würde sich in einen Hindernisparcour aus der Hölle verwandeln. Sie würde keine Ahnung haben von den abgründigen Gedanken, die Menschen abspulten, wenn sie ihren Körper ansahen. Sie würde sich nach Bestätigung sehnen, nach Aufmerksamkeit und im schlimmsten Fall sogar nach Männern. Wahrscheinlich wurde es Zeit, ihr sanft aber sicher klarzumachen, dass das alles leider gefährlich war. Was Isabel anging, sah sie die Sache ein wenig anders. Ihre kleine Schwester war gerade verschleppt worden, sie war allein in jeder Hinsicht, und Fatou wollte gar nicht daran denken, wie es ihr gehen würde, sobald sie und Yesim abgereist waren. Sie musste jetzt nicht erschreckt, sondern geschont werden. Isabel erinnerte Fatou an sich selbst als Kind. Sie war ebenfalls ohne Vater aufgewachsen und ohne die Lücken ihrer »Herkunft« füllen zu können. Fatou hatte sich oft allein gefühlt. Die Menschen um sie herum waren einfach nicht wie sie. Das fanden zumindest diese Menschen – und ließen es sie spüren. Tante Hortensias besondere Art hatte ihr dabei oft helfen können. Die alte Dame war auch anders als andere. Und sie scherte sich so wenig um die Meinung der Leute, dass Fatou sie dafür ihr Leben lang bewundern würde. Tante Hortensias Attitüde der Welt gegenüber hatte Fatou aber nicht einfach kopieren können, denn ihr eigenes ›Anderssein‹ war für alle sichtbar und ließ sich nicht mit einem Hut ablegen. Isabel hatte es in mancher Hinsicht noch schwerer. Ihre Erziehungsberechtigte war anscheinend weder patent noch an Isabels Selbstbewusstsein interessiert. Das Mädchen machte zwar keinen besonders verstörten Eindruck, aber das konnte täuschen. Fatou wusste das nur zu gut. Sie selbst hatte Jahre damit verbracht, fröhlich zu tun, während sie sich jede Nacht in den Schlaf geweint hatte.

»Ich brauche keinen Vater. Steffis Vater schlägt ihre Mutter, ich bin froh, dass ich keinen habe.« Solche und ähnliche Sätze hatte sie oft genug gesagt und glaubte sie auch heute noch. An der Sehnsucht, die eigenen Eltern wenigstens zu kennen, zusammen zu sehen, zu wissen, wie sie klangen, rochen und sich anfühlten, welche Musik sie mochten und worüber sie lachen konnten, änderte aber alle Lebenslogik nichts. Es war ein Loch in ihrem Leben, und es hatte erst aufgehört, jeden Tag weh zu tun, als ihre eigene Tochter geboren wurde. Es war nicht in Frage gekommen, die eigene Trauer an Yesim auszulassen. Ein neuer Start in diese Welt, ohne Vorbelastungen, ohne Lücken, ohne die-Einzige-sein, ohne kindliche Verzweiflung, Panik und Schlaflosigkeit. Mit aller Liebe und allen Möglichkeiten. Das hatte sie sich für Yesim vorgenommen. Isabel hatte nichts von alldem bekommen. Wer wusste schon, ob ihre Eltern sie liebten? Durch welche Umstände sie zur Adoption geraten war? Gefragt worden war sie sicher nicht. Irgendwann würde sie vielleicht Bilanz ziehen. Fatou fragte sich, ob Isa dann noch mit Anita sprechen würde.

»Mama!« Yesims Stimme wurde durchdringend. Sie und Isabel sahen Fatou mit bewölkten Minen an. Die versuchte, sich ihre Besorgnis nicht anmerken zu lassen.

»Ich habe nachgedacht,« sagte sie während sie Margarine auf ihr Brot strich. »Isabel, du willst bestimmt nicht das Gefühl haben, in einem Hotel oder im Exil gelandet zu sein. Richtig?« Isabel sah sie fragend an. »Du willst deine Spielsachen, deine Klamotten und nicht so getrennt von deinem Zuhause sein, meine ich.«

»Ja«, sagte Isabel. »Wir wohnen ja auch direkt nebenan.« Yesim pflichtete ihr bei.

»Ich will nicht, dass du dich hier bei uns eingesperrt fühlst«, sagte Fatou. »Deswegen habe ich mir was überlegt: ihr könnt tagsüber im Haus und Garten drüben sein ...« Yesim rief »Yeah!« und Isabel hob den Daumen hoch.

»Ich war noch nicht fertig«, sagte Fatou. »Ihr könnt drüben sein, wenn eine Erwachsene dabei ist. Aber erst, nachdem ich mit Martin gesprochen habe.« Isabel schob eine Essiggurke auf ihrem Teller hin und her. »Er ist schließlich dein Bruder«, sagte Fatou. »Und er ist schon fast erwachsen.« *Und er hat einen Schlüssel, und er sprüht in Blackface Kapellen an, und ich muss sichergehen, dass er sich fernhält*, fügte sie in Gedanken hinzu.

»Und wann redest du mit Martin?«, fragte Isabel.

»Sobald ich kann, Schatz«, sagte Fatou. Sie ließ sich von ihr Martins Handynummer geben und versprach, am nächsten Tag mit ihm zu reden. Bis dahin würden sie noch in der Wohnung ausharren müssen.

Tante Hortensia hatte sich zu Ende ausgeruht. Fatou hörte sie im Flur seufzen und war dankbar, dass sie sich offensichtlich so wohl mit ihnen fühlte, dass sie sie ohne Überwachung in der Küche sitzen ließ. Die Küche war eigentlich alleiniges Tantenterritorium. Es war gut, dass sie mit den Mädchen auch mal alleine hatten sprechen können.

»Ihr drei Grazien. Was machts ihr denn für Gesichter?«, fragte Hortensia. »Wollts ihr auch was? Ich mach mir einen Tee.« Die Mädchen wollten überzuckertes Instant-Granulat mit künstlichem Zitronenaroma, das betrügerischerweise das Wort »Tee« auf dem Etikett tragen durfte. Fatou wollte ein Bier und eine Schachtel Lucky Strike. »Ein Kräutertee wäre toll«, sagte sie.

»Toll«, wiederholte Tante Hortensia gestelzt das unangemessene Modewort, und füllte den Wasserkocher.

Fatou bat Isabel in ihr gemeinsames Schlafzimmer, in dem Fatou auf die Gästematratze umgezogen war. Erste Spuren von Unordnung machten sich breit. Sie hob ein paar

Hemdchen und Heftchen vom Boden und von den Betten auf und verteilte sie auf kleine Stapel.

»Brauchst du irgendwas dringend von drüben?« Isabel schüttelte den Kopf. Fatou war ein bisschen enttäuscht. Sie hätte sich gerne in Anitas Haus umgesehen.Sie setzte sich auf Isabels Bett und winkte sie heran. Isabel hatte schöne volle Augenbrauen, die sich nie ganz zu entspannen schienen. So ruhig sie oft war, und so lustig sie mit Yesim spielte, sie hatte dabei meistens ein ernstes Aussehen.

»Wenn du mit mir allein reden willst, egal über was, oder wenn es dir nicht gut geht, dann sagst du es mir gleich«, sagte Fatou. »Versprochen?«

Isabel machte ein verlegenes Gesicht und nickte. Sie war manchmal wirklich wortkarg. Fatou wusste nicht, ob sie sich deutlich genug ausgedrückt hatte. »Wenn es etwas gibt, was du dir vielleicht mit deiner Mama nicht zu besprechen traust, dann kannst du zu mir kommen. Ich bin nicht deine Mama und ich werde nichts verraten.« Isabel betrachtete eingehend ihre bunt lackierten Fingernägel. »Du kannst mir alles sagen und mich alles fragen, und brauchst dir nichts dabei zu denken. Schau mich mal an.« Isabel sah sie an. Sie kaute auf ihrer Lippe herum.

Schließlich sagte sie etwas: »Hast du viele Freundinnen?«

»Ein paar«, sagte Fatou. »Viele sind es nicht. Aber dafür richtig gute.«

»Ich nicht so«, sagte Isabel. »Nur Mama und Sophie. Und Yesim.« Fatou kamen die Tränen. Sie konnte nicht anders, als sie in den Arm zu nehmen.

»Du wirst noch viele ganz tolle Freundinnen bekommen«, sagte sie. »Wenn die jetzt nicht in deiner Schule sind, dann später. Wenn du älter bist, kannst du mit Yesim eine WG gründen.«

»Versprochen?«, fragte Isabel.

»Na klar«, sagte Fatou. »Versprichst du mir dafür, dass du keine Sorgen in dich rein frisst, sondern mit mir darüber redest, wenn du nicht weißt, mit wem du sonst darüber reden sollst? Das kannst du auch am Telefon.«

Isabel nickte verschämt. Fatou strich ihr über den Kopf. »Es stimmt, dass wir in Hamburg weit weg sind. Aber wir sind jetzt auch wie eine Familie, weil wir zusammen wohnen. Wenn du willst, bleiben wir immer in Kontakt. Du und Yesim, ihr telefoniert regelmäßig, und in den Ferien kommen wir wieder her, oder du kommst zu uns nach Hamburg. Einverstanden?« Isabel nickte wieder. »Du sprichst nur, wenn es unbedingt sein muss, oder?«, fragte Fatou. Isabel grinste. »Sag doch mal ›ja‹, damit ich weiß, dass du nicht mit offenen Augen eingeschlafen bist.

»Ja«, sagte Isabel mit klarer Stimme.

Nachmittags ging Fatou in Gedanken noch einmal die Ereignisse der letzten Tage durch. Der Ausflug fiel ihr wieder ein, zu dem Pater Simone sie eingeladen hatte. Sie war beim Fest davon ausgegangen, dass sie am nächsten Tag sowieso wieder nach Hause fahren würden. Nun, wo sie bleiben würde, würde es eine Möglichkeit sein, sich umzuhören. Der SPD-Bürgermeisterkandidat Niederwieser würde mitwandern, vielleicht konnte sie von ihm schmutzige Details über die CSU und diese Burschenschaft erfahren. Der Ausflug war für Kinder gedacht; Isabel und Yesim wären dort in Sicherheit und würden sich über die Abwechslung freuen.

Tante Hortensia hatte das Abendbrot im Wohnzimmer angerichtet. Der Anwalt im Pensionärsalter löste den Fall der vergifteten Immobilienmaklerin und danach schauten sie noch ein Quiz.

Martin rutschte unruhig auf seinem Stuhl hin und her. Sein T-Shirt hatte Flecken. Er vermied Fatous Blick, wo es nur ging. Vermutlich war gerade nicht die Uhrzeit, zu der er erhofft hatte, alle seine Ferientage zu beginnen. Und auch nicht die Konstellation. Verhört von einer fremden Frau im eigenen Jungenzimmer. Fatou kam es zugute, dass die Relikte seiner Kindheit noch so präsent an den Wänden hingen. Wozu er im nicht eingeschüchterten Zustand fähig war, hatte sie mit eigenen Augen sehen können.

»Was weißt du über die Entführung?« Ihre Stimme klang tief und trocken. Sie wollte es ihm nicht leichter machen, sondern ihn beobachten. Dadurch würde sie mehr erfahren, als auf die vertrauensvoll-tantenhafte Art. Bei dem verstockten Jungen hätte sie die auch gar nicht durchgehalten. Sie war viel zu wütend darüber, wie unmöglich er sich aufgeführt hatte.

»Das habe ich doch alles schon erzählt. Ich habe es gerade fünfmal der Polizei erzählt, und Isabel hat es Ihnen bestimmt auch erzählt. Was wollen Sie von mir?«

Fatou rollte auf dem Schreibtischstuhl an ihn heran. Aus der Nähe betrachtet hatte er ein paar Sommersprossen auf den Wangen und Schweiß an den Schläfen. »Was wollte die Polizei von dir?«

Martin wurde rot vor Aufregung. »Sie sagen, ich hätte auf sie aufpassen müssen, aber das hab ich doch! Ich bin sie doch abholen gekommen! Sie war nicht mehr da. Ich bin doch keine Kindergärtnerin und sitz den ganzen Tag in der Kita dabei!«

Reizender Junge, dachte Fatou. »Martin, ich weiß, dass du das mit der Kapelle gemacht hast«, wäre sie am liebsten herausgeplatzt. Doch dann würde er dichtmachen. Es war besser, ihn zappeln und sich winden zu lassen. »Aha«, sagte sie. Anstatt weiter zu sprechen, sah sie ihn nur an. Auf ihre unangenehme Art zu schweigen konnte sie sich verlassen. Damit hatte sie schon gestandene Männer dazu gebracht, ihr zu verraten, auf welcher Kaufhaustoilette ihr Kumpan mit der gestohlenen Uhr ausharrte, obwohl sie nichts gegen sie in der Hand gehabt hatte. Ihre Erfahrung mit der Körpersprache derer, die akuten Dreck am Stecken hatten, war ebenfalls zuverlässig.

Ich hätte eine gute Agentin abgegeben, dachte sie. Martin sah inzwischen starr auf den Boden und hatte sich dafür entschieden, den Verstockten zu spielen. *Auch gut*, dachte Fatou. Sie brauchte kein Geständnis, sondern etwas anderes. »Hat die Polizei Hinweise auf die Entführer?« Er schüttelte den Kopf. »Sprich mit mir. In deinem Interesse«, sagte sie. Dass sie nicht bluffen musste, kam ihr zugute. Sie hätte den Burschen erwürgen können. Martin sah kurz vom Boden auf, allerdings nur wenige Zentimeter, so dass sein Blick inzwischen auf Höhe der Schreibtischkante auf einem Star-Wars-Aufkleber ruhte. Er räusperte sich. Leise, langsam und mit monotoner Stimme, gab er endlich Antwort. «Sie haben gesagt, sie ermitteln schon und sie suchen nach ihr. Mehr haben sie nicht gesagt.«

Er hatte den Namen seiner Schwester bislang noch kein einziges Mal in den Mund genommen. Das konnte etwas bedeuten. Ein schlechtes Gewissen zum Beispiel. Das hätte er allerdings in jedem Fall haben müssen, egal, ob er an der Entführung beteiligt war oder nicht.

»Wirst du bedroht?«, fragte Fatou.

»Nein!«, antwortete Martin zu laut und zu schnell. »Wieso, von wem denn?« Er sah zwischen dem Star-Wars-Aufkleber und dem Bundeswehr-Werbeposter hin und her. »Quatsch!«

»Was hast du denn jetzt genau vor?« Er zuckte mit den Schultern.

»Ich besuche meine Mutter im Krankenhaus und versuche, für sie da zu sein«. Eine gute Antwort. Unter anderen Umständen. Nicht, wenn gerade die kleine Schwester entführt wurde. Er schien nicht sonderlich besorgt um sie.

»Martin", begann Fatou. Sie überlegte es sich anders. »Pass auf.« Sie sah kurz aus dem Fenster und holte tief Luft. »Eins sollte dir klar sein.« *Nicht jede Mutter ist so handlungsunfähig wie deine. Ich zum Beispiel werde dich zu Kartoffelbrei klatschen, wenn du nicht sofort sehr lange sehr weit weg verschwindest*, hätte sie gerne gesagt. Sie fasste sich jedoch. Er musste eingeschüchtert, aber nicht unnötig provoziert werden.

»So lang deine Mutter im Krankenhaus ist und Isa bei uns, hältst du dich von hier fern«, sagte sie ruhig. »Du packst jetzt deine Sachen, was immer du brauchst, und kommst nicht hierher, ohne mich vorher zu fragen. Genaugenommen: So lange Yesim in Sichtweite ist, kommst du gar nicht.«

»Sie können mir überhaupt nichts vorschreiben. Das ist nicht Ihr Haus!« Seine Stimme zitterte. Sein Blick war nervös und besorgniserregend unfokussiert.

Er fühlt sich jetzt schon bedroht, dachte Fatou. »Ich passe auf Isabel auf«, sagte Martin. Fatou ärgerte das. Es war nicht der richtige Moment, Bundeswehr-Rocky zu spielen.

Isabel war nicht dazu da, Martins Versagen zu kompensieren. Es war Zeit, dieses ›Gespräch‹ zu beenden, fand Fatou. Sie hatte genug erfahren. Und sie musste dafür sorgen, dass die Mädchen sich hier in Sicherheit aufhalten konnten.

»Wenn du auf sie aufpassen willst,« sie hob die Schultern und machte eine sizilianische Geste mit den Handflächen nach oben, es war etwas dick aufgetragen, aber das war die Sprache, die Halbstarke im Actionfilm-Alter sicher verstanden, »musst du dich von ihr fernhalten. Du weißt, warum.« Martin rührte sich nicht. Fatou hob eine Hand, knickte den Zeigefinger ab und deutete das Drücken auf eine Sprühdose an. Sein Gesicht versteinerte. Bevor er etwas antworten konnte, flog die Tür auf und Isabel kam hereingelaufen. Sie fiel Martin um den Hals. »Martin holt nur noch seine Sachen, weil er jetzt die nächsten Tage im Internat übernachtet«, sagte Fatou. »Stimmt's, Martin?« Hinter Isabels Rücken warf sie ihm den bösartigsten Blick zu, zu dem sie imstande war. Martin stand auf.

»Wir sehen uns, Isa«, sagte er. »Alles wird gut. Ich versprech's dir.« Beim Herausgehen wich er Fatous Blick aus. Fatou bedeutete Isabel, sich zu setzen. Während sie mit ihr sprach, rumpelte Martin in der Garage herum und fuhr schließlich mit einem Moped fort. Sie hoffte, dass die Polizei ihn überwachte.

»Isabel. Du kannst mit Martin telefonieren. Aber du darfst ihn nicht treffen, wenn ich nicht dabei bin. Das ist zu deiner eigenen Sicherheit.«

»Martin ist aber mein Bruder«, protestierte Isabel. »Er würde mir nie was tun.«

»Das will ich damit auch nicht sagen, Isa. Ich will dir auch keine Angst machen. Aber wer auch immer deine

Schwester entführt hat, läuft noch frei herum. Martin hat Sophie nicht beschützen können. Ich bin jetzt für dich verantwortlich, bis deine … bis Anita wieder da ist. Und ich gehe kein Risiko ein.«

Isabel rang sich ein »Okay« ab. Sie wirkte nicht begeistert, aber sie würde sich daran halten, dessen war Fatou sich ziemlich sicher. Es war trotzdem kein schönes Gefühl.

Fatou fand die Telefonanlage in einem Kästchen im Flur. Sie rief die kostenlose ›Diktiergerät‹-App auf, die sie sich am Vorabend heruntergeladen hatte. Dann gab sie »SMS an Festnetz erneut abspielen« in die Suchmaschine ein. Beinahe wäre ihr ein Triumphlaut entwichen. Der digitale Anrufbeantworter speicherte eingehende SMS als Sprachnachrichten. Fatou suchte und fand die Bedienungsanleitung. Sie drückte den grünen Knopf einmal lang, den Nachrichtenknopf zweimal kurz und stellte ihre App auf Aufnahme. Die Roboterstimme sagte die Nachricht durch, dass Sophie in einer Woche wiederkommen würde, genau wie Isabel es erzählt hatte. Fatou fröstelte. Sie fragte sich, wie wohl die Chancen für Sophie standen. Und für Anita. Wie würde sie selbst reagieren, wenn Yesim entführt worden wäre? Sie stellte sich vor, dass diese Version von ihr nicht mehr in der Lage wäre zu ermitteln, sondern eher in etwas verfallen würde, was Anitas Zustand ähnlich war. Schnell schob sie den Gedanken beiseite. Was-wäre-wenn-Fragen waren jetzt nicht hilfreich. Am meisten würde sie Isabel und ihrer Familie helfen, wenn sie einen kühlen Kopf bewahrte oder zumindest so tat.

Im Garten wartete Hortensia im beigefarbenen Hut mit passendem seidenen Halstuch.

»Ich wollt mir auch mal das Haus anschauen«, sagte sie. Fatou gesellte sich zu Yesim, die ihre Beine in den leeren Swimmingpool hängen ließ und wissen wollte, ob mit Isabel alles in Ordnung sei.

»Ich glaube, sie ist traurig«, sagte Yesim. »Aber wenn wir spielen, denkt sie nicht so viel an Sophie.« Die Mädchen wollten einen Tanz aus einem Video einstudieren, was aber peinlich sei, so lange Erwachsene in der Nähe waren. Fatou verhandelte, dass sie die fertige Choreographie vorführen und die Erwachsenen bis dahin diskret Abstand halten würden. Unter Tante Hortensias Staunen richtete Isabel im Wohnzimmer die Onlineverbindung des Fernsehers ein und zeigte Fatou, dass es eine Kindersicherung gab und wie sie umgangen werden konnte.

»Cool«, befand Yesim.

»Und woher weiß ich, dass ihr nur Videos für euer Alter schaut?«, fragte Fatou.

»Du hast versprochen, dass ich nächstes Jahr ein Handy kriege«, antwortete Yesim. »Dann kannst du sowieso nichts mehr kontrollieren. Musst mir leider vertrauen.«

Fatou öffnete den Mund und schloss ihn wieder. Isabel öffnete die Einstellungen des Videobrowsers. »Du kannst dir hinterher den Verlauf ansehen«, sagte sie. Fatou war perplex. Sie nahm den Mädchen das Versprechen ab, dass sie nur Musikvideos sehen würden, die die Würde von Frauen achten und bei denen ihnen nicht übel werden würde, was sie mit viel Augenrollen und schattigen Seitenblicken quittierten.

Tante Hortensia war derweil dabei, zwei Clubsessel von der Terrasse unter einen Baum zu transportieren. »Tanzen vor dem Fernseher, das ist jetzt das Neueste?" Sie sah amüsiert auf die geöffnete Terrassentür. Fatou setzte sich zu ihr.

»Ich habe Martin gesagt, dass er erst mal nicht mehr hier aufkreuzen soll.″ Sie berichtete von ihrem Gespräch mit ihm. Dass sie sich sicher war, dass er die Kapelle beschmiert hatte, erwähnte sie nicht, aber sie bemühte sich, eindrücklich zu beschreiben, dass mit dem Jungen etwas nicht stimmte. Er hatte sich geprügelt und er hatte ältere Freunde, die einen gefährlichen Eindruck machten. Hortensia widersprach nicht. Das war mehr Lob, als Fatou sich erhofft hatte.

»Tante Tensi″, begann sie vorsichtig. »Wenn dir das alles zu viel Aufregung ist, sag es bitte ehrlich.″

»Was meinst du?«, protestierte Hortensia. »Dass du mich auf dem Gewissen hast, wenn ich einen Herzinfarkt krieg?«

»Nein, nein«, sagte Fatou und befürchtete, wenig überzeugend zu wirken. Ein Zitronenfalter wirbelte an ihnen vorbei.

»Wer gießt jetzt denen ihren Rasen in der Hitze?«, fragte Hortensia.

»Tante Hortensia, komm jetzt bitte nicht auf die Idee …″

Die alte Dame schmunzelte. »Das glaubst du aber, dass ich denen nicht den Garten mache!«, sagte sie. »Es ist nur schade, wenn er vertrocknet.«

»Ich glaube, ich habe eine Spur«, sagte Fatou. Hortensia sah sie an und zog eine Augenbraue hoch. Das konnte »Sitz gerade!«, »Wie bitte?« oder »Was für eine schlechte Idee!« heißen. Fatou befürchtete, dass alles drei zutraf. »Ich habe so eine Ahnung, warum Sophie entführt worden sein könnte. Aber es ist zu vage, um damit zur Polizei zu gehen.«

»Seit wann muss man denn selber eine Spur haben, bevor man zur Polizei geht?«, fragte Hortensia. Fatou zupfte ein kleines Pollengespinst von ihrem Knie.

»Ich kenne die Polizei ein bisschen. Schließlich arbeite ich jeden Tag mit ihnen. Manchmal verdächtigen sie die

Falschen. Und manchmal schalten sie auf stur, obwohl sie es eigentlich besser wissen müssten." Hortensia machte ihr Pokerface. »Ein bisschen ist es wahrscheinlich wirklich wie in den Detektivserien«, sagte Fatou. »Die Ermittlerin, die von außen kommt, sieht manchmal mehr als die Leute vor Ort.«

»Als die Männer vor Ort«, korrigierte Hortensia, »die Polizisten sind halt nur Männer." Fatou ließ es dabei bewenden. In diesem Fall stimmte es. Vielleicht waren in Bayern auch noch keine Frauen im Polizeidienst zugelassen, außer in der Leibgarde des Ministerpräsidenten.

»Nachher treffe ich mich noch mit einer Freundin, die mir hilft." Fatou erzählte der Tante, wie sie Grace kennengelernt hatte und dass sie sich mit ihr austauschte.

»Ist sie auch Detektivin?«

»Nein, sie macht politische Arbeit.«

Hortensia zog pikiert ihr Kinn an den Hals. »Du hast dich mit einer Politikerin angefreundet?«

»Nein!", sagte Fatou. »Grace arbeitet nicht für eine Partei. Sie setzt sich für Menschenrechte ein."

»Menschenrechte«, wiederholte Hortensia. Sie sprach es aus wie eine exotische Fischsorte. Fatou befiel wieder einmal der Eindruck, dass sie sie nicht ernst nahm und behandelte als wäre sie noch ein Kind. Hortensias Blick war derselbe, den sie regelmäßig geerntet hatte, wenn sie vor fünfundzwanzig Jahren Detektiv-Spielzeug aus dem Yps-Heft vorgeführt hatte.

Wenigstens hatte die Tante nichts dagegen, auf die Mädchen aufzupassen. Fatou verabschiedete sich von ihr und den Mädchen und versprach, aus der Stadt etwas mitzubringen. Vielleicht wurde das Yps-Heft ja inzwischen wieder aufgelegt.

Sie zog sich eine frische Bluse an, setze sich in ihr Auto und fuhr abermals nach Altötting.

***

Grace wohnte in einem typisch oberbayrischen Sechziger-jahre-Mehrfamilienwohnhaus, das aussah wie ein gelber Kasten. Fatous Schritte hallten im Treppenhaus. Als Kind war sie solche Treppengeländer heruntergerutscht. Es roch nach Maffé. Grace wartete schon in der Tür. Sie trug ein hellblaues Boubou, das ihr hervorragend stand.

»Schön, dass du doch noch da bist«, begrüßte sie Fatou und führte sie ins Wohnzimmer. An der Wand hingen große Fotos von afrikanischen Menschen in bester Garderobe. Sie trugen Ensembles aus glänzenden Roben und kunstvoll um den Kopf geschlungenen Tüchern. Eine große, rot gemusterte Couch im arabischen Stil nahm die ganze Länge der Wand ein. Aus der Stereoanlage kam westafrikanische Gitarrenmusik.

»Ali Farka Touré?«, fragte Fatou.

»Ganz kalt. Fatoumata Diawara«, korrigierte Grace lachend. Sie setzten sich und Grace schenkte ihnen Fanta ein.

»Wie geht's dir?«

Fatou überlegte, wo sie anfangen sollte. »Du hast doch beim Kulturfest die blonde dünne Frau mit dem kleinen Mädchen gesehen, mit der ich da war«, begann sie.

Nachdem sie von Sophies Entführung erfahren hatte, war Grace gebührlich betroffen. Fatou schlug vor, gleich eine Test-SMS an ihr Festnetz zu senden. Während Grace noch ihr Telefon holte, machten sich bereits Zweifel in ihr breit.

»Was ist?«, fragte Grace. Fatou knautschte mit einer Hand ihre untere Gesichtshälfte.

»Wenn er seine Nummer unterdrückt oder irgendeine Prepaidkarte benutzt hat, bringt es uns auch nichts, wenn wir den Telefonanbieter kennen.«

»Stimmt«, sagte Grace. »Aber es kostet uns auch nichts, wenn wir es ausprobieren.« Fatou legte ihr Handy neben sich auf die Couch. Sie musste Grace noch erklären, warum sie angesichts Martins Schlägerei so fluchtartig das Fest verlassen hatte. Grace nahm Fatou mit in die Küche. Während sie Reis für Maffé aufsetzte und noch etwas Tomatenmark in der duftenden Erdnusssauce verrührte, erzählte Fatou ihr die Sache mit Martin, so strukturiert und der Reihe nach, wie es ihr möglich war. Als sie damit schloss, dass sie sich »eigentlich ganz sicher« war und in ihrem Beruf als Kaufhausdetektivin seit fast zwanzig Jahren täglich Menschen anhand von Bewegungsmustern unterschied, lehnte Grace sich gegen die Spüle und verschränkte die Arme.

»Das musst du mir nicht erklären. Ich glaube es dir auch so. Manche Leute können eben besondere Sachen.« Fatou kratzte an einer kleinen Kerbe in der Stuhllehne herum. »Aber was meinst du – hat er seine eigene Schwester entführt? Und warum?«, fragte Grace.

Fatou sah aus dem Fenster. Der Himmel war blaugrau und diesig. »Dafür muss ich zuerst wissen, warum er das mit der Kapelle gemacht hat«, sagte Fatou.

»Ich glaube, es steckt die CSU dahinter«, sagte Grace. »Einfach für ihren Wahlkampf. Wenn wir das beweisen können, bringt es uns aber auch nichts, non?« Fatou war anderer Meinung. Sie erzählte Grace davon, wie betroffen Yesim gewesen war, als sie die muslim- und fremdenfeindlichen Parolen im Fernsehen gesehen hatte, und wie sie ihr das Versprechen abgerungen hatte, wenigstens alles zu versuchen, um die Sache aufzuklären, um ihrer selbst und ihres Vaters willen.

»Ich bin katholisch aufgewachsen«, sagte Fatou, »und Yesims Vater muslimisch. Sie kann es sich aussuchen oder buddhistisch werden oder atheistisch oder an das große Spaghettimonster glauben, meinetwegen. Aber in Wirklichkeit kann sie es sich eben nicht aussuchen.« Tränen stiegen ihr in die Augen. »Mit ihrem Namen und ihrem Aussehen ist sie automatisch für alle muslimisch, egal, woran sie glaubt.« »Findest du, dass es etwas Schlimmes ist, dass sie für muslimisch gehalten wird?«, fragte Grace.

»Nein. Ja. Nein«, stotterte Fatou. »Sie bekommt die Vorurteile jetzt schon zu spüren. Sie ist erst elf!«

Grace verlagerte ihr Gewicht von einem Bein auf das andere. »Alle muslimischen Mädchen bekommen diese Probleme gemacht. Nicht nur deine Tochter.« Fatou wusste, worauf Grace damit hinaus wollte. Sie fand es aber nicht ganz gerecht.

»Wo kommst du eigentlich her?«

Fatou lachte aus Verlegenheit. Ein Blick in Graces Gesicht sagte ihr aber, dass sie es nicht als Witz gemeint hatte. »Deine Tochter ist muslimisch-katholisch aus Hamburg und Türkisch und – das, was du bist. Aber was bist du?«, fragte Grace.

Fatou fühlte die Erstarrung, die sie bei dieser Frage ihr ganzes Leben lang begleitet hatte. »Ich habe dir doch schon gesagt, dass ich hier in der Nähe geboren bin!«, sagte sie etwas zu schroff.

Grace schüttelte den Kopf. »Das meine ich nicht. Deine Eltern, aus welchem Land kommen sie?«

In Fatous Kopf breitete sich eine plötzliche Leere aus. Aus dieser Frage gab es kein Entrinnen. Sie konnte nicht glauben, dass dieses uralte ausgeleierte Drehbuch sich gerade wiederholte, mit einer afrikanischen Frau, der sie vertraue, die sie sich sogar als Freundin erhoffte. Grace musste doch selbst darunter leiden, dass immer eine *Erklärung* von ihr verlangt wurde dafür, dass sie es überhaupt wagte, in Deutschland anwesend zu sein.

»Grace«, sagte Fatou aufgeregt. »›Wokommstduher‹, diese … du klingst wie … du kannst doch nicht –«

Wieder schüttelte Grace den Kopf, ohne Fatou aus den Augen zu lassen. »Warum willst du es nicht sagen?«, fragte sie. »Ich bin stolz darauf, dass ich aus Afrika komme.«

»Ich komme aber nicht aus Afrika«, sagte Fatou etwas lauter, als sie wollte, »sondern von hier. Aus Oberbayern. Du hast gefragt, wo ich herkomme, aber du weißt es schon. Warum fragst du dann? Tu du nicht auch noch so, als ob ich nicht deutsch sein kann. Es muss dich doch selbst nerven, wenn du das ständig gefragt wirst!«

Grace blieb ruhig und schürzte die Lippen. »Ich bin aber keine Deutsche, die dich das fragt. Ich dachte, es ist in Ordnung, wenn wir uns kennenlernen, dass ich mich für dich interessiere, für deine Geschichte.«

Fatou war gleichzeitig stolz, verzweifelt und verletzt – und noch ein paar andere Dinge, die sie nicht einordnen konnte. Ihr Puls klopfte weiterhin in ihren Ohren. »Würde ich aus Afrika kommen, wäre ich auch stolz darauf«, sagte sie. »Leider kann ich das nicht bieten.« Sie hörte ihre eigene Stimme zittern.

Grace sah unbeeindruckt drein.

»Du kannst African Pride haben und trotzdem hier aufgewachsen sein«, sagte Grace. »Aber vergiss nicht, mit wem du gerade sprichst.« Prüfend sah sie Fatou an. »Es ist auch wichtig für deine Tochter.«

Fatou erzählte Grace von ihrer chaotischen Familiengeschichte. Vom Vater, an den sie sich nicht erinnern konnte. Von der Mutter, die sie im Stich gelassen hatte. Wie sie als Mädchen bei Pflegetanten aufgewachsen war. Wie sie danach zu einer anderen Pflegefamilie in ein anderes Bundesland gekommen war und dort das Gefühl entwickelt hatte, nirgendwo hinein zu passen, eine Last zu sein. Wie sie sich später auf die Suche nach ihrem Vater gemacht und dadurch erfahren hatte, dass sie eine Tante in Hamburg hatte. Wie sie sich seit Yesims Geburt bemühte, mit dieser Tante in gutem Kontakt zu stehen und die afrikanische Seite ihrer Herkunft und ihrer Familie in Yesims Leben stattfinden zu lassen, weil sie selbst das als Kind vermisst hatte. Dass sie Yesim manchmal um ihren Kulturreichtum beneidete. »Sie ist europäisch und asiatisch und afrikanisch, alles zusammen. Ich bin nur deutsch. Aber nicht für Deutsche.«

»Ich glaube, jetzt verstehe ich dich ein bisschen besser«, sagte Grace. Ihr Blick verriet nicht, ob das wirklich so war, oder ob sie es vor allem sagte, um Fatou zu beruhigen.

Nachdem sie so viel von dem großartigen Maffé verputzt hatten, wie sie konnten, zogen sie um ins Wohnzimmer. Grace schaltete einen westafrikanischen Musikvideosender ein, und sie sahen sich eine Choreografie an, bei der Frauen im Business-Outfit im Büro tanzten, während die Sängerin im traditionellen Kleid im Vordergrund stand.

»Sie singt davon, dass sie unabhängig ist«, übersetzte Grace. Danach kam eine Gruppe Rapper, und Grace stellte auf lautlos.

»Was willst du jetzt machen?«

»Ich bin nicht scharf drauf, aber ich werde mich wohl dahinterklemmen müssen«, sagte Fatou. Dass sie der Sache nachgehen würde, stand außer Frage. Sie hatte sich aber noch gar nicht sortiert. Es ging diesmal nicht um ein Kaufhaus, sondern um eine ganze Stadt, deren Einwohner sie nicht kannte, deren Polizei sie nicht trauen konnte, deren Wahlkampf alles kompliziert und unangenehm machte, und in der irgendwo ein kleines entführtes Mädchen festgehalten wurde, das mit nichts etwas zu tun hatte. Oder mit allem.

»Sie haben ein Mädchen adoptiert, Isabel, sie ist in Yesims Alter. Sie ist ziemlich allein. Wir passen auf sie auf, sie wohnt bei uns im Moment. Bitte sag es niemandem weiter. Je weniger darüber geredet wird, desto sicherer für sie. Sie ist mir richtig ans Herz gewachsen.«

Grace tat ein bisschen eingeschnappt darüber, dass Fatou ihr zugetraut hatte, dass sie etwas ausplaudern könnte, und versprach, nicht zu tratschen. »Traurig, wenn sie so einen Bruder hat«, sagte Grace. Fatou sortierte ihren Verdacht: Martin und sein Kumpan hatten gemeinsam die Kapelle besprüht, um irgendeinen rechtspopulistischen Zweck zu verfolgen. Dann hatten sie sich gestritten, vielleicht weil Martin ein schlechtes Gewissen hatte und drohte, alles zu gestehen. Daraufhin hatten sie sich geprügelt, und am nächsten Tag war Martins Schwester entführt worden, mit dem Hinweis, dass sie in einer Woche zurückgebracht würde. Martin wurde erpresst und mit der Entführung seiner kleinen Schwester ruhig gestellt. Das schien Fatou die schlüssigste Erklärung. Es war auch die einzige, die ihr einfiel. Grace fand, das klänge alles logisch. Ob es auch stimmte, und wer nun dahinter steckte, würden sie aber nicht durch Nachdenken auf der Couch herausfinden.

»Es ist garantiert was Politisches«, sagte Grace.

»Er läuft dieser Burschenschaft hinterher«, sagte Fatou. »Ätzende Typen. Die sollte ich mir auf jeden Fall genauer ansehen. Auch wenn mir die eine Begegnung, die ich bisher hatte, eigentlich reicht.« Sie öffnete ihren Browser und schlug im Internet nach. Es gab in der Stadt nur eine Burschenschaft, die KDStV Superia. »Ich habe das Haus beim Kulturfest gesehen«, sagte Fatou. »Wie eine Festung. Da kann ich nicht einfach reinmarschieren und fragen: ›Hallo, wer hat denn heute bei euch Verbrecherdienst‹. Außerdem sind in Burschenschaften keine Frauen erlaubt. Steht hier auch.«

»Weißt du, was wir machen können?«, fragte Grace.

»Wir?«, fragte Fatou.

»Ehh«, sagte Grace, »Das habe ich doch gerade gesagt. Also, wir können als Putzfrauen reingehen. Dann können wir uns in Ruhe umschauen. Was hältst du davon?«

Fatou überlegte. Es war dasselbe Prinzip, aus dem sie eine so hervorragende Kaufhausdetektivin war. Diebe waren ihr gegenüber nicht misstrauisch. Sogar wenn sie sie sahen, sahen sie sie nicht. Grace und sie wären vor aller Augen unsichtbar.

»Wir ziehen uns so Schürzen an«, schlug Grace vor.

»Auf gar keinen Fall«, sagte Fatou.

Graces Idee war vielleicht … technisch gut. Es kam allerdings nicht infrage, dass sie sich als Putzfrau verkleidete, um zu ermitteln. Blicke würden ihr zu verstehen geben, dass sie *an ihrem richtigen Platz* wäre. Ein Platz, den sie sich geschworen hatte, nie einzunehmen. Egal aus welchem Grund und ob es Spaß oder Ernst war. Wenn sie sich so verkleiden würde, würde es darauf unausweichlich Reaktionen geben. Sowohl von sich selbst, als auch von anderen. Schon als kleines Mädchen hatte sie mit Weinen und Stampfen dagegen protestiert, wenn ihr Karnevalskostüme vorgeschlagen wurden, die alle Welt für sie als *passend* empfunden hatte. Es waren immer Verkleidungen als Sträfling, exotische Frau mit Kristallkugel oder Baströckchen gewesen, oder mit gezacktem Stirnband, bunten Federn und Fransenjacke. Oder eben als »Putzfrau«. Verkleidungen als Superheldinnen, Prinzessinnen und Feuerwehr hatten nur die anderen. Sie würde ihr Leben lang nicht vergessen, wie die Kindergärtnerinnen vor Vergnügen gequietscht hatten, jedes Mal wenn sie ihr die verhassten Kostüme vorgehalten und sich gegenseitig zu ihren originellen Ideen gratuliert hatten.

Fatou schüttelte energisch den Kopf.

»Schade«, sagte Grace. Sie wandte sich dem Fernseher zu und zappte durch Satellitenkanäle, bis sie schließlich beim Lokalfernsehsender AÖ-TV landete. Am oberen Bildrand war ein Kästchen eingeblendet mit dem Text »Countdown zur Wahl«. Ein Reporter interviewte gerade den amtierenden und seiner Hoffnung nach sicher auch zukünftigen CSU-Bürgermeister.

»Da haben wir ihn ja schon«, sagte Grace.

Hans Piekow stand in einer Lodenjacke vor einem Mikrofon und lächelte schmallippig. »Und deswegen werden wir natürlich alles tun, was in unserer Macht steht, damit Altötting katholisch bleibt«, sagte er. »Dafür müssen wir den Zuzug regulieren.«

Der Reporter nickte. »Aber genau genommen, Herr Dr. Piekow, mit Verlaub, sind Sie doch selber ein Flüchtling.« Grace stieß einen unterdrückten Schrei des Entzückens aus. Fatou dachte, sie habe sich möglicherweise verhört. Der Bürgermeister schien durch die Frage unbeeindruckt. Er stand reglos lächelnd da und machte keine Anstalten, zu antworten.

Der Reporter hakte nach: »Ihre Eltern sind doch nach dem Krieg aus Schlesien nach Bayern gekommen – geflüchtet«, sagte er und hielt Piekow das Mikrofon so nah vor den Mund, dass es fast seine Nase berührte. Der Bürgermeister nickte ihm zu, wie einem Kind, das gerade einen uninteressanten Trick vorführte.

»Freilich«, sagte er ruhig. »Aber meine Großmutter stammte aus Bayern. Das ist hier meine Heimat.«

Damit war das Interview beendet und der Reporter bedankte sich für das Gespräch. Fatou ärgerte sich, dass sie nur den kurzen Ausschnitt mitbekommen hatten. Diesen Piekow hätte sie sich gern etwas länger angesehen, um ihn einzuschätzen.

»Maaaine Haaaimat«, sagte Grace. »Ich sag's dir, der steckt dahinter. Der ist doch eiskalt.«

Fatou bemühte abermals die Suchmaschine ihres Handys. Dann bat sie Grace, beim nachfolgenden Gespräch still zu sein. Sie hatte eine Idee, die sie nicht vorher verraten könne, weil sie sie sonst nicht durchziehen konnte, erklärte sie. Grace rutschte etwas näher an sie heran. Fatou deaktivierte die Rufnummernübermittlung und wählte die Nummer der Behörde. Sie stellte das Telefon auf Lautsprecher. Das Leerzeichen ertönte. Ihr Herz klopfte. Beim zweiten Klingeln hob jemand ab. Fatou stand auf.

»Hello there«, sagte sie mit tiefer und fröhlicher Stimme. Sie stellte sich vor, dass sie ein Cowboy war und gleichzeitig die hochbezahlte Assistentin der Außenministerin. »Ish bin von der Tourist Board ...«, sie rollte das R in dem breitesten Amerikanisch, das sie zustandebringen konnte, »... of International American Diversity Office.«

Grace hielt sich eine Hand vor den Mund.

Die Frau am anderen Ende der Leitung sagte »Äh. Ja? Also, yes.«

Fatou fuhr fort: »Wir haben E-Mail, viele Anfragen, von Burgerinnen und Burger von America. Sie sind ... wie sagt man … sind sie … Besorgnis. Um Altotting. Sie haben gehort, dass gibt Ressentiments gegenuber … muslimische Menschen hier. Seit sie haben im Fernsehen gesehen. Nun fragen sie viele uns, ob sie konnen ihre Urlaub und Besuch in Altotting machen oder sollen sie stornieren.«

Grace wedelte mit der rechten Hand und unterdrückte mit der anderen die Geräusche eines Lachanfalls.

»Neinnein«, sagte die Stimme am anderen Ende hektisch. »Es gibt keine Probleme, sie sind natürlich alle willkommen in Altötting, bitte sagen Sie das unbedingt Ihren … äh … Kunden!«

Fatou zählte innerlich bis vier, um die unangenehme Pause schön auszudehnen. »You know«, fuhr sie fort, »wir sind keine travel agency. Wir sind das board. Die Stelle, die … beratet. Alle Reisewarnung und Information uber Gebiete in der Welt for American tourists. Wenn es geht, wurde ich gerne mit den Burgermeister ein Termin machen, personlich zu sprechen.« Grace fielen fast die Augen aus dem Kopf. Sie hatte sich zur Seite gerollt und klopfte auf die Couch. Fatou wedelte in ihre Richtung, dass sie es leise tun solle. Sie musste sich ja selbst zusammenreißen, um ernst zu bleiben.

»Ich kann Ihnen einen Termin geben bei unserem Tourist Office Altötting?«, schlug die Frau vor.

»Thank you«, sagte Fatou über eine ganze Oktave verteilt in einem falschen freundlichen Ton, der klang, als hätte ihr jemand soeben ein hässliches selbstgemachtes Gemälde geschenkt. »Aber ich denke ist besser, wenn wir direkt sprechen, der Burgermeister und ich. Es ist ein Angelegenheit, die auch fur Sie besser ist, wenn nicht sehr publik wird vielleicht, okay? Ich bin noch zwei Tage in Munchen. Im Moment ich kann zu Ihnen kommen.«

Fatou zwinkerte Grace mit einem Auge zu und lächelte. Die Frau in der Behörde gab ihr mit resignierter Stimme tatsächlich einen Termin mit dem Bürgermeister.

»Thank you, Sweetheart«, sagte Fatou. »So much! Dann ich komme zu ihn an Freitag um zehn.«

»Welchen Namen soll ich eintragen?«, fragte die Beamtin.

»Äh –« Fatous Blick fiel auf eine Cremetube von Johnson & Johnson neben der Couch. »Johnson. Charlene Johnson«, sagte sie. »Auf wiederhören.« Sie legte auf. Grace schrie vor Vergnügen und verlangte ein High Five. Fatou versicherte sich, dass die Telefonverbindung auch wirklich beendet war. Dann schlug sie ein und ließ sich auf die Couch plumpsen.

»Ich hätte nicht gedacht, dass das in dir steckt«, sagte Grace. »Du bist eine super Schauspielerin!« Fatou winkte ab und freute sich.

«Das gefällt dir besser als Putzfrau zu sein, ja? ›International Tourist Board‹.«

»Auf jeden Fall«, sagte Fatou.

»Ich treffe mich gleich noch mit ein paar Leuten von unserer Gruppe im Biergarten«, sagte Grace. »Komm doch mit. Bevor du fragst, nein, du störst nicht, es ist keine Arbeitsbesprechung. Wir verbringen auch Freizeit miteinander.«

Fatou nahm dankbar an. Ein weiterer Tapetenwechsel von Tante Hortensias Garten war ihr mehr als willkommen.

***

Der Biergarten war voll. Unter den ausladenden Kastanien waren hunderte Menschen versammelt. Ältere Männer in Lederhosen tranken neben jungen Frauen im Studentinnen-Look, und Halbstarke, die sogar im Sommer

Bomberjacke trugen, saßen neben Touristen. Wandergruppen schielten sich gegenseitig auf die Brotzeitteller.

Grace hatte ihre Gruppe entdeckt und winkte ihnen zu. Sie hatten einen Biertisch in der Sonne für sich allein. Grace begrüßte ihre Leute mit Handschlag, bis auf eine, der sie einen Kuss hab. Fatou hatte sie schon einmal gesehen. Sie war die junge Frau, die auf dem Kulturfest bei der Unterhaltung mit Besuchern am Stand so kämpferisch gewirkt hatte. Aus der Nähe betrachtet wurde allerdings klar, dass sie sich getäuscht hatte. Sie … er … hatte einen dünnen Oberlippenbart und beeindruckend muskulöse Schultern.

»Darf ich vorstellen?«, sagte Grace. »Ihr habt euch ja schon beim Fest kennengelernt. Kenny macht unsere Homepage.«

Während Fatou versuchte, sich ihre Verwirrung nicht anmerken zu lassen, ging sie im Kopf noch einmal den Moment vom Kulturfest durch. Es waren doch eindeutig weibliche Rundungen unter dem T-Shirt zu sehen gewesen, und kein Bart über den vollen Lippen?

»Hi«, sagte Fatou und zwang sich, Kenny nicht auf den Busen zu schauen.

»Verrat ich nicht«, sagte Kenny und zwinkerte, während Fatou ein bisschen rot wurde.

Ein Mann, der neben Kenny gesessen hatte, reichte Fatou die Hand. Er hatte beim Flyer-Verteilen gute Laune gehabt, erinnerte sich Fatou.

»Mamadou. Enchanté«, sagte er mit französischem Akzent. Dann stellte Grace sie den übrigen beiden vor, Ismael aus Algerien und Abadin aus Bosnien. Fatou setzte sich Grace gegenüber und bestellte ein Radler mit alkoholfreiem Bier. Sie streckte die Beine aus und sah in die großen Kastanien. In Hamburg gab es keine richtigen Biergärten.

Dafür hatte sie dort eine internationale Nachbarschaft. Ihr Kiosk war indisch, die Menschen in den Cafés afrikanisch und die Bäckereien libanesisch. Es verband sie etwas, das über Nachbarschaft hinaus ging. Zu wissen, wie es war, in diesem Land *toleriert* zu werden, und zu wissen, dass die anderen es ebenfalls wussten. Fatous Arbeitskolleginnen hatten das nicht verstanden und sich immer wieder nach der Kriminalität in ihrem Stadtteil erkundigt. »Wie du da nur wohnen kannst … mit Kind". Sie hatte einmal halbherzig versucht, es zu erklären, das aber bald wieder aufgegeben. Es war den Kolleginnen zu mühsam gewesen, sich in sie hineinzuversetzen, und Fatou zu unangenehm, über ihr privates Sicherheitsgefühl zu sprechen.

»Heute früh waren wir auf dem Refugeekongress in München", sagte Ismael. Er erklärte Fatou, dass sie im Moment dafür kämpften, dass Ausbildungen in Deutschland anerkannt würden. »Ich bin Ingenieur«, sagte er, »und arbeite als Küchenhilfe. Du kannst das machen oder putzen, wie auf der Plantage, das gefällt ihnen.«

Abadin nickte lebhaft. »Ich habe eine Nichte in Augsburg. Sie schwänzt immer die Schule. Ich sage ihr dann, dass wir kämpfen, um überhaupt einen Abschluss anerkannt zu bekommen. Die halbe Welt würde alles geben, um in Deutschland einen Abschluss zu haben, und sie hat die Möglichkeit und wirft sie einfach weg.«

»Könnt Ihr das bitte meiner Tochter erzählen?«, sagte Fatou. »Ich will, dass sie aufs Gymnasium geht, damit sie später bessere Chancen hat. Aber sie will nicht.«

Grace drehte ihr Glas in den Händen hin und her.

»Ich habe mit fünfundzwanzig das Abitur nachgemacht. Das war so furchtbar. Danach wollte ich gar nicht mehr studieren.«

»Wenn du dir aussuchen kannst, ob du studierst oder nicht, ist es was anderes«, sagte Mamadou.

Grace schnaufte verächtlich. »Ich habe mir nicht freiwillig ausgesucht, dass es unerträglich war auf dieser Schule.«

Kenny legte ihr zur Beruhigung die Hand auf den Arm. »Auf dem Kongress haben Leute erzählt, dass in ihrem Landkreis geflüchtete Kinder immer noch nicht in die Schule dürfen. Das geht gar nicht.«

Ismael machte eine genervte Geste. »Die muslimische Gemeinde kriegt ein ganzes Kulturzentrum«, sagte er. »Und was kriegen wir?«

»Orhan wird bestimmt mit uns kooperieren", sagte Abadin. Grace klimperte sarkastisch mit den Augenlidern. Um die Stille zu überbrücken, nahm Fatou einen Schluck Radler.

»Wir haben über dich gesprochen«, sagte Kenny. »Grace hat erzählt, dass du bei dem Kapellen-Anschlag dabei gewesen bist und jetzt auf eigene Faust diese Typen schnappst. Bravo.«

Fatou hob beide Hände. »Dann hat sie bestimmt auch erzählt, dass ich nur Kaufhausdetektivin bin. Die … Ermittlungen von mir müsst ihr euch eher wie ein Hobby vorstellen. Ich versuche es rauszufinden, weil meine Tochter mich emotional erpresst.«

Und weil Isabels kleine Schwester entführt worden ist, dachte sie. Hoffentlich konnte Isabel das alles verkraften. Hoffentlich waren die Entführer human. Hoffentlich spielten sie Sophie irgendeine Abenteuergeschichte vor und kümmerten sich um sie. Wo Sophie jetzt wohl war?

»Wäre aber gut, wenn die geschnappt würden. Wenn du mal digitale Hilfe brauchst oder Auskunft, sag Bescheid. Ich hab da Möglichkeiten«, sagte Kenny mit geheimnisvollem Grinsen. »Ich war bei der *Bavaria Global*

Marktforschung. Die Firma ist insolvent gegangen, und wir haben fünf Monate kein Gehalt bekommen. Also hab ich mir meine Entschädigung selbst ausgezahlt. Login funktioniert noch und im Back-End: Alle Datenbanken schön erhalten. Träumchen.«

»Back-End?«, fragte Fatou.

»Entschuldige. Für Muggles: Ich habe einen Zugang zu den ganzen Marktforschungs-Datenbanken. Die sind echt unterhaltsam.«

»Kenny kann so ungefähr alles rausfinden, was du noch nie über jemanden wissen wolltest«, sagte Abadin.

Fatou war gleichzeitig entzückt und entsetzt. »Vielleicht komme ich darauf zurück«, sagte sie. »Bisher mache ich das eher –«

»... analog«, ergänzte Kenny grinsend. »Macht ja nichts, das ergänzt sich. Außerdem hilft dir Grace. Mit ihr hast du gute Chancen.«

Grace schaute ein bisschen verlegen drein und winkte ab. »Ich hätte schon was zum Nachsehen«, sagte Fatou. »Der Bürgermeister, dieser Piekow ...«

»Kannst du vergessen«, winkte Kenny ab. »Den hab ich schon lang gecheckt, aus reinem Eigeninteresse. Der ist so sauber wie sonst was. Schon fast ekelhaft. Noch nicht mal künstlich sauber, sodass auffällig gar nichts über ihn zu finden wäre. Es gibt schon ein paar lustige Sachen hier und da, aber eben nichts wirklich Fieses. Eine Softporno-DVD in zwei Jahren, das war's. Keine Nazibiografie, keine Waffen, keine Lover. Furchtbar ist der.«

»Bisher hält er sich im Wahlkampf auch einigermaßen zurück, oder?«, sagte Fatou.

»Natürlich, der feine Herr muss sich nicht schmutzig machen. Das macht der Pöbel für ihn«, sagte Grace.

»Gestern wurde ich kontrolliert«, sagte Ismael, »einfach so. Das ist mir seit Jahren nicht mehr passiert. Ich kam mir vor wie an der Grenze. ›Ihre Papiere bitte‹, als ich in den Bus einsteigen wollte. Dem Busfahrer hat die Fahrkarte nicht gereicht, er wollte auch noch meinen Ausweis sehen. Ich habe mich aufgeregt und ihm gesagt, dass er dazu kein Recht hat. Er hat mich einfach nicht einsteigen lassen. Dann hat er sogar gedroht, die Polizei zu rufen. Dabei habe ich gar nichts gemacht.« Ismaels Hände zitterten, als er sich eine Zigarette anzündete. »Dadurch habe ich meinen Termin bei der Behörde verpasst, und jetzt machen die mir Stress.«

Die anderen pflichteten ihm bei und erzählten ähnliche Geschichten.

»Seit der Sache mit der Kapelle ist es schlimm geworden«, sagte Abadin. Er war Student und vor zwei Jahren nach Bayern gekommen. »Inzwischen machen sie gar keinen Unterschied mehr. Für die sind wir alle gleich. Muslime, Terroristen, Belastung, Bedrohung …« Er hatte auf Facebook gelesen, dass es jetzt in der Stadt das Gerücht gab, ›afrikanische muslimische Terroristen‹ hätten ein kleines Mädchen entführt.

»Ist die Höhe«, sagte Ismael. »Nächsten Monat sind wir auch am Hochwasser schuld und an der Korruption und wenn jemand sich beim Skifahren den Arm bricht, dann waren es auch ›afrikanische Muslime‹.«

Grace lachte. Fatou wurde unruhig. »Kann ich dich kurz entführen, Grace?«

»Kein Problem, ich muss sowieso aufs Klo.«

Fatou nahm ihre Handtasche und stand auf. Langsam schlenderten sie den Kiesweg entlang zur Gastwirtschaft, begleitet von den durchdringenden Blicken des lokalen Biergartenpublikums.

»Du hast ihnen nicht verraten, dass ich die Familie von dem entführten Mädchen kenne, oder?«, flüsterte Fatou. Grace stieß ihr einen Ellbogen in die Rippen.

»Natürlich nicht. Hältst du deine Versprechen nicht, dass du so was fragen musst?« Die Toilette wurde frei und sie gingen gemeinsam hinein. Grace setzte sich.

»Ich will nicht, dass darüber getratscht wird. Wegen meiner Tochter. Und wenn ich wieder nach Hamburg zurück fahren müsste, würde ich Isabel im Stich lassen. Das bringe ich nicht übers Herz. Du müsstest sie mal sehen.« Grace signalisierte, dass sie zuhörte, während sie anderweitig körperlich beschäftigt war. »Danke, dass du mir hilfst. Das gibt mir das Gefühl, dass ich nicht zu tausend Prozent überfordert bin, sondern nur zu fünfhundert Prozent.«

»Keine Ursache«, sagte Grace. »Du kämpfst für eine gute Sache, und ich unterstütze dich, wo ich kann. Außer bei deinem Termin mit dem Bürgermeister, da kannst du alleine hingehen.« Sie zog die Spülung. »Wann ist der, am Freitag?« Fatou nickte. »Ich will ihn mir anschauen. Was für ein Typ er ist. Ob das alles auf seinem Mist gewachsen sein kann. Zumindest will ich ein Gefühl dafür kriegen.«

»Du brauchst unbedingt die richtige Frisur«, sagte Grace. »Du gehst als amerikanische Tourismusdings hin, deine Haare müssen kitschig sein und ganz sleek.«

»Ja, leider«, sagte Fatou. »Eigentlich hat meine Tochter viel dringender ein Haarstyling nötig als ich.« Sie berichtete von Yesims im Nacht- und Nebel-Protest selbst entfernten Zöpfchen. Grace lachte sie aus, während sie sich die Hände wusch. »Ich kann nicht glauben, dass du ihr kein Rasta flechten kannst.«

Während Fatou auf der Toilette saß, ärgerte sie sich ein bisschen. Was sollte sie denn noch alles tun und können, um als gute Mutter zu gelten?

Als die beiden zurückkamen, waren die anderen gerade dabei, noch eine Runde zu bestellen. Fatou lehnte dankend ab.

»Jetzt hast du uns gar nicht erzählt, wie du hier aufgewachsen bist«, sagte Grace. Fatou war froh. Sie hätte im Moment nicht gewusst, was sie hätte berichten sollen. Die Version, die sie in Erinnerung behalten hatte, vom Spielen auf den Feldern und lustigen Schlittenfahrten. Oder die Version, die sich nach und nach aus verdrängten Untiefen ins Gedächtnis schob. Von Passanten, die ihr auf die Füße spuckten, schlimmen Liedern im Kindergarten und dem ständigen Gefühl, fremd in der eigenen Heimat zu sein.

»Da gibt es nichts Aufregendes«, sagte sie. Mamadou schob seine Fanta zur Seite und sah Fatou an.

»Warst du mal an einem Stammtisch?«, fragte er.

Fatou verstand nicht ganz. Ismael erklärte, dass Mamadou und er sich seit Monaten eine Fantasie teilten. Sie würden zum Frühschoppen in ein angestammtes Wirtshaus gehen, das einen Stammtisch hatte. Am besten einer, der schon seit Ewigkeiten an dieselben Männer vergeben war. An dem Tisch, der traditionell als einziger eine Glocke trug, und selbst bei viel Betrieb immer für die Stammtischmänner freigehalten wurde, wollten sie sitzen.

»Und dann alkoholfreies Bier trinken«, prustete er. Mamadou hielt dagegen, dass das Bier in jedem Fall »echt« sein müsse und alkoholfrei nicht in Frage kam.

»Ich war mal als Azubi an einem Stammtisch«, sagte Kenny. »Aber nur fünf Minuten. Musste meinen Meister rauszerren. Das hat mir gelangt.«

»Die ganze Sauferei schon am frühen Morgen, das ist eigentlich nichts für mich«, sagte Grace.

»Aber man sollte es mal gesehen haben«, sagte Abadin. »Wenn du hier im Wirtshaus sitzt, gehörst du dazu.«

Als Mann, dachte Fatou. Sie konnte sich nicht daran erinnern, dass sie in einem Wirtshaus jemals Frauen gesehen hätte, die am Vormittag literweise Bier getrunken hätten.

Aber vielleicht waren die Zeiten jetzt anders und die Emanzipation erlaubte in Bayern inzwischen auch Frühschoppen für Frauen und Beruhigungstabletten für Männer.

»Ich war schon oft in einem Wirtshaus, aber noch nie an einem Stammtisch«, sagte Fatou. »Ich weiß gar nicht, ob Frauen an einem Stammtisch sitzen können ohne Hausverbot zu bekommen, wenn sie für die Männer nicht Platz machen. Ich hab mir als Kind manchmal vorgestellt, dass ich an einem Stammtisch sitze, wenn ich erwachsen bin. Aber ich hab's nicht eingehalten. Ich wohne ja auch in Hamburg.«

»Als du ein Kind warst, gab's noch kein AGG«, sagte Grace. Die Runde lachte. »Jetzt will ich aber auch da hin. Warum sollten wir da nicht sein? Weil wir Schwarze sind und manche von uns Frauen? Ich sag euch was: Am Wochenende gehen wir ins Wirtshaus und setzen uns an den Stammtisch. Wir schaffen das.«

Fatou war unentschlossen. Der Gedanke gefiel ihr. Aber es war auch ziemlich albern *und* der Stoff, aus dem Skandale waren.

»Nicht Skandale«, sagte Grace, »Legenden! Dann wirst du eine örtliche Legende: *Die schwarze Frau, die am Stammtisch gewesen ist. Neben der richtig Schwarzen Frau.*« Kenny und Mamadou prusteten vor Lachen. Grace warf Fatou einen Blick zu, der deutlich machte, dass sie es ernsthaft vorhatte.

»Dann wird deine Tochter später stolzer auf dich sein als wenn du einen Oscar oder Nobelpreis gewonnen hättest.«

Kenny, Mamadou, Abadin und Ismael schlugen mit Grace darauf ein. »Mach noch mal dein Telefonat als amerikanische Tourismusfrau, dann geben sie dir vielleicht den Stammtisch«, sagte Grace. Fatou dachte darüber nach. Es könnte klappen. Sie könnte sich am Telefon als internationale Reiseagentur ausgeben. Warum eigentlich nicht. Sie versprach, es zu versuchen, falls sie nicht der Mut verlassen würde.

»Ich erinnere dich daran!«, sagte Grace.

Frau Fall. Das ist eine schöne Überraschung«, sagte Pater Simone, als sie um sechs Uhr bei Morgennebel auf dem Busbahnhof aufliefen. Sie waren gut ausgerüstet mit Rucksäcken, Sportsocken, Thermoskannen, Keksen, festem Schuhwerk und Jacken, die sich in mehreren Schichten an und ausziehen ließen. Es war zwar nur ein Tagesausflug, aber in den Bergen gab es große Temperaturunterschiede und nicht alle zehn Meter einen Supermarkt. Yesim und Isabel hatten sich die Haare zu je zwei Zöpfen geflochten und sahen aus wie globalisierte Versionen von Heidi.

Fatou wusste nicht, ob sich Isabel normalerweise freiwillig körperlichen Ertüchtigungen hingab, aber bei Yesim war das nur der Fall, wenn sie dabei am selben Fleck bleiben konnte. Tanzen war gut, joggen nicht. Turnen war in Ordnung, Fußball nicht. Kürzlich hatte sie Yesim dabei überrascht, wie sie Twerken übte, und sich schwer zusammennehmen müssen, um nicht »süß« zu rufen, zu lachen oder ein Foto zu machen. Als sie Yesim und Isabel mitgeteilt hatte, dass sie alle gemeinsam an Pater Simones Wandertag teilnehmen würden, hatten die Mädchen sich sogar ein bisschen gefreut. Als Alternative zum zwangsweisen Aufenthalt auf Tante Hortensias Grundstück war Wandern wohl doch die interessantere Aussicht.

Neben Pater Simone stand ein etwas zerzaust aussehender SPD-Bürgermeisterkandidat Niederwieser, der sich an einem

Plastikbecher mit Kaffee festhielt und gequält versuchte, zu lächeln und die Augen offen zu halten. Fatou gab dem Pater das Geld für den Wandertag, er bedankte sich überschwänglich. »Den Hauptteil hat die SPD gespendet. Es kommt alles der Jugend zugute. Frische Luft und Bewegung gibt es nicht nur auf dem Fußballfeld.«

Die Kinder, die er damit meinte, waren anscheinend größtenteils aus einer jüngeren Gruppe seines Fußballtrainings rekrutiert. Fatou schätzte sie auf zwischen zwölf und sechzehn Jahre. Die Jungen hatten Trikots oder T-Shirts an, saßen in kleinen Gruppen am Bordstein und aßen mitgebrachte Brote. Yesim und Isabel waren die Jüngsten, und außer ihnen waren nur zwei weitere Mädchen dabei.

Im Reisebus saßen Yesim und Isabel nebeneinander, kicherten und lasen ein Heft. Fatou beanspruchte zwei Sitze für sich. Während der Fahrt sah sie aus dem Fenster und hing so sehr ihren Gedanken nach, dass sie das Lachen und Poltern der Kids um sich herum ausblenden konnte. Sie las die Ausfahrten und Wegweiser auf der Autobahn. Freilassing, Salzburg, Bad Reichenhall. Lauter Orte, die in ihrer Kindheit Ausflüge verheißen hatten. Die Tanten waren mit Wanderstöcken ausgestattet gewesen, und sie hatte stolz ihren eigenen Brotzeitrucksack getragen. Auf ihren festen Bergschuhen waren kleine Enzian-Knöpfe gewesen.

Nach etwa anderthalb Stunden fuhr der Bus von der Autobahn ab. Die Berge waren so nah, dass Fatou glaubte, sie berühren zu können, wenn sie die Hand ausstreckte. Die Luft war klar. Sie würden sehr gute Sicht haben. Yesim und Isabel lösten sich von ihrer Lektüre und sahen aus dem Fenster. Yesim las laut vom Ortsschild vor: »Berchtesgaden«.

Der Bus fuhr ein Stück den Berg hinauf und parkte an einer großen Station, an der es Stöcke, Wimpel, Halstücher,

Postkarten und allerlei Bergsouvenirs zu kaufen gab. Fatou versprach Yesim, ihr ein Wanderabzeichen zu kaufen, wenn sie es schaffen würde, den Aufstieg zu absolvieren, ohne dabei die Vokabel »peinlich« zu benutzen. Yesim kicherte und verspielte ihren Gewinn auf der Stelle.

Der Tross setzte sich langsam in Gang. Fatou freute sich jetzt schon auf die Rastplätze und Hütten, an denen sie Brotzeit machen würden. Nach etwa einer halben Stunde auf sanft ansteigenden Kieswegen hatte sie sich damit abgefunden, dass es tatsächlich die ganze Zeit bergauf gehen würde, und schloss zu Simone und Niederwieser auf, die vorn liefen.

»Sie sind es wahrscheinlich gewöhnt, so viele Kinder zu betreuen und sich dabei noch selbst sportlich zu betätigen«, sagte sie zu Pater Simone. Er trug ein kurzärmliges rotkariertes Hemd, das so eng anlag, dass eigentlich Schweißflecken hätten sichtbar werden müssen. Es waren aber keine zu sehen.

Er lachte. »Das Fußballtraining hält mich fit. Aber unser Aufstieg hat eigentlich noch gar nicht begonnen.« Fatou schnaufte. Sie würden etwa sieben Kilometer wandern und etwas kraxeln, moderierte Simone, »eine wunderschöne, malerische Route mit herrlichem Ausblick«. Fatou fragte sich, wo sie genug Energie für das Bewundern der ganzen Pracht der Schöpfung des Lieben Herrgott hernehmen sollte. Sie sah zu Niederwieser. Der befreite seine Lungen – dem Geruch seines Rucksacks nach zu Schließen vom Zigarettenrauch – und wies an Schweißflecken auf, was Simone fehlte.

»Wandern Sie regelmäßig?«, konnte sie sich nicht verkneifen, ihn zu fragen.

»Schon«, sagte Niederwieser kurzatmig. »Meine Frau treibt mich zweimal im Jahr den Berg hoch und runter, wie ein Rindvieh. Mir macht das nichts mehr aus. Ich komme ja sonst kaum zum Sport.«

Hinter ihnen grölten drei Jungs, die sich untergehakt hatten, ein Wandergedicht über einen Hut, einen Stock und einen Regenschirm. Fatou kannte das Lied noch von früher. Aus Rücksicht auf Yesims neuerliche Peinlichkeitssensibilität verkniff sie sich, mitzusingen.

Yesim und Isabel gingen zusammen mit den beiden anderen Mädchen. Sie lachten, schäkerten und sangen Popsongs. Yesim hatte Mühe, mitzuhalten. Isabel schien unbekümmert. Als sie über Kieselsteine einen dünnen Bach überquerten, sang und hüpfte sie ausgelassen. Am Wegesrand stehende Kühe begrüßte sie mit »Guten Tag« und »Na, auch hier?« und wedelte vor ihnen mit Grashalmen herum. Fatou war froh und dankbar, dass die Unternehmung sie offenbar auf andere Gedanken brachte. Sie selbst war konzentriert und nachdenklich. Sie war nicht nur zum Wandern hier, sondern in erster Linie, um Niederwieser nach schmutziger Wäsche der CSU und der Burschenschaft auszuhorchen. Und um Pater Simone auf den Zahn zu fühlen, was mit Martin los war. Sie würde es langsam aber bestimmt angehen, nahm sie sich vor.

Nach einer Weile machten sie Rast an ein paar Tischen und Sitzbänken neben einem Gebirgsbach. Die Kinder aßen Pausenbrote und weichgewordene Schokoriegel und tranken Limonade. Pater Simone füllte seine mitgebrachte Wasserflasche im Bach auf und erklärte, dass die Quelle ganz in der Nähe sei. Es war inzwischen heiß geworden. Die Sonne brannte ihnen auf die Nasen und Wangen. Fatou erinnerte Yesim und Isabel, die Sonnencreme zu erneuern und cremte ihr eigenes Gesicht nach. Sie schaute absichtlich streng drein, um Fragen oder Kommentaren vorzubeugen und verstaute die Tube in ihrem Rucksack. Bald würde es so heiß sein, dass das Wandern beschwerlich werden würde.

Simone stellte sich auf einen Baumstumpf und hielt eine Ansprache über das Tal, das hinter ihnen lag. Beim Aussprechen des Wortes »Kraxelstrecke« brauchte er Assistenz von Niederwieser und mehreren lachenden Buben, die sich über sein »Krxlaxstäckern« kaum noch einkriegten. Er wechselte minimal seine Gesichtsfarbe und forderte zum Weitergehen auf. Niederwieser schnaufte zunehmend, was Simone nicht dazu veranlasste, langsamer zu gehen. Fatou hielt sich tapfer im hinteren Drittel. Sie nahm sich vor, die beiden Männer bei der Mittagsrast in ein Gespräch zu verwickeln. Simone wusste mehr als sie, dessen war sie sich bewusst. Vielleicht würde sie etwas heraushören können. Er wusste ja nicht, dass sie in der Kapelle gewesen war – das hoffte sie jedenfalls. Der gruselige Mann, der sie beim Herausgehen so ekelhaft angegrinst hatte, hatte mit Simone bestimmt etwas anderes in der Kapelle zu besprechen gehabt, als dass er sie hatte herauskommen sehen.

Der Weg wurde schmaler und ging in einen Pfad über, der von einem hölzernen Geländer eingerahmt war. Es wurde steiler und die Gruppe langsamer. Wanderschuhe knirschten auf Kieselsteinen. Als sie nach einiger Zeit den Imbiss erreicht hatten, war Fatou dankbar über die Pause. Sie wollte sich nicht anmerken lassen, dass sie außer Puste geraten war. Vor der Gaststätte im traditionellen Almwirtschafts-Look setzte sich die Gruppe unter große Sonnenschirme. Sie bestellten Wiener Würstchen und Pommes und genossen die Aussicht über das Tal, aus dem sie heraufgewandert waren. Von hier aus war der Höhenunterschied beeindruckend.

Fatou passte einen guten Erwachsenen-Augenblick ab, in dem Simone gerade etwas in einem Notizbuch nachsah und Niederwieser sich mit einem Taschentuch die Stirn trocknete. Sie schlug vor, sich etwas abseits von den Kindern zu setzen, um über die Wahlen am Sonntag zu sprechen. Niederwieser ging gleich voran, um einen Tisch im Schatten in Beschlag zu nehmen. Simone schien weniger begeistert. Wie ein Junge, der geschickt worden war, sein Zimmer aufzuräumen, kam er mit seinem Proviant hinterher. Seine »Brotzeit« bestand aus einem Apfel.

»Ich darf ja leider nicht im Landkreis Altötting wählen«, begann Fatou, »aber es interessiert mich natürlich trotzdem«. Sie versuchte, es Niederwieser so einfach wie möglich zu machen. »Ich und meine Tochter haben immerhin unsere Wurzeln hier. Aber finden Sie es nicht auch furchtbar, was manche Parteien für einen Wahlkampf machen? Was wollen Sie denn jetzt gegen diese feindliche Stimmung unternehmen?«

Niederwiesers zuvor leutseliger Gesichtsausdruck fiel in sich zusammen, als sei er von der Frage beleidigt. »Am Samstag ist das Fernsehduell, da werde ich das natürlich ansprechen«, sagte er. Pater Simone leistete ihm Beistand.

»Die CSU hier ist nicht so aktiv wie wir. Schauen Sie, was wir für einen schönen Wandertag haben. Und bei meinem Fußballtraining kommen die Kinder aus vielen Ländern und Kulturen.« Etwas leiser fügte er hinzu: »Es sind sogar ein paar Muslime dabei.« Fatou beherrschte sich, nichts Schnippisches zu sagen und weiter zuzuhören. »Die Eltern haben nichts dagegen. Sie vertrauen mir – und natürlich Herrn Niederwieser. Was sollen die muslimischen Jungen auch machen? Wir sind die einzige Anlaufstelle, die sie für Freizeit jenseits von Konsum haben.«

Fatou konnte sich nicht vorstellen, dass Orhans Verein keine Angebote für Jugendliche machte. Sie nahm sich vor, ihn oder Grace danach zu fragen. »Na ja«, sagte sie, »wenn das islamische Kulturzentrum fertig ist, wird Sie das sicher auch entlasten.« Niederwieser hustete.

»Ja, natürlich, natürlich«, sagte Simone. »Ein gutes Projekt, wirklich sehr gut. Aber nicht realistisch. Die gelebte Integration wie bei uns kann so ein Projekt nicht ersetzen. Es gibt so viele Parallelgesellschaften in Deutschland, die Buben sollen doch nicht vereinnahmt werden, sondern einmal bessere Chancen h–« »Geh!«, unterbrach ihn Niederwieser. »Jetz red' doch nicht auf die Fatima ein mit den ganzen Projekten, das ist für sie doch langweilig, wo sie gar nicht hier wohnt. Stimmt's?« Fatou musterte ihn und sein schlecht gespieltes Lächeln. Was war hier los? Konnten er und Simone sich überhaupt ausstehen? Es machte nicht den Eindruck. Warum hingen sie dann so viel zusammen? War Simone ernsthaft der Ansicht, dass ein muslimisches Zentrum Kinder in die Parallelgesellschaft führen würde, aber nicht ein christlicher Jungenfußballclub? *Fang jetzt keinen Nebenkriegsschauplatz an*, sagte eine Stimme in ihr linkes Ohr. *Erinnere dich daran, was du herausfinden wolltest – Konzentration!* Fatou räusperte sich.

»Und was sagt die CSU zu dem Thema?«

Simone warf Niederwieser einen bewölkten Blick zu. »Die CSU ist noch gar nicht bei dem Thema, äh, angekommen«, sagte er.

Fatou vermutete, dass die CSU womöglich sehr wohl bei dem Thema angekommen sei, allerdings auf eine unerfreuliche Art. »Also, das, was an Ihrer Kapelle passiert ist, passt denen doch jetzt schon sehr gut in den Wahlkampf«, sagte sie.

Niederwieser verschluckte sich an einem Stück Würstchenhaut.

»Kommen Sie«, sagte Fatou zu ihm, »den Gedanken müssen Sie doch auch schon gehabt haben.«

Er hustete zu Ende und löschte mit einem großen Schluck Spezi. »Dazu kann ich nichts sagen«, knurrte er. »Aber wundern tät's mich nicht.«

Pater Simone war inzwischen dazu übergegangen angestrengt und weggetreten in die Ferne zu lächeln. Er machte keine Anstalten, zu dem Gespräch noch etwas beizutragen. *Er hofft, dass ich ihn nicht anspreche, wenn er selig abwesend aussieht*, dachte sie. *Gleich bekommt er einen Krampf in den Mundwinkeln.*

»Und Sie stehen tatsächlich der SPD näher als der CSU?«, fragte sie ihn.

»Ja, natürlich«, sagte er schmallippig. »Wir sind gut befreundet.« Er sah Niederwieser an, der seinen Blick erwiderte. Dabei sah aber keiner von beiden besonders liebevoll drein.

»Schadet das nicht Ihrem priesterlichen Einfluss, nicht der christlichen Partei nahezustehen – in einem Ort wie Altötting?«

Simone lächelte. »Als Geistlicher bin ich niemandem Rechenschaft schuldig. Ich beurteile nach Charakter, nicht nach Partei. Das Wohl der Jugend ist am wichtigsten.«

Niederwieser stand auf und ging in Richtung Toilette, und Simone nutzte den Moment, um einen vorbeilaufenden Jungen anzuhalten und über das Wohlergehen seines Bruders zu befragen. Offensichtlich wollten beide Männer krampfhaft das Gesprächsthema beenden. Fatou nahm es zur Kenntnis, ließ Simone sitzen und sah nach Yesim und Isabel. Sie teilten sich gerade eine Schale Pommes in einem See von Ketchup. Yesim sah dabei genervt aus.

»Mama. Kannst du ihr bitte sagen, dass mein Papa kein Terrorist ist!«, rief sie, als sie Fatou bemerkte. Fatous Handrücken begann zu jucken. Das Mädchen mit dem glatten blonden Pony erschrak. Sie hatte Fatou nicht kommen sehen, wurde nun rot und fixierte ihren Trinkbecher. Fatou griff über den Tisch und schob das gesamte Geschirr zur Seite.

»Wie heißt du«, fragte sie.

»Christiane«, sagte Isabel mit verschränkten Armen.

»Christiane, jetzt hörst du mir mal ganz genau zu«, sagte Fatou. »Wenn du Menschen beleidigst, weil sie nicht blond sind, beleidigst du mich mit. Und ich bekomme schlechte Laune, wenn ich beleidigt werde.« Fatou traute ihren Augen nicht. Die Göre grinste sogar. »Richte deinem eigenen Vater aus, dass er dich sehr schlecht erzogen hat.« Christiane vermied immer noch Fatous Blick. »Obwohl es nicht notwendig ist. Ich richte es ihm selbst aus. Und jetzt entschuldigst du dich bei Yesim, außer natürlich, du willst nicht nur zu Hause Stress bekommen, sondern auch hier vor allen Leuten.«

»Mnschuldgn«, murmelte das Mädchen widerstrebend zu Fatou. Ihre Augen waren hellblau und ihre Lippen rosafarben. Sie würde einmal eine perfekte Republikaner-Politikerin abgeben oder eine Molkereibesitzerin im Werbefernsehen oder beides. In ihrem Blick war keinerlei Schrecken oder Respekt zu erkennen, nur Neugier. Unverhohlen musterte sie Fatous Nase, Lippen, Haaransatz. Fatou kannte diesen Blick. Die Unverfrorenheit des Kindes brachte Fatou in Rage. Mehrere Ohrfeigentechniken und dutzende Schimpfwörter gingen ihr durch den Kopf, die meisten davon an die Eltern des Mädchens gerichtet. Sie beherrschte sich. Wenn die Göre anfangen würde zu weinen, würde Fatou schlechte Karten haben. Die Tränen blonder Terroristinnen wogen schwerer als die Leben ihrer Opfer.

Das hatte sie schon in der Schulzeit gelernt, und Yesim hatte es auch gelernt. Es hatte Fatou das Herz gebrochen, als Yesim ihr unter Tränen der Wut und Trauer berichtet hatte, wie ein Mädchen sie in der Schule rassistisch beschimpft hatte. Als sie sich gewehrt und das Mädchen »Rassistin« genannt hatte, hatte diese geweint und war daraufhin von allen aus der Klasse getröstet worden. Die Lehrerin hatte Fatou angerufen und sie ermahnt, »den Bogen nicht zu überspannen«. Wenn Yesim die Atmosphäre in der Klasse »vergiften« würde, müsse sie die Schule verlassen, hatte die Lehrerin gedroht. Fatou hatte mit der Direktorin gesprochen und erreicht, dass der Lehrerin ein Antirassismustraining aufgezwungen wurde. Den Rest des Schuljahres hatte die Lehrerin sich zu Yesim kurz angebunden gezeigt und ihr durchweg schlechte Beurteilungen gegeben. Nach den Ferien war sie fort gewesen. Es war dieselbe Lehrerin gewesen, die einmal gesagt hatte, Yesim sei »für eine Südländerin ungewöhnlich gut in Mathematik«. Fatou wollte ihr damals ein ungewöhnlich großes Stück Tafelkreide ungewöhnlich fest in ihren ungewöhnlich lauten Hals rammen.

»Du musst lernen, dich besser auf Deutsch auszudrükken«, sagte Fatou zu dem Mädchen. »Wenn das eine Entschuldigung war, war sie leider nicht verständlich genug. Sag es nochmal laut und deutlich.«

Isabel kicherte. Das Mädchen nestelte an seinem Armband und bekam orangegescheckte Ohren. »Entschuldigung«, sagte sie mit heller Stimme.

Yesim sah sie triumphierend an. »Gut«, sagte Fatou. »Und jetzt cremt ihr euch alle nochmal ein. Nicht, dass hier eine noch einen Sonnenbrand bekommt. Das gibt im Alter ganz schlimme Krankheiten. Wer keinen Sonnenschutz hat, altert insgesamt viel schneller.« Yesim lachte laut auf. Isabel war nicht anzusehen, ob sie die Bosheit verstanden hatte. »Setzt euch doch am besten zu den ordentlichen Kindern«, sagte Fatou. »Die da drüben sehen ganz nett aus. Demnächst brechen wir sowieso auf.« Ihr Ton ließ keine Widerrede zu. Yesim und Isabel packten ihre Sachen und gingen an einen anderen Tisch. Christiane blieb alleine sitzen.

Fatou erkundigte sich bei Pater Simone nach der Herkunft des Mädchens. Sie berichtete ihm, nur für das Protokoll, dass Christiane etwas sehr Unfeines gesagt hatte. Dann notierte sie sich deren Nachnamen, nur für alle Fälle.

Danach ging Fatou hinter die Gaststätte, um nicht vor den Kindern mit dem Handy zu telefonieren. »Hey. Ich bin's«, sagte sie etwas verlegen.

»Das sehe ich an deiner Nummer«, sagte Grace.

»Ich bin in den Bergen beim Wandern.«

Grace machte ein zwitscherndes Geräusch zwischen den Zähnen, das Fatou als westafrikanische Version von »Und?« kannte.

»Mit Pater Simone und dem Niederwieser. Die sind auch dabei.«

»Aha«, erbarmte sich Grace. Fatou lehnte sich an die Hauswand.

»Du, sag mal. Die Idee, die du hattest, dass wir in die Burschenschaft als Putzfrauen reingehen. Bist du noch dran?«

»M-hm«, sagte Grace. »Ich mache mir ein Risotto.«

»Ich habe darüber noch mal nachgedacht. Wir sollten das doch machen. So bald wie möglich. Die Idee von dir war gut.« Fatou lauschte auf eine Antwort, hörte aber nur ein paar Bienen über sich im Dachbalken summen und das Schnattern der Kinder. Sie räusperte sich. »Also, es tut mir leid, dass ich so daneben reagiert habe, als du es vorgeschlagen hast.«

»Besser spät als nie«, sagte Grace. Fatou konnte und wollte ihre Erleichterung nicht verbergen.

»Ich kann versuchen, rauszufinden, wer dort normalerweise saubermacht«, sagte Fatou.

»Geh du mal wandern«, sagte Grace. »Ich mach uns das klar Inshallah. Sage dir später Bescheid. Ciao.«

Verdutzt betrachtete Fatou den »Gespräch beendet«-Bildschirm. Sie hoffte, dass sie Erfolg haben würden. Diese Stadt brauchte dringend eine Terroristenbildkorrektur. Wenn sie dafür etwas tun konnte, würde sie in dem Fall über ihren Schatten springen.

Nachdem alle fertig gegessen und sich ausgeruht hatten, verlautbarte Simone, dass jetzt noch ein guter Teil des Aufstiegs vor ihnen läge. Yesim und Isabel packten ihre Heftchen ein, schnürten sich die Turnschuhe neu und standen betont gequält auf. Yesim zelebrierte das Trödeln. Fatou erkannte so manches von dem morgendlichen Tanz wieder, den Yesim aufführte, wenn sie Gefahr lief, zu spät zur Schule zu kommen. Es brachte sie jedes Mal auf die Palme. Pünktlich zu sein, war ihr weitaus wichtiger, als es ihrer Tochter war. Sie sah in Richtung der Wandergruppe, die schon zum Weitergehen bereit war. »Na gut, ihr zwei. Dann bis später«, sagte sie.

Simone und Niederwieser setzten sich in Gang. Yesim und Isabel kamen hastig hinterhergeschlurft. Fatou triumphierte innerlich: Den »Na gut, dann bleib eben hier, übrigens gibt es hier abends Wölfe«-Trick gab es schon so lange, wie es Kinder auf der Welt gab, und er funktionierte immer noch. Sie beschleunigte, um zu den Herren der Schöpfung aufzuholen. Schweigend gingen sie nebeneinander her. Simone ließ den Blick nach links und rechts schweifen, betrachtete einen Greifvogel und zeigte mit langem Arm auf einen Wasserfall in der Ferne. Niederwieser war mehr mit sich selbst beschäftigt. Er sah geradeaus oder auf den Boden und wirkte konzentriert.

»Können Sie denn vom Wahlkampf abschalten oder müssen Sie die ganze Zeit daran denken?«, fragte Fatou. Er zuckte leicht zusammen. Dann lachte er ein kurzes trockenes Lachen, ohne sie dabei anzusehen. Sie ärgerte sich. Das war doch keine Art, so zu antworten. »Oder machen Sie hier gerade Wahlkampf?«, fragte sie spitz.

Niederwieser hustete als Übersprungshandlung. »Natürlich ist die Wahl wichtig. Aber den Kontakt zu den Jüngeren aufrecht zu erhalten, ist auch wichtig«, sagte er. Fatou fand, dass er bei diesem Ausflug bisher noch nicht viel Kontaktfreudigkeit zur Jugend gezeigt hatte. Während Pater Simone ständig etwas erklärte und in der Pause sogar kurz Hackysack mitgespielt hatte, machte der Politiker schon den ganzen Tag im Prinzip seine eigene Wandertour. Für ihn hätten die Kinder und Jugendlichen wohl auch eine Gruppe Zebras sein können, die einfach zufällig denselben Weg gingen. Auch ihr gegenüber hatte er sich bisher verstockt verhalten, und kein Gesprächsversuch mit ihm hatte sie weitergebracht. Sie war nicht dazu aufgelegt, weiterhin um seine maulfaule Laune herumzutanzen, aber sie würde nicht locker lassen. Irgendwann musste er doch mit zumindest einem Minimum an Wahlkampf-Schlamm herausrücken!

»Wenn Sie in den nächsten Tagen noch etwas für Kinder oder Jugendliche planen, helfe ich gerne als Betreuerin mit«, bot sie an. »Sie sind ja heute zum Beispiel zwei

Männer, und es ist gut, dass ich zufällig dabei bin. Ich meine, es sollten auch Betreuerinnen dabei sein. Für die Mädchen.«

Niederwieser schnaufte angestrengt. Er hielt den Kopf leicht geneigt und so, dass er sich jederzeit wieder von Fatou weg drehen konnte. Es war eine »Audienz«-Kopfhaltung, bei der die eine Person sich gnädig dazu bequemte, die andere Person kurz anzuhören. Fatou kannte diese Kopfhaltung gut. »Ich meine, was wissen Sie schon von weiblichen Teenagern«, provozierte sie ihn weiter. Eine Biene summte vorbei. Niederwieser scheuchte sie fort.

Simone lachte leise mit zu viel Verzögerung. »Danke für Ihr Angebot, Frau Fall«, sagte er. »Wenn Sie länger hierbleiben würden, wäre es eine sehr gute Idee. Vor allem für die ... multikulturellen Mädchen.«

Sie besann sich; es war keine gute Idee, den Priester anzuschnauzen. Nicht, dass sie auf eine Betreuung nichtmultikultureller Mädchen besonders Lust gehabt hätte. »Vielleicht verbringen wir ja in Zukunft die Sommerferien hier. Es ist immerhin meine Heimat.«

Eine kaum merkliche Welle zog sich über Simones Gesicht. Welcher Gefühlsregung sie genau entstammte, war schwer zu deuten. Fatou fokussierte ein Lavendelfeld in der Ferne zu ihrer Linken. Es war ein Versuch. Er gelang ihr. Aus ihrem peripheren Sichtfeld konnte sie erkennen, wie Simone Niederwieser einen kurzen scharfen Blick zuwarf. Niederwieser räusperte sich wieder. »Wenn du nächstes Jahr zum Kulturfest da bist, kannst du ja was Schönes kochen.« Fatou wartete einen Moment, bis der Satz in ihrem Gehirn einen Sinn ergab. Es geschah nicht, er ergab keinen. »Eine Spezialität aus deiner Heimat vielleicht«, sagte er.

Fatou schnaubte. Dieser Mann stand stand in gutem Kontakt mit der abgründigen Seite bayrischer Traditionspflege, so viel war sicher. »Vielen Dank für das großzügige Angebot. Zum Kochen komme ich als Unternehmerin ja wirklich nicht alle Tage.« Woher war das nur gekommen… Unternehmerin? Sie war arbeitslos und bislang ihr Leben lang Angestellte gewesen. Darüber würde sie später nachdenken müssen. »Fragen Sie doch Ihre Frau, die hat wahrscheinlich mehr Zeit dafür.« Niederwiesers buschige Augenbrauen zogen sich zusammen. Simone sah versunken in die Harmonie aller Tiere und Pflanzen auf dem Erdenrund religiös lächelnd in keine bestimmte Ferne. Fatou fragte sich, was wohl passieren würde, wenn sie selbst einmal diesen Gesichtsausdruck aufsetzen würde. Wahrscheinlich würde sie recht schnell von ihrer Tochter zur Reparatur eingeschickt werden.

»Was aber viel wichtiger ist, bevor ich es vergesse«, sagte sie. »Sie haben doch bestimmt von der Entführung gehört.« Niederwieser machte keine Anstalten, zu reagieren. »Sie wissen ja, dass ich Detektivin bin. Also, bitte geben Sie mir jede Idee, jede Spur und jeden Hinweis, den Sie haben, auch wenn es nur ein Verdacht ist.«

»Was für ein Verdacht denn?«, unterbrach Niederwieser sie und sah sie misstrauisch an.

»Vielleicht waren es Jugendliche«, sagte Fatou. »Sie beide kennen doch die örtliche Jugend so gut. Vielleicht verhalten sich manche von ihnen seit ein paar Tagen anders als sonst.«

Vielleicht haben sie ihre eigene Schwester entführt, dachte sie. Ein Teil von ihr hoffte es sogar. Wenn Martin Sophie entführt hatte, würde es ihr sicher nicht zu schlecht gehen. Niederwieser schwieg. Simone sah noch immer in die Ferne und runzelte die Stirn. »Ich will nur sagen, dass ich nicht die Polizei bin. Wenn Sie ein – Gefühl haben oder einen Verdacht, wird das für die Jugendlichen und Sie keine Folgen haben. Aber vielleicht für die arme kleine Sophie.«

»Wollen Sie auf etwas Bestimmtes hinaus?«, fragte Niederwieser. »Was wollen Sie jetzt von mir konkret?«

Konkret, ja, das war es. Konkret hatte Fatou nur das Wissen, dass Martin die Kapelle angesprüht hatte und dass Pater Simone Bescheid wusste, und damit vielleicht ja auch Niederwieser. Warum zum Teufel deckten sie Martin und nahmen nicht die Gelegenheit wahr, diese Burschenschaftler und ihre Auftraggeber in die Pfanne zu hauen? Warum nutzten sie das nicht für *ihren* Wahlkampf? »Konkret wüsste ich gern, ob es in der Superia-Burschenschaft in der Vergangenheit schon einmal zu Gewalttaten gekommen ist.«

Niederwieser schüttelte den Kopf. »Die Burschenschaft ist sicher nicht ganz koscher. Bin denen immer aus dem Weg gegangen. Gar nicht mein Klientel. Wenn ich du wäre, wäre ich da auch vorsichtig«, sagte er zu einer Gruppe Löwenzahnblüten, die unter seinem Schuh verschwanden. *Wenn du ich wärst, wärst du erst einmal weniger eingebildet*, dachte Fatou. Sie wandte sich zu ihrer Heiligkeit linker Hand. »Simone, was denken Sie über die Burschenschaft?«

»Hm«, machte er und zuckte mit den Schultern. Eine Schweißperle rann seinen Hals hinunter. »Wie Jugendliche halt sind. Manche machen Ärger, manche sind aggressiv, manche prügeln sich sogar oder verletzen sich. Aber alles in allem sind es gute Jungen.« *Menners halten einfach immer zusammen*, dachte Fatou. Wenn Studenten kriminell und gefährlich wurden, verharmlosten sie sie einfach als »Jugendliche«. Wie musste es wohl sein, eine Clique zu haben, in der ein paar Milliarden Leute waren, die alles dafür taten, die eigene Gewalttätigkeit unter den Teppich zu kehren? »Und das wissen Sie ganz genau, dass die alle voll in Ordnung sind, ja?«, sagte sie angefressen. »Ganz bestimmt«, sagte Simone. »Ein paar, die jetzt in dieser Burschenschaft sind, waren früher manchmal bei mir im Training. Ich kann mir wirklich nicht vorstellen, dass sie einem Mädchen etwas tun würden. Garantiert nicht. Wenn ich es denken würde, würde ich es der Polizei sagen. Und Ihnen natürlich auch«, fügte er lächelnd hinzu. »Es tut mir leid, dass ich Ihnen nicht weiterhelfen kann. Ich bin bei Ihnen in Gedanken an die kleine …«

»Sophie«, sagte Fatou. Simone bekreuzigte sich.

»Ich bete jeden Tag für sie und glaube daran, dass der Herr sie beschützt.« Ihr wurde übel von so viel tatenloser Frömmigkeit. Sie drehte sich auf dem Absatz um und sah nach Yesim und Isabel.

Den Rest des Aufstiegs verbrachte Fatou im hinteren Teil der Gruppe und überanstrengte ihr Gehirn nach einer Antwort, warum Simone und Niederwieser sich so verstockt und unkooperativ gaben. Am Gipfel stand ein Holzkreuz in einer alten Metallmanschette. Hinter ihm thronte der blaue bayrische Himmel. Aus der Ferne erschienen die Dörfer und Flüsse wie die Anfangsszene aus einem Fantasyfilm.

Fatou erwartete, dass Simone eine kleine Bergpredigt halten würde, aber er war wohl nicht dazu aufgelegt. Ungewöhnlich schweigsam saß er auf einer Holzbank und blickte gedankenversunken über die Täler hinweg. Die Jungs machten Selfies und versuchten, zu bestimmen, ob die spielzeugkleinen Häuser im Tal zu Österreich oder Bayern gehörten. Nach kurzer Zeit hatten alle genug gesehen. Der Abstieg ging zur Belohnung rasch und ohne

Anstrengung. Auf halber Stelle bekam Fatou eine SMS von Grace. »Morgen sechs Uhr früh bei mir. Putzklamotten!«

***

Tante Hortensia hatte Abendbrot zubereitet. Während die Mädchen ihr von dem Wandertag berichteten, dachte Fatou nach. In ein paar Tagen würde sie über Yesims Schule entscheiden müssen. Ihr schien, als wäre das Vorhaben, Yesim mit ihren bayrisch-humanistischen Roots zu verbinden, glorreich gescheitert. Die humanistischen Roots waren in Wirklichkeit gar keine, sondern unternahmen antiislamische Aktionen mit Rechtschreibfehlern, ignorierten Jugendarbeit für Mädchen, verschleppten Kinder und führten einen unterirdischen Wahlkampf. Was sie hier vorgefunden hatte, entsprach nicht ihrer Vorstellung. Bayern war trotzdem ein Bundesland mit hoher Allgemeinbildung. Während ihrer Realschulzeit hatte Fatou die Kinder auf dem Gymnasium immer beneidet. Sie konnten später alle Berufe ergreifen, die sie wollten. Sie lernten die Geheimsprache Latein. Und sie erkannten sich untereinander. Wenn sie beisammen standen, hatten sie eine bestimmte Körperhaltung und lächelten oft. Fatou hatte dagegen immer unter Druck gestanden. Sie konnte sich nie richtig auf den Unterricht konzentrieren. In unregelmäßigen Abständen überfielen sie panische Gedanken an ihre Zukunft. Was sollte sie später nur machen, ohne richtige Familie, mit durchschnittlichen Talenten? Sie fühlte sich allein auf der Welt. Auf dem Schulhof musste sie die ganze Zeit ihre Anwesenheit verteidigen. »Du bist nicht deutsch!«, »Doch!«, Gelächter. Die Kinder auf dem Gymnasium wären sicher nicht so gemein gewesen. Sie hätten sie vielleicht einmal darauf angesprochen und dann darüber diskutiert und sie akzeptiert. So hatte es sich Fatou während ihrer Schulzeit ausgemalt, und wenn sie ehrlich war, auch danach noch. Sie hatte eine grundlegende Anständigkeit gebildeter Leute angenommen. Diese Vorstellung hatte in den letzten Tagen ernsthafte Risse bekommen und zerbröckelte jetzt, während sie in ein Butterbrot biss. Vielleicht hatte sie Yesim gegenüber auf etwas beharrt, was falsch war. Vielleicht war sie gerade dabei, ihr nicht die bittere Erfahrung zu ersparen, Chancen zu verpassen und ausgegrenzt zu werden, sondern drauf und dran, sie genau dort hineinzuschicken. Vielleicht war ein Traditionsbiotop wie das Gymnasium in Wirklichkeit viel schlimmer, war es immer gewesen, und es war viel besser, auf die multikulturellere Stadtteilschule zu gehen. Yesims aktueller Berufswunsch war »Popstar oder was mit Reagenzgläsern«. Sie konnte ihr nicht jetzt schon eine Entscheidung abverlangen. Sie würde es sich danach sowieso noch zehnmal anders überlegen. Das ganze System war absurd. Fatou spürte einen Knoten in ihrem Hals. »Hast du was, Mama?«

Sie tupfte sich mit ihrem karierten Küchentuch die Nase ab. »Nein, warum? Ich hab vielleicht 'ne Bergluftallergie.« Sie beschloss, zuerst mit Tante Hortensia unter vier Augen darüber zu sprechen. Sie würde sie sicher für eine unfähige Mutter halten, die in wichtigen Entscheidungen keinen Durchblick hatte, handlungsunfähig war, feige und inkonsequent. Ein Rat von ihr würde aber so wertvoll sein, dass Fatou das in Kauf nehmen wollte. Sie seufzte.

»Ts, ts«, kommentierte Hortensia Isabels Angewohnheit, den Speckrand vom Schinken zu entfernen. »Du bist dünn genug. Das bisschen Speck wird dich nicht aus der Form treiben.«

»Nicht wegen der Figur«, sagte Isabel. »Ich mag den nicht. Zuhause mache ich den auch immer ab.« Fatou war dankbar, dass Hortensia kein »In deiner Heimat wären die Kinder froh« hinterherschickte. Sie verfrachtete die Mädchen in ihre Betten, half der Tante beim Abräumen und igelte sich danach auf der Couch ein.

»Die vom Krankenhaus haben angerufen«, sagte Hortensia. »Es kann sein, dass Anita länger drinbleiben muss. Sie wollten mir keine Auskunft geben, was sie genau hat, aber es wird was mit ihren Nerven sein.«

Sie wussten beide, was das bedeuten konnte. Wenn Fatou abreisen würde, bevor Anita wieder auf dem Damm war, würde Isabel wohl in eine Pflegefamilie kommen, zumindest vorübergehend. Tante Hortensia war zu alt, um Vollzeit auf sie aufzupassen.

Fatous Schläfen begannen zu pochen. Sie wünschte sich, dass sie nie in eine solche Situation kommen würde wie Anita. Dass sie von einem Schicksalsschlag K.O. gehen würde. Dass sie nicht auf ihre Tochter aufpassen konnte. Sie schüttelte den Gedanken ab und schaltete den Fernseher ein.

Auf dem lokalen Kanal gab ein Reporter von sich, dass die Kapellensache »sicherlich islamistischer Herkunft« war. Fatou ärgerte sich. Sie wollte sich aber nicht aufregen, sondern Hortensia um Rat bitten. Die machte sich derweilen über das Äußere und das Auftreten des Reporters lustig. »Schlecht rasiert«, »viel zu jung, keine Lebenserfahrung, der Rotzbengel«, »Entengesicht« und »Fatzke« waren nur einige ihrer Kommentare.

»Schön, dass ihr gewandert seid. Ich hab mich ausruhen können«, sagte Hortensia, als sie mit ihrer Schimpferei fertig war.

Fatou holte ein Fotoalbum aus dem Regal und legte es auf den Couchtisch. »Hast du Lust?«

»Warum nicht«, seufzte Hortensia. Fatou schlug das Album auf und blätterte. Tante Rosa war auf fast allen Bildern zu sehen.

»Lass uns mal schauen, als du so alt warst wie deine Tochter jetzt«, sagte Hortensia. Sie befeuchtete ihren rechten Mittelfinger mit etwas Spucke und hob damit das dünne Pergamentpapier an. Fatou wurde bewusst, wie sehr sie diese Geste vermisst hatte. »Hol mir mal die Augengläser bitte.«

Als Fatou die Brille an einer Kette über dem Fernsehsessel hängend lokalisiert und ihr gebracht hatte, hatte die Tante schon die betreffende Seite aufgeschlagen. »Da warst du zehn.« Auf dem Foto streckte Fatou bei einem abendlichen Picknick im Garten die Zunge heraus. Eine große Blüte steckte in ihrem Haar, und sie trug ein gepunktetes Sommerkleid. Im Hintergrund hantierte Tante Hortensia mit dunkelbraunem Lockenkopf an einer übergroßen Salatschüssel und schaute gespielt vorwurfsvoll. Das Foto musste Tante Rosa gemacht haben.

»Findest du, Yesim ist wie ich früher?«

Hortensia warf ihr einen amüsierten Blick zu. »Du warst frecher.«

Fatou wunderte sich. Außer an ein, zwei im Feld geklauten Maiskolben erinnerte sie sich an nichts ›Freches‹. »Du hast immer, wenn man dir was vorgeschrieben hat, das Gegenteil gewollt. Wenn wir dir Lockenwickler reintun wollten, wolltest du einen Zopf haben. Wenn Tante Rosa dir Stricken beibringen wollte, hast du Theater gemacht und wolltest Nähen lernen. Wenn wir mit dir Mensch Ärgere Dich Nicht gespielt haben, hast du darauf bestanden, Malefiz zu spielen.«

Fatou erinnerte sich nur verschwommen. »Yesim ist hier auch pflegeleichter als zu Hause«, sagte sie. »Die müsstest du mal hören, wenn wir am Kiosk sind und sie irgendein Heftchen nicht sofort bekommt.«

Hortensia sah amüsiert drein. »Das gab's bei dir auch.«

Fatou blätterte das Fotoalbum um, bis sie das Bild vom Tag ihrer Einschulung fand. Eine zahnlückige kleine Person mit zwei Zöpfen, in selbstgestricktem Rock und Strumpfhose, hielt strahlend eine Schultüte im Arm, die fast so groß war wie sie selbst. Am Bildrand stand Tante Rosa lachend zu ihr herabgebeugt. »Erinnerst du dich noch daran, was in der Schultüte drin war?«, fragte Hortensia. Fatou bemühte ihr Gedächtnis, fand aber nichts Genaues. Es war unendlich lange her. »Ein Federmäppchen war drin«, sagte Hortensia, »und Hefte natürlich, und Süßigkeiten.« Fatou erinnerte sich verschwommen an etwas, das sie sich wochenlang gewünscht hatte, und das ihr an ihrem ersten Schultag endlich überreicht worden war. Es war ein Spielzeug gewesen. Eine Barbiepuppe. *Um Gottes Willen!* Die Vorahnung traf sie blitzartig. Schon setzte Tante Hortensia an. »Die Ne–« Fatou fiel ihr ins Wort:»Die Barbiepuppe!«, rief sie schnell und sagte es vorsichtshalber noch einmal, leiser.

»Die Barbie.« Tante Hortensia lachte ein Lachen liebgewordener Erinnerungen. »Du hast so geweint. Du warst dermaßen enttäuscht. Einen richtigen Wutanfall hast du bekommen!« Fatou spürte, wie sie rot wurde. »Sogar auf den Boden geworfen hast du sie. Es war Tante Rosas Idee gewesen. Sie wollte ja nur das Beste für dich, und sie hat immer etwas übertan. Ich habe ihr gesagt, dass du dir die nicht gewünscht hast, aber sie wollte unbedingt die Ne–«

»Ich erinnere mich!«, unterbrach Fatou hastig, während vor ihrem geistigen Auge die glänzende Packung mit der Puppe in voller Pracht erschien. Noch nie hatte sie eine Barbie frisch aus dem Geschäft bekommen, bis dahin immer nur second hand. Sie hatte sich eine neue gewünscht, die mit dem pfirsichfarbenen Kleid und dem Diamantring. Als sie die obere Kante der Verpackung gesehen hatte, hatte sie gleich gewusst, dass das nicht die richtige Barbie war, nicht die, die sie sich gewünscht hatte. Sie hatte die Verpackung ganz aus der Schultüte herausgezogen und war geschockt gewesen. Sie hatte sich betrogen gefühlt, fast beschmutzt. Ihre Enttäuschung war nicht in Worte zu fassen gewesen. Sie hatte sofort und spontan einen Weinkrampf bekommen. Tante Hortensia deutete auf das Foto. »Da war die Schultüte noch zu. Fünf Minuten später war schon das Theater wegen der Barbie. Es konnte ja keiner wissen, dass dich das so aufregt. Wir dachten, wir tun dir mit der … schwarzen Puppe was Gutes.« Fatou kämpfte gegen leichten Schwindel an. Sie schämte sich für sich selbst als kleines Mädchen. Dann schämte sie sich dafür, dass sie eine harmlose sentimentale Episode dermaßen überbewertete. Dann ärgerte sie sich über ihre Dauerbegleitung, das Schuldgefühl. Sie konnte es nie richtig greifen, es war immer in der Nähe, lauerte im Verborgenen.

Zu jedem Zeitpunkt konnte es hervorspringen, konnte ihr etwas einfallen, das sie sich schämen ließ. Etwas, das darauf hindeutete, dass sie einen charakterlichen Makel hatte, der sie für andere zu einer Zumutung machte. Sie war nicht freundlich genug, nicht selbstlos genug, nicht dankbar genug oder nicht schnell oder schlau genug. Was es genau war, war austauschbar und nicht vorherzusagen. Sie konnte sich lediglich sicher sein, dass es wiederkommen würde. Das Gefühl, eine Belastung zu sein. Sie wusste, dass es nur ein Gefühl war, und dass es unrecht hatte.

Wenn sie darüber nachdachte, entlarvte sie es jedes Mal als falschen Alarm. Ein ungemütlicher Nachgeschmack blieb trotzdem. Sie wünschte sich, dieses Gefühl würde endlich für immer weggehen.

»Geh, jetzt nimm's nicht so schwer«, sagte Hortensia. »So sind kleine Mädchen. Und anderntags hast du doch noch deine andere Barbie gekriegt.« Und heiß und innig geliebt, mit ins Bett genommen, gestriegelt und stolz überall hergezeigt. Die Schwarze Barbie hatte fortan ein Dasein in einem Schuhkarton neben den Matchbox-Autos unter dem Bett fristen müssen. Fatou kamen die Tränen.

»Geh«, wiederholte Hortensia und gab ihr ein Stofftaschentuch. »Ist Yesim auch so pingelig?«

Fatou schnäuzte sich und erinnerte sich, worüber sie mit Hortensia eigentlich hatte sprechen wollen. »Yesim ist viel selbstbewusster als ich ... in ihrem Alter war.«

»Ah?«, sagte Hortensia und goss sich Apfelsaft nach.

»Jetzt muss ich sie auf die höhere Schule anmelden. Sie kommt nach den Ferien in die fünfte Klasse.« Hortensia hörte ihr aufmerksam zu. Fatou bemerkte, dass es keinen Grund dafür gab, so hastig zu sprechen. Sie atmete tief durch. »Ich will ... also, ich wollte, dass sie aufs Gymnasium geht. Damit sie später einmal alle Möglichkeiten hat. Und werden kann, was sie will. Das wolltet ihr ja auch für mich. Aber sie will unbedingt auf die Stadtteilschule. Die ist aber eine Gesamtschule.«

»Gesamtschule?«, wiederholte Hortensia. »Was soll denn das darstellen?« Fatou erklärte ihr das Konzept. Dass die Kinder im Klassenverband zusammen blieben und sich länger entscheiden konnten, auf welchen Abschluss sie hinarbeiteten. Auf Gesamtschulen war die Trennung von Realschule, Hauptschule und Gymnasium im Prinzip aufgehoben. Die, die studieren wollten, lernten für das Abitur, und die, die andere Pläne hatten, lernte für einen anderen Abschluss. Genau das war Fatous Befürchtung. Falls Yesims Freundinnen und Umfeld es schick fanden, Friseurinnen zu werden, würde sie sich weniger anstrengen, um das Abitur zu machen oder es sogar ganz fallenlassen, und eine Laufbahn einschlagen, die unter ihren Möglichkeiten blieb. »Schau mich an«, sagte Fatou. »Ich konkurriere mit einer Million anderen arbeitslosen Angestellten mit mittlerer Ausbildung. Das ist nicht, was ich mir für Yesim in meinem Alter wünsche. Wenn sie aufs Gymnasium geht, bekommt sie auf jeden Fall den besten Schulabschluss. Nur will sie da nicht hin. Und wenn sie sich auf dem Gymnasium unwohl fühlt, hat sie vielleicht dann gar keine Lust mehr auf die Schule. Sie kommt bald in die Pubertät. Ich bin überfragt.«

Hortensia trank einen Schluck Saft und ließ sich Zeit dabei. Endlich antwortete sie. »Früher habe ich das auch gedacht, dass du alle Möglichkeiten haben sollst. Als du nur auf die Realschule gekommen bist, habe ich mich mit Tante Rosa gestritten. Sie wollte es nicht akzeptieren und sogar dagegen angehen. Gott sei Dank habe ich sie abhalten können.« Hortensia strich sich über die weißen Haare. »Du warst da ja schon nicht mehr bei uns, also hatten wir auch nicht das Recht, uns einzumischen, das war mein Standpunkt. Und als es dann beschlossene Sache war, haben wir uns gedacht: wer weiß, wozu es gut ist. Die Zeiten ändern sich.«

»Wie meinst du das?«, sagte Fatou. Hortensia zuckte mit den Schultern. »Heutzutage lernen sie in der Schule nur unpraktische Sachen. Nach dem Krieg hätte uns Astronomie und der ganze Schmarrn auch nichts genutzt. Was uns genutzt hat, war, dass wir gut hauswirtschaften konnten. Glaubst du, dass ich meinen Garten so schön kriege, habe ich in der Schule gelernt?« Fatou war perplex. So unkonservative Gedanken hatte sie von Hortensia noch nie gehört. Oder war das, was sie sagte, vielleicht so konservativ, dass es schon konservativer als konservativ war? »Wichtig ist doch, dass sie sich gut entwickelt. Und dass sie –« Hortensia warf ihr einen Blick zu, in dem Anerkennung lag, aber auch etwas Nervosität. Noch eine Premiere. »… dass sie sich nicht allein fühlt.« In Fatous Magengegend zog etwas. »Tante Rosa und ich, wir haben im Grund darauf gebaut, dass wir alles zusammen gemacht haben, schon seit der Schule. Wenn sie auf dieser Hippieschule glücklich ist, und die Abschlüsse anerkannt werden, warum denn nicht. Glaub bloß nicht, dass auf dem Gymnasium alles feine Kerle sind.« Sie stand auf, ging zur Glasvitrine, die an der Wand hing, und holte eine Flasche Birnengeist mit zwei Gläsern heraus. Fatou sah ihr hinterher und verarbeitete, was sie gerade gehört hatte. Sie erinnerte sich, dass sie von ihrer Grundschule trotz ausreichender Noten keine Gymnasialempfehlung erhalten hatte. Ihr damaliger Vormund war der Empfehlung gefolgt. Die Tanten hatten nicht interveniert, weil sie – wie sie ihr später erklärten – davon ausgingen, dass sie es ohne Empfehlung auf dem Gymnasium unnötig schwer haben würde. Dass sie damit nicht ihre schulischen Leistungen gemeint haben könnten, kam Fatou erst jetzt in den Sinn.

In der Wohnung war es still bis auf das Ticken der Wand-uhr im Flur und ein leises, leichtes Schnarchen aus Tante Hortensias Zimmer. Fatou hatte von einer kaputten Strumpf-hose und dem Gelächter von Mitschülerinnen geträumt. Es war erst fünf Uhr. Sie fühlte sie sich wie vom Zug überrollt.

Sie schaltete das Licht ein und sah Tante Rosas blau-geblümten Hauskittel über der Lehne des Fernsehsessels hängen. Tante Hortensia hatte ihn ihr am Abend noch her-ausgesucht. Eines der wenigen Andenken, das sie behal-ten hatte. Es war das Kleidungsstück, das Tante Rosa am häufigsten getragen hatte. Fatou überlegte, ob sie den Kittel gleich anziehen sollte, um Grace zum Lachen zu bringen, wenn diese die Tür öffnen würde, entschied sich aber dage-gen. Wenn jemand sie so aus dem Haus kommen sah, wür-den alle denken, sie sei Tante Hortensias Reinigungskraft. Sie würden der alten Dame vielleicht unterstellen, sie wäre nun zu gebrechlich, um ihren Haushalt zu führen. Immo-bilienspekulanten würden dann an der Tür klingeln und fragen, wann sie ins Seniorenheim umzuziehen gedachte. Außerdem fand sie es nicht richtig, in Tante Hortensias Wohnung Tante Rosas Kittel zu tragen.

Eine kühle Dusche brachte ihren Kreislauf in Schwung. Sie trank ein Glas Leitungswasser, packte zwei Äpfel als Frühstück ein und schrieb einen Zettel, dass sie mittags wieder zurück sein würde.

Der Himmel hatte lila Streifen. Die Luft war warm und trocken. Es war zwar unverschämt früh, aber dadurch bestand wenigstens das Lenkrad nicht aus Lava.

Grace erwartete sie schon mit einer Kanne Tee, jedoch nicht der passenden Ruhe dazu. »Müssen bald los«, sagte sie mit vollem Mund.

»Wie hast du das geschafft?«, fragte Fatou.

»War einfach«, sagte Grace. »Hier kennen sich alle um höchstens zwei Ecken. Die Firma, die da saubermacht, ist die größte in der Stadt. Gehört Orhans Cousine.« Fatou hatte Lust auf eine Zigarette. »Hey, es war nicht leicht, mit Orhan zu telefonieren und mich nicht mit ihm über Politik zu streiten«, sagte Grace.

»Hast du ihm alles erzählt?«, fragte Fatou.

»Es hat ihn gar nicht interessiert. Er war im Stress und hat mir einfach die Nummer gegeben.«

»Und was hast du denen gesagt, damit sie uns helfen?«

»Dass wir versprechen, alles schön sauber zu machen«, sagte Grace lachend. »Nicht alle sind so misstrauisch wie du. Bei uns helfen sich die Leute untereinander. Ist das bei dir in Hamburg anders?« Grace holte Putzmittel unter der Spüle hervor und sammelte sie in einer Kiste zusammen.

»Kann ich dir bei irgendwas helfen?«, fragte Fatou. Grace schüttelte den Kopf. Sie hatte frisch gemachte Twists, die makellos symmetrisch waren. »Hast du dir die Haare selber gemacht?«

»Natürlich«, sagte Grace. »Zeig mal deine.« Sie fasste in Fatous Haare und betrachtete ihre herauswachsende Relaxer-Situation von Nahem: geglättet und glatt, geglättet und strohig, Original-Haaransatz, dazwischen die

Überreste von Versuchen, mit einem Lockenstab so etwas wie Übergänge zu schaffen. Fatou wurde peinlich bewusst, dass ihr das wahrscheinlich nicht gut gelungen war, vor allem am Hinterkopf.

»Bei dir müssen wir aber was machen«, befand Grace. Fatou verspürte den Drang, sich zu rechtfertigen.

»Ich komme einfach nicht dazu. Erst hatte ich Schichtarbeit, dann sind wir umgezogen, und jetzt, hier in Bayern, Drama, Verbrechen, zwei Mädchen zu beaufsichtigen, und ich habe noch keinen einzigen Afrofriseur gesehen. Außerdem habe ich für Salonbesuche kein Geld im Moment.« Grace hörte Fatous Ausführungen ungeduldig zu, während sie mit dem Kopf schüttelte.

»Die deutschen Frauen haben ein Kind und lassen sich sofort gehen. Warum tun sie das? Kein Selbstrespekt. Die afrikanischen Frauen haben vier Kinder und trotzdem perfekte Haare. Die Deutschen müssen eigentlich zum Friseur, aber sie gehen nicht hin, wie du: ›Keine Zeit! Kein Geld!‹ Aber mit Freundinnen zwei Stunden telefonieren, das können sie.« Grace prüfte die Qualität einer Strähne an Fatous Stirn. »Meine Freundinnen und ich, wir treffen uns stattdessen zu Hause und machen uns gegenseitig die Haare. So haben wir miteinander Zeit verbracht und sind picobello, fertig.« Sie räumte die halb volle Teekanne und die Tassen in die Spüle. »Du kannst gerne deutsch sein, Fatou, aber übertreib es nicht. Ich mache dir die Haare und Yesim auch. Und dem anderen Mädchen auch, wenn sie will.«

»Isabel«, sagte Fatou.

»Der auch. Wie lang bist du noch hier?«

Fatou zuckte mit den Schultern. »Vielleicht noch ein paar Tage, ich weiß nicht genau. Aber das ist viel zu viel Aufwand für dich, ich will nicht, dass –« Grace sah sie an wie ein junges Haustier, das gerade dabei war, etwas Unerwünschtes zu tun. »Dazu sind Freundinnen da. Nicht nur reden, reden, reden. Auch was tun. Kommt am Samstag zu mir.« Grace ging in den Flur. Sie band sie sich ein viel zu elegantes Kopftuch um die Haare und legte eine ausgeblichene Baumwolljacke an. Fatou schlüpfte in ihren Kittel.

***

Die massive Holztür zum Saal ließ sich nur schwer öffnen. Dahinter herrschte ein Klima wie in einer Gruft. Die Luft war staubig und kühl. Fatou fröstelte. Die steinerne Decke war mindestens zehn Meter hoch. Das Sommerlicht fiel nur schummrig durch die beschlagenen Fenster. Feine Adern zogen sich durch das schmutzig beigefarbene Glas. Wenn das ein Pflanzenmuster sein sollte, war es Flora aus Transsylvanien. Fatou ging ein paar Schritte, schloss die Tür hinter sich und sah sich um. An den unverputzten Mauern standen lange dunkle Ablagebords und haushohe Eichenvitrinen. Sie konnte sich kaum vorstellen, dass sich hier junge Leute trafen. Stöcke mit Wimpeln daran standen und hingen in jeder Ecke und die Wände zierten Hirschgeweihe und Dolche wie in einer Burg, neben Wappen und Bildern von blonden Männern mit wenig Haar, breitem Hals und herablassendem Gesichtsausdruck. »Würdest du dir so einen an die Wand hängen?«, flüsterte Fatou. Ihre Worte hallten. Grace schnalzte unamüsiert mit den Vorderzähnen und deutete auf einen riesigen rotbraunen Tisch am hinteren Ende. Auf ihm war eine Lache rund um einen Messingkrug. Fatou fiel in einem Erker eine Zapfanlage ins Auge.

Grace verschwand in der Küche, um nach der Abstell-kammer zu suchen. Fatou hätte gerne zur Beruhigung ein wenig Musik angestellt.

Es wäre ein guter Anfang, einfach in normaler Lautstärke zu sprechen, dachte sie. Schließlich hatten sie nichts zu ver-heimlichen. Offiziell. »Warst du schon mal hier?«, rief sie Grace zu.

»Nee«, sagte Grace und erschien mit einer Auswahl an Lappen und Feudeln über dem Arm. Fatou atmete einmal tief durch, fasste sich ein Herz und ging ebenfalls in die Küche. Sie sah aus wie eine Industrieküche, mit metallenen Oberflächen und vielen Schränken. Die Burschenschaft gab wohl einige Bankette und Feste. Die Putzkammer war so voller Reinigungsprodukte als sei sie ein kleiner Dro-geriemarkt. Fatou nahm sich ein paar Gummihandschuhe und eine Einweg-Haube, die sie direkt aufsetzte. Dann ließ sie Wasser in zwei Putzeimer laufen und gab etwas Clorox dazu. Wo junge unsympathische Männer feierten, wollte sie mit Reinigungsmittel nicht zimperlich sein.

Grace fixierte mit missbilligendem Blick einen aus-gestopften Vogel an der Wand. »Was suchen wir jetzt?«, flüsterte sie. Fatou nahm einen Staubwedel und machte sich damit an einer Ritterrüstung zu schaffen. Sie musste husten.

»Etwas, das uns zeigt, dass die Jungs hier Dreck am Stek-ken haben, Kinder entführen und so«, flüsterte sie zurück. Ein metallisches Geräusch ließ sie aufhorchen. Ob es von ihrer Putzerei herrührte oder aus einem anderen Raum kam, konnte sie nicht lokalisieren. »Hast du das gehört?«

»Was?«, fragte Grace.

»Kennst du dich mit den Räumen hier aus? Weißt du, bis wieviel Uhr wir hier ungestört sind?«

»Auskennen wäre zu viel gesagt«, sagte Grace. »Die Frau von der Reinigungsfirma hat mir erklärt, dass die Typen sich hier zum Feiern treffen und ihre Büros haben. Ab und zu übernachten ein paar von denen hier, auf Iso-Matten oder in den Büros im ersten Stock. Die werden aber separat saubergemacht.« Sie grinste. »Wir sind nur für die Versammlungsräume hier unten zuständig.«

Wie die Superia Boys es wohl mit Pünktlichkeit, Zucht und Ordnung in Wirklichkeit hielten? Immerhin hatten sie eine eigene Zapfanlage und studentische Kernzielgruppe. Sie schätzte, dass der Betrieb hier wahrscheinlich nicht so früh beginnen würde wie der *Aufsichtsrat Deutscher Tugenden e. V.* es vorschrieb.

»Ab wieviel Uhr die wohl im Büro anfangen?«, fragte Fatou. Grace zuckte nur mit den Schultern und sagte: »Ich kann nicht zaubern, okay?«

Die beiden putzten ein Weilchen schweigend. Fatou dachte darüber nach, wo wohl so ein Hinweis zu finden sein könnte, wie er aussähe, und ob diese Aktion als abenteuerliche Idee nicht wesentlich mehr hergegeben hatte als in der Realität.

»Kannst du wirklich keine Rasta und Cornrows machen?«, sagte Grace aus heiterem Himmel. Fatous Gesicht wurde warm.

»Du musst nicht auch noch drauf rumreiten.«

Grace kicherte und feudelte einen Sekretär. Der Unterschrank ließ sich öffnen. Darin waren nur Servietten und Einwegstrohhalme. Fatou fühlte, wie sich ein furchtbarer Gedanke in ihr breit machte. »Grace. Lass uns zuerst im Keller nachschauen«, sagte sie.

»Was willst du da?«

»Sichergehen.« Sie hatte den Gedanken eigentlich lieber nicht zulassen wollen. Er war schneller gewesen. Es war nun keine Frage von Mut oder Unvorsichtigkeit mehr. Manche Dinge mussten getan werden. Mit ihren Nerven konnte sie sich hinterher beschäftigen. Grace ließ den Sekretär in Ruhe und öffnete die Tür zum Flur, durch den sie herein gekommen waren. Dort führte eine schmale Treppe nach unten. Die Kellertür war zusätzlich durch ein Eisengitter verstärkt. Sie probierten mehrere Schlüssel aus, bis sie den richtigen gefunden hatten.

Es war sicherer, aus ihrem Kellergang kein Geheimnis zu machen. Falls jemand kam, ein Lieferant zum Beispiel, würden sie nicht verdächtig wirken, wenn sie sich auffällig verhielten. Das hatte Fatou gleich an den ersten Tagen ihrer Ausbildung gelernt. Die gefährlichsten Diebesbanden waren die, die im Blaumann seelenruhig palettenweise Waren aus dem Kaufhauslager trugen und unterwegs noch Leute anschnauzten, schneller beiseite zu gehen. Niemand kam auf die Idee, dass sie Einbrecher waren.

Der Putzeimer war schwer genug, um der Tür standzuhalten. Unten war es noch kühler als im Erdgeschoss der Burschenschaftsburg, und es roch muffig. Fatou fand den Lichtschalter. Schummrig taten sich die ersten Meter eines Gewölbes auf. Auf Regalen und Abstellflächen lagen unbestimmte Gerätschaften und Utensilien. Sie wagte ein paar Schritte in den großen Kellerraum hinein. Die gewölbte Decke musste mindestens aus dem Mittelalter stammen. An den Wänden waren in regelmäßigen Abständen Baulampen angebracht, die kaum etwas gegen die Dunkelheit ausrichten konnten.

Hier unten könnten sie auch Ritter-Festmahle nachspielen, dachte Fatou. In einer Ecke lagerten metallene Getränkefässer und Schubkarren. Sie ging an der Wand zur linken Hand entlang und fasste an einen steinernen

Vorsprung. Er fühlte sich kalt und rau an und hinterließ einen staubigen Belag auf ihren Fingerkuppen. Angewidert streifte sie sich die Hände an ihrem Kittel ab. Grace war an einem Regal zugange, in dem zusammengerollte Textilien lagen, die Vorhänge sein konnten oder Flaggen oder Tischdecken. Als sie prüfend an einem Stück Stoff zog, machte Fatous Herz einen Hüpfer. Sie erschrak fürchterlich und sprang reflexhaft einen Meter zurück. Eine große Kellerspinne flüchtete über die Stoffbahnen hinter das Regal. Fatou verfluchte ihre Angst vor Spinnen. »Ts«, machte Grace. »Die war gar nichts. Spinnen in Südamerika musst du mal sehen.« Fatou lehnte dankend ab und schritt weiter die Wand ab. Grace tat dasselbe auf der rechten Seite.

Im hinteren Teil des Gewölbes zeichnete sich der Umriss einer Tür ab. Sie war nicht besonders groß, aber besonders gut gesichert. Außer einem Gitter befanden sich daran noch zusätzlich zwei moderne Riegelschlösser. Während Grace einige Schlüssel ausprobierte, klopfte Fatou oben an die Türkante. »Wenn wir dafür keinen Schlüssel haben, weiß ich, was drin ist«, überspielte sie ihre Beklemmung.

»Was denn?«, murmelte Grace abwesend. Sie hatte Mühe, die Schlüssel auseinanderzuhalten. »Goldbarren«, sagte Fatou. »Wie in Fort Knox.«

»Psst.« Grace brachte den klirrenden Schlüsselbund mit einer Hand zum Verstummen und wedelte Fatou mit der anderen zu, still zu sein. Fatou lauschte mit klopfendem Herz. Gänsehaut machte sich auf ihrem Unterarm breit. Grace drehte den Kopf zum Kellereingang, hob das Kinn und kniff die Augen zusammen. »Ich dachte, ich hab was gehört.«

»Vielleicht ist jemand reingekommen«, sagte Fatou.

Grace blinzelte. »Was sagen wir, wenn uns jemand fragt, was wir hier unten machen?«

»Wir suchen den Steamer«, sagte Fatou.

»Steamer?«

»Steamer. Damit kann niemand was anfangen. Großes Gerät. So:« Sie zeigte mit den Händen die Maße eines übergroßen Staubsaugers und spielte mit leisem Röcheln den Gebrauch des ausgedachten Gerätes vor. »Wo. Ist. Der. Steamer!«, flüsterte sie in vorwurfsvollem Ton. Grace kicherte.

Endlich schien einer der Schlüssel zu passen. Er ließ sich in den Riegel stecken, aber nicht herumdrehen. Grace suchte nach Schlüsseln derselben Bauart und fand einen weiteren. Die modernen Schlösser ließen sich leicht und geräuschlos öffnen. In die Tür selbst passte ein großer alter Schlüssel mit langen Zargen. »Aber ich weiß wirklich, was darin ist«, sagte Fatou, bevor Grace die Tür öffnete. »Was gibst du mir, wenn ich es errate?«

»Eine Weinflasche«, sagte Grace und öffnete die Tür.

Das Licht ging automatisch an. Weinregale reichten vom Boden bis zur Decke. Grace hielt an der Tür Wache, während Fatou hinein ging. Es gab ganze Reihen mit Bocksbeuteln, verstaubte Rotweinflaschen über ihrem Kopf, und auch im Gang standen Weinkisten. Mit leicht eingezogenem Kopf schritt Fatou die vier, fünf Gänge und Reihen ab, und fand keine weitere Tür oder Öffnung. Die Untiefe, aus der vor wenigen Momenten noch ihr gespielter Humor gekommen war, füllte sich jetzt mit aufrichtiger Erleichterung.

»Da ist nichts mehr.«

»Alhamdulillah«, sagte Grace. Sorgfältig schlossen sie die Türverriegelung und gingen schnell durch das Gewölbe zurück zum Kellereingang. Noch nie war Fatou so froh gewesen, einen Putzeimer zu sehen.

»Wolltest du wegen dem Mädchen schauen?«, fragte Grace, als sie wieder im Eingangssaal ankamen.

Fatou nickte. »Da waren keine Türen. Und die Wände waren massiv.«

Grace sah sie an. Wortlos begannen sie, die Küche zu putzen. Fatou fühlte, wie Anspannung von ihr abfiel. Sie fügte ein Häkchen zu ihrer inneren Checkliste hinzu: Sophie war nicht hier im Keller eingeschlossen. Dann fiel ihr ein, dass das nur bedeutete, dass Sophie an einem unbekannten Ort eingeschlossen war. Sie bekam leichte Bauchschmerzen und wischte sie fort. Die Reinigungsarbeit kam ihr überraschend befriedigend vor. In letzter Zeit hatte es kaum Situationen gegeben, in denen sie das Gefühl gehabt hatte, zu wissen, was genau zu tun war. Gemeinsam mit Grace ein Burschenschaftshaus zu putzen, fühlte sich auf einmal gar nicht so schlecht an.

»Hey, Grace«, sagte sie. »Danke.«

Grace nickte huldvoll und wischte eine Ablagefläche fertig. »Ich will das auch herausbekommen. Ich mag die nicht.«

»Müssen wir das Klo putzen?«, fragte Fatou, obwohl sie die Antwort wusste. Wenn sie die Reinigungsfirma, die ihnen den Schlüssel gegeben hatte, nicht reinreiten wollten, mussten sie.

»Schon«, sagte Grace. Fatou holte neue Gummihandschuhe und bestand darauf, die Toilettenkabine alleine zu übernehmen. Andernfalls würde ihr schlechtes Gewissen sie niemals wieder loslassen. Grace nahm gerne an und spülte mit besonders viel Clorox das Urinal.

»Was hast du vorhin im Keller gehört?«, fragte Fatou über die Kloschüssel gebeugt, sodass ihre Stimme blechern klang.

»Ich bin mir nicht sicher«, sagte Grace. »Vielleicht die Eingangstür. Wie heißt das Gerät nochmal?« – »Steamer!«, sagten beide gleichzeitig und lachten.

»Wir suchen den Steamer«, sagte Grace. »Das ist lustig.« Als die Toilette so sauber war, wie es für eine solche Einrichtung in einem Männerverein möglich war, begutachteten sie ihr Werk. Fatou war ein bisschen stolz und wunderte sich abermals über sich selbst.

»Wo machen wir weiter?«, fragte Grace. Fatou schlug vor, nachzusehen, wie viele andere Räume es im Erdgeschoss noch gab, und zu überschlagen, wie lange sie dafür brauchen würden, sie sauber zu machen. Dann könnten sie entscheiden, wo sie zuerst herumschnüffeln sollten. Je später es würde, desto wahrscheinlicher würde jemand auftauchen, vor allem in den oberen Geschossen, in denen sie nichts verloren hatten. Wenn nicht schon jemand dort war.

Außer der Küche, den Toiletten, dem Saal und dem Wirtschaftsraum befand sich in der untersten Etage nur noch ein weiterer Raum, ein Nebenzimmer, das vom Saal durch eine aufschiebbare Kunststoffwand getrennt war. Es war eingerichtet wie das Hinterzimmer einer austauschbaren Kneipe, mit Holztischen und darauf hochgestellten Stühlen.

»Komm wir machen das schnell, so la la«, schlug Fatou vor. »Dann suchen wir den Steamer.« Grace war damit einverstanden, in diesem Zimmer kein Monument hauswirtschaftlicher Sorgfalt zu errichten und wischte so lustlos die Tische ab, dass Fatou für einen Moment die Halluzination hatte, dies wäre tatsächlich ihr Arbeitsplatz. Es brachte Fatou zum Lächeln. Ein Lied lag ihr auf den Lippen, »Party Time« von Gloria Estefan. Sie traute sich aber nicht zu singen, das wäre zu sehr Klischee gewesen. Und möglich, dass Grace sie für unzurechnungsfähig erklärt hätte.

Sie beobachtete schon mit einer Hand in die Hüfte gestützt, wie Fatou den Wischmopp mit zu viel Swing über den Boden schob. »Hast du doch Spaß als Putzfrau?«, fragte Grace herausfordernd.

»Gar nicht«, sagte Fatou.

Als sie genügend Feuchtigkeit und Putzmittelgeruch auf den Oberflächen verteilt hatten, stellten sie die Putzutensilien an zufälligen Stellen in die Räume und den Flur. Es sollte aussehen, als seien sie noch mitten in den Reinigungsarbeiten.

»Erster Stock?« Fatou betätigte zwei Lichtschalter neben dem Aufgang und ging voran, ohne auf eine Antwort zu warten. *Ich bin eine grimmige, resolute Person, die bei der Arbeit aufgehalten wird*, sagte sie sich in Gedanken vor. Grace stand an einem Fenster im Treppenhaus und sah auf die Straße hinaus. »Ist schon was los draußen?«, fragte Fatou und sah auch aus dem Fenster. Auf dem Kapellplatz war ein bisschen Betrieb, aber nicht sehr viel. Fatou holte ihr Handy heraus. Es war acht Uhr dreißig. »Stellen wir auf lautlos.«

Wir hätten zuerst hier oben herumschnüffeln und danach unten putzen sollen, dachte sie. Von der gruseligen Atmosphäre im Erdgeschoss und Keller hatte sie sich so sehr einschüchtern lassen, dass sie gar nicht auf die Idee gekommen war, etwas anderes zu tun, als ihre Beklemmung mit zielgerichteter Betriebsamkeit wegzuputzen. Jetzt würde vielleicht gleich jemand ins Büro kommen und sie wegschicken. Sie nahm sich vor, zukünftige Privatermittlungen viel besser zu planen.

»Grübelst du wieder?«, fragte Grace. Fatou ging weiter. Im Flur lag ein robuster Läufer. Die Wände zierten Bürolampen vom Design Ende der Neunziger Jahre. Es gab weiße Türen mit Kunststoffknäufen zur linken und rechten Seite, an denen außen wie in einer Behörde Raumnummern angebracht waren. 1.02, 1.03, 1.04 ... Neben der Treppe stand ein Gummibaum. Leise und lauschend ging sie langsam den Läufer entlang. Aus den Räumen drang weder Licht noch Geräusche. Der Flur war still. Um die Ecke fanden sie eine kleine Teeküche gegenüber einer breiteren Doppeltür. Grace warf einen kritischen Blick in den Wasserkocher, danach in die Kaffeemaschine. Ihr Gesicht verriet, dass sie lieber müde und durstig blieb, als sich mit diesem Inventar ein Getränk zuzubereiten.

Wortlos lehnte sich Fatou gegen eine der Bürotüren und gab sich alle Mühe, auszusehen wie eine abgeklärte Reinigungskraft, die eine Verschnaufpause einlegt. Abwesend, als würde sie beobachtet, ruckelte sie am Türknopf. Er ließ sich nicht drehen. Fatou begutachtete den Schlüsselbund. Alle waren groß oder sahen teuer aus, nicht wie Schlüssel für einfache Bürozimmertüren. Sie passten nicht. Grace grinste. »Soll ich es versuchen?«

»Hältst du mich für unfähig?«, fragte Fatou.

»Unfähig nicht, aber ein bisschen brav«, sagte Grace. Sie holte aus ihrer Hosentasche ein Portemonnaie hervor und aus diesem eine dunkelblaue Plastikkarte, auf der »Payback« stand. Erst, als sie sich daran machte, sie in den Türschlitz zu stecken, begriff Fatou.

»Aber ...«, flüsterte sie aufgeregt.

»Ich sehe keine Kameras«, sagte Grace. Fatou ärgerte sich, dass sie selbst nicht einmal daran gedacht hatte, nach Kameras zu sehen. Sie war es gewohnt, auf der Seite derer zu stehen, die ihre Gebäude sicherten, nicht auf Seite derer, die etwas zu verbergen hatten. »Ich dachte, du willst wissen, was drin ist.«

»Lass uns doch erst mal bei allen Türen ausprobieren, ob eine aufgeht«, sagte Fatou. Grace steckte die Paybackkarte lose zurück in ihre Kitteltasche und überprüfte zwei

Türen an der inneren Seite des Korridors. Sie waren fest verschlossen. Fatou ging zum Eingang zurück, lauschte ins Treppenhaus, hörte nichts und begann mit der ersten Tür an der Fensterseite. Auch sie war verschlossen. Die Türen hatten alle den gleichen Knauf, der sich nicht drehen ließ. Selbst, wenn sie nicht abgeschlossen, sondern nur zugefallen waren, ließen sie sich nicht einfach so öffnen. Und auch sie waren nicht mit dem Schlüsselbund kompatibel, den sie hatten. Fatou überlegte, wie lange sie noch so tun konnte, als habe ihre Aktion einen Sinn, bevor sie sich vor Grace lächerlich machen würde. Sie hatte keine Ahnung, was sie hier oben überhaupt sollten. Sie kam sich vor wie eine Teenagerin, die der Freundin angeboten hatte, ihr Pferd anzusehen, und Nervosität in jeder Minute verspürte, in der diese noch mitspielte, ohne zu erwähnen, dass das Pferd nur ausgedacht war.

Die Toilettentür stand offen. Fatou warf einen Blick hinein, fand aber nichts, was auf eine kriminelle politische Verschwörung hindeutete. Sie ließ die Schultern hängen. »Was ist?«, fragte Grace.

»Ich weiß auch nicht. Was weiß denn ich. Ich komme mir planlos vor.«

Grace sah ihr in die Augen. »Wir sind nicht planlos. Wir haben Mut, und wir tun was. Ich finde, das ist besser, als nichts tun.« Fatou gab sich Mühe, Tränen zu unterdrücken. Auf einmal wurde sie sich ihrer Anspannung bewusst und der verschiedenen Gefühle, die sich in den letzten Stunden aufgetürmt hatten: die Nervosität, die Angst, nichts herauszufinden, die Freude und gleich darauf die Frustration, im Keller kein entführtes Kind entdeckt zu haben, die Hoffnung, einen Hinweis zu finden, und die starke Beklemmung, die davon herrührte, dass sie sich an einem Ort aufhielt, an dem sie eigentlich nicht sein sollte. Sie schnäuzte sich in einen Zipfel ihres Kittels. »Danke. Du bist toll.«

»Normal«, sagte Grace. »Du musst dir nicht dauernd so viel Sorgen machen.«

Fatou beruhigte sich. Die Kirmes in ihrem Kopf zog weiter, ihre Schultern entspannten sich und sie konnte wieder halbwegs klar denken. Was sie und Grace da gerade veranstalteten, war eigentlich legendär: Eine Geschichte, die sie noch im hohen Alter erzählen würde. Sie brachte ein Lächeln zustande und schlug Grace schwesterlich mit der Faust auf den Oberarm. Dann fiel ihr Blick auf die Doppeltür gegenüber der Teeküche. Diese hatte keinen Knauf, sondern zwei Klinken. *Warum nicht*, dachte sie. *Zumindest will ich es versucht haben.* Sie drückte einen der Griffe herab. Lautlos schwenkte die Tür nach innen auf.

Ein großer karger Raum tat sich auf. Geometrische Lichtstreifen fielen durch die weißen Jalousien auf Wände und Boden. Zwei weiße Tische waren so aneinander gerückt, dass sie eine Präsentationsfläche ergaben. Darauf stand ein dreidimensionales Gebäudemodell. Außer diesem Gebilde befand sich im Raum nur noch ein Plastikstuhl, ansonsten war das Zimmer leer. Fatou sah sich um und ging hinein, Grace folgte ihr. Sie betrachteten das Gebäudemodell. Es war aus Kunststoff und zeigte einen flachen, ausladenden Häuserkomplex, der in roter, weißer und blauer Farbe bemalt war. Zwei Rechtecke, die Hallen oder große Garagen sein konnten, flankierten ein U-förmiges Haupthaus, im Hof standen ein Brunnen und zwei kleinere Häuser. Hinter dem Haupthaus befand sich ein ausladendes grünes Rechteck in einem roten Oval, daneben ein schmales hohes Gebäude mit verglaster oberster

Etage. Darum herum standen eine Handvoll Laubbäume aus Kunststoff. Es sah hübsch aus und langweilig. Fatou ging um den Tisch, sah darunter und auch an den Wänden hinter den Türen nach. Es fand sich kein Hinweis. »Das ist bestimmt ein Architekturstudent, der in der Burschenschaft ist«, sagte sie.

»Ein Student hätte das beim besten Willen nicht zustande gebracht«, dröhnte eine tiefe Männerstimme direkt hinter ihr. Fatou konnte den Luftzug in ihrem Nacken spüren. Ihr Brustbein zog sich nach innen, sodass ihr der Atem wegblieb. Sie fuhr herum. Es war der glatzköpfige Mann, der sie so schmutzig angegrinst hatte, als sie aus der Gnadenkapelle gekommen war. Fatou sah den Schmiss auf der rechten Wange. Er quittierte ihren Blick mit einem süffisanten Lächeln auf bläulich-rosafarbenen Lippen und schob sich an ihr vorbei in das Zimmer hinein. Ob er sie erkannte? Fatous Adrenalin befahl ihrem Gehirn, sich nicht schuldbewusst, sondern selbstsicher zu benehmen, doch das war viel leichter gesagt als getan. Nun war Grace an der Reihe, von dem Mann abschätzend von oben bis unten gemustert zu werden. Sie stand kerzengerade neben dem Gebäudemodell. Schließlich nickte sie forsch mit ihrem Kinn nach oben.

»Was?«, fragte sie.

Fatou dachte nach. Auch wenn sie zu zweit waren, hätten sie doch keine Chance gegen einen kampferprobten Typen, der jederzeit Burschenschaftskumpane aus der Umgebung zu seiner Unterstützung rufen konnte. Sie hoffte, dass Grace sich nicht provozieren lassen würde. *Ich kenne sie erst seit ein paar Tagen*, dachte Fatou. Von der Tür aus suchte sie Graces Blick.

»Das Haus hier –«, sagte Grace, »wie Baukasten. Brauchen Sie noch Reinigungsfirma?«

Der Mann lachte, dass es im Raum hallte. Dann zwinkerte er Fatou zu. Ihr Magen knotete sich zusammen. »Das machen dann Profis«, sagte er. Er streckte eine Hand aus und rückte einen Baum zurecht. »Deutsche Eiche. Verstehen? Standfest.« Gern hätte Fatou erwidert, dass sich mit passender Munition nachweislich auch ein stattliches Eichenwäldchen dem Erdboden gleichmachen ließe. Sie sagte nichts. »Hm«, machte Grace unbeeindruckt. »Dann halt nicht Reinigung von ... neue Haus.«

Der Mann stützte die Hände in die Hüften. »Das ist kein ›Haus‹, sondern ein *Zentrum*.« Als sei ihm gerade etwas eingefallen, drehte er sich zu Fatou um. Er behielt sein klebriges Lächeln bei und sah abwesend auf einen imaginären Punkt neben ihrem linken Ohr. Er schien einen Gedanken fassen zu wollen, der ihm gerade entflohen war. *Er überlegt, wo er mich schon mal gesehen hat,* dachte Fatou. *Er ist unsicher geworden. Ich muss das ausnutzen, sofort, es bleibt keine Zeit. Wenn es ihm einfällt oder er sich wieder fängt, kann es eskalieren. Dann gute Nacht.*

Grace betrachtete sie nun auch schon interessiert, wahrscheinlich wunderte sie sich über seinen seltsamen Blick und Fatous nicht hilfreiche Schockstarre. Fatous Puls klopfte immer noch in ihren Schläfen. Ihr Mund war trocken. Sie dachte daran, dass ihre Stimme nicht belegt sein durfte, wenn sie jetzt etwas sagte, sie durfte kein Zeichen von Schwäche zeigen, sich nicht räuspern, nicht brüchig klingen, und nicht zittern.

Sie richtete ihre Augen auf das Gebäudemodell. Sie dachte an ihre Tante Awa, die in Wandsbek einen Afroshop betrieb. Die hatte vor nichts und niemandem Angst. Eine Chefin durch und durch, im üppigen Boubou aus hellblauem Stoff. Es war egal, wenn das Boubou an den Seiten offen war. Ihre

Macht und Autorität über alle Lebewesen in Sichtweite war nicht abhängig davon, dass niemand ihre Unterwäsche sah. Oft hatte Fatou sich gewünscht, wie sie zu sein, genauso autoritär. *Für Tante Awa wäre er nur irgendein Horst, der nicht schnell genug aus dem Weg geht*, dachte Fatou. Sie stellte ihn sich als Schwiegersohn vor und kam langsam in die richtige Stimmung. *Er kann so alt sein und sich auf seiner eigenen Clubhaus-Etage befinden, wie er will*, dachte sie. *Wir werden sehen, wer hier wen einschüchtert.*

Als sie ihre imaginäre Matrone channelte, verschwand als Erstes ihr Impuls, aus Unsicherheit zu lächeln. Sie stützte nun ihrerseits die Hände in die Hüften, hob das Kinn und versah den Mann mit dem Schmiss mit einem kalten Blick. »Was machen Sie hier eigentlich schon? Es ist noch nicht zehn!«, sagte sie forsch. Er sah sie irritiert an. »Wenn ich sage, der Steamer wird heute unten gebraucht, dann wird der Steamer unten gebraucht, und nicht irgendwo in irgendeinem anderen Stockwerk, wo wir ihn stundenlang suchen müssen. Haben *Sie* etwa den Steamer weggeräumt!« Der Mann schielte für einen Sekundenbruchteil zur offenen Tür. »Oder wollten Sie etwa diesen Baukasten hier stehlen!« Sie musste sich jetzt bremsen, um nicht zu übertreiben. Er sah bereits gleichzeitig verwirrt und empört aus.

»Nh«, fügte Grace hinzu. Es bedeutete in der universellen Sprache aller Tanten in allen Afroshops: »Sieh mal einer an, was für ein Loser.« Der Mann versuchte sich an einem empörten Lachen. Fatou musterte ihn direkt und tippte mit der Fußspitze auf. Als Nächstes stellte sie sich vor, er sei ein Neffe, der die Autoschlüssel oder die Fernbedienung verlegt hatte. »Ich habe keine Zeit, in eurem Verein Babysitter zu sein. Mir ist das egal, was ihr untereinander für Faxen macht. Aber die Absprachen haben alle einzuhalten. Wo. Ist. Der. Steamer?« Der Mann schüttelte mit dem Kopf.

Fatou sah ostentativ genervt zu Grace. Diese war anscheinend so fasziniert von dem Schauspiel, dass sie einen Moment benötigte, um zu schalten. Dabei war sie es doch gewesen, die die Flucht nach vorne eingeschlagen hatte. »Entschuldige mal«, sagte Fatou, wieder zum Mann gewandt. »Es gibt noch Leute, die arbeiten und keine Zeit haben, von deutschen Eichen zu träumen.« Grace grinste. »Ts«, machte Fatou. »Wir bekommen hier anscheinend keine Auskunft. Es ist euer Verhau, ihr seid selbst verantwortlich, in welchem Zustand ihr den haben wollt.« Sie wandte sich zum Gehen und hob den Zeigefinger. »Nur dass ihr Bescheid wisst: Wenn ich einen neuen Steamer anschaffen muss, setze ich ihn mit zwanzig Prozent Beschaffung auf die Rechnung!« Sie nickte Grace auffordernd zu. Grace ging an dem Mann vorbei und gemeinsam rauschten sie aus dem Zimmer.

Zurück im Erdgeschoss angekommen, sahen sie sich zuerst um, ob sie alleine waren. Dann gaben sie sich ein High Five, kreischten so leise sie konnten und umarmten sich. Fatou zitterte am ganzen Körper. Grace tupfte sich mit einem Taschentuch Schweiß von der Stirn. Danach zog sie Fatou am Ohr. »Deutsche Eiche, he? Du!« Fatou lachte und erklärte, dass sie eigentlich nur ihre Tante Awa imitiert hatte. »Das ist gut«, sagte Grace. »Wenn du mal Schwiegermutter wirst, hast du es schon voll drauf.« Fatou hoffte inständig, dass es – wenn überhaupt – bis dahin noch recht lang dauern würde.

Um nicht aus ihren Rollen zu fallen oder verdächtig zu wirken, wischten sie noch eine Weile alibimäßig im Erdgeschoss herum. Alle paar Minuten horchten sie nach oben ins Treppenhaus. Von dem Mann war nichts zu hören. Vielleicht hatte er ein Büro dort oben. Als es zwanzig vor zehn war, packten sie die Putzutensilien zusammen, vergewisserten sich, dass alles aufgeräumt aussah, und verließen das Haus durch den Seiteneingang.

Fatou begann leise zu singen. »Ich geh ganz gemütlich und bin lustig. Denn ich mache sauber und sonst nix ...« Graces Twists glänzten in der Morgensonne. Ob ihr der Schreck noch genauso in den Knochen saß wie ihr selbst, konnte Fatou nicht erkennen. »Kennst du den afrikanischen Putzmann, der das im Fernsehen macht? Den find ich gut!«, sagte Grace. Fatou erinnerte sich vage. Sie hatte ihn vor ein paar Jahren einmal abends gesehen und schnell auf einen anderen Kanal geschaltet, als Yesim ins Zimmer kam.

»Woher kannst du das mit der EC-Karte?«, fragte Fatou.

»Mädchenschule«, sagte Grace. »Das Fernsehzimmer war immer zugesperrt.«

Sie setzten sich ins Auto. Fatou atmete tief durch. Ihr Adrenalin baute sich gerade erst ab. An seine Stelle traten Erschöpfung und Leere. Sie sehnte sich nach Ruhe. Nein, dann wäre sie mit ihren Gedanken alleine. Besser wäre, etwas im Garten mit Tante Hortensia und den Mädchen zu machen. Kartenspielen vielleicht. Oder drinnen einen Film ansehen. Sie legte ihren Gurt an und startete den Wagen.

»Das war vielleicht was«, sagte Grace und sah sich nach beiden Seiten um. »Mal was – *ganz anderes.*« Fatou schluckte. Am liebsten hätte sie das Gespräch aufgeschoben und erst einmal das Gröbste allein verdaut. Ihre Gedanken waren noch viel zu ungeordnet.

»Der ist mir schon mal begegnet«, sagte sie schließlich. Ihre Stimme klang belegt und fremd in ihrem eigenen Kopf.

»Wo?«, fragte Grace.

»In der Kapelle. Als ich Martin mit Pater Simone gesehen habe.«

»Wo er komisch war und Angst hatte und Simone auf ihn eingeredet hat?«, sagte Grace.

»Genau. Als ich aus der Kapelle rausgegangen bin, kam er gerade rein. Er hat mich von oben bis unten angeschaut, so wie vorhin, es war ekelhaft.« Fatou versuchte, seinen anzüglichen Blick mit dem furchtbaren Grinsen zu imitieren.

»Iiih«, rief Grace.

»Und dann ist er einfach reingegangen«, sagte Fatou. »Gottseidank. Ich hatte solche Angst vorhin, dass er mich erkennt.«

»Warum?«

Fatou bekam Gänsehaut an ihren Unterarmen. »Dann hätte er gedacht, ich spioniere ihm nach.« *Sicherheitshalber sollte ich herausfinden, wer der Typ ist,* dachte sie. Ein weiteres To-Do, das sich als neues Puzzle präsentierte.

»Denk nicht, dass wir nichts herausbekommen haben«, sagte Grace. Fatou sah sie an. Musste sie unbedingt den Finger in die Wunde legen, dass sie sie beide in Gefahr gebracht hatte, ohne dass das zu irgendwelchen Ergebnissen geführt hätte? »Was haben wir denn herausbekommen?«

»Na ja: Sie haben Sophie nicht im Keller versteckt!«

Fatou setzte Grace zu Hause ab. »Vergiss nicht«, sagte Grace. »Am Samstag kommt ihr zu mir. Ich mache dir und deinen Mädchen ordentliche Frisuren. Kommt um zehn oder so. Und ruf mich an morgen, wenn du beim Bürgermeister warst.«

***

Die Sonne spiegelte dermaßen auf der Windschutzscheibe, dass Fatou beim Einbiegen in die Florastraße fast einen entgegenkommenden Traktor übersehen hätte. Der Bauer, der darauf saß, schimpfte laut »Kruzitürken!«, und sie machte eine entschuldigende Geste. Was hatte der überhaupt mit dem Traktor hier zu suchen? Es gab auf dieser Seite der Landstraße kaum noch Felder. Im Schritttempo fuhr sie weiter. Ein ungutes Gefühl überkam sie. Es war, als ob jemand an einem Seil zog, das um ihren Brustkorb gewickelt war. Sie kannte dieses Gefühl von Momenten der Gefahr. Manchmal meldete es sich auch, wenn sie sich etwas besonders Schmerzhaftes vorstellte oder sich an etwas Schlimmes erinnerte. Wenn sie daran dachte, dass Yesim etwas zustoßen könnte, kam das Gefühl sofort und zuverlässig. Woher rührte es in diesem Moment? *Ich habe gerade nicht an Yesim gedacht,* überlegte sie. *Auch nicht an die kleine Sophie. Ich habe mich gefragt, was der Bauer mit seinem Traktor hier wollte. Ich habe gedacht, dass die Bauernhäuser von früher inzwischen weg sind.* Da fiel es ihr ein. Sie konnte nicht anders, als tief resigniert zu stöhnen und rechts ranzufahren.

Genau dort, wo der Traktor ihr begegnet war, vor der modernen Wohnanlage zur rechten Hand, hatte früher der Bauernhof ihres Schulfreundes aus der ersten Klasse gestanden. Er war ihr Lieblingsmitschüler gewesen. Sie hatten nebeneinander gesessen, einander Geheimnisse erzählt und sich gegenseitig im Sportunterricht an der Sprossenwand geholfen. Eines Nachmittags hatten sie auf seinem Bett gesessen und Kekse gegessen, als sein Vater zur Tür herein kam, ein großer stämmiger Bauer. Er fluchte und polterte, als hätte er eine Verbrecherbande beim Raubzug erwischt. Er packte Fatou am Arm, zerrte sie aus dem Haus hinaus und trat sie die Treppe hinunter. An seine genauen Worte konnte sie sich nicht mehr erinnern, nur daran, dass sie große Angst gehabt hatte, weil sie den Hass in seinen Augen gesehen hatte.

Jetzt waren die Felder weg.

Seine Eltern hatten ihn danach in die Parallelklasse verfrachtet. Wahrscheinlich dachte er schon lange nicht mehr an den Vorfall. Wahrscheinlich hatte es ihn sowieso nicht so tief getroffen wie sie. Für Fatou war damals eine Welt zusammengebrochen. Es war ihre erste bewusste Begegnung mit dem Hass und der Angst gewesen, die sie später noch erleben würde, und denen sie doch nichts entgegenzusetzen hatte. Er hatte sie angesehen wie ein Tier, und sich dabei selbst in etwas verwandelt, das einem Tier ähnlicher war als einem Menschen. Sie hatte noch jahrelang Albträume davon gehabt. Ohne es zu wollen, war sie seitdem manchmal aus heiterem Himmel in Grübeleien verfallen. Wie konnten Menschen, die doch Kinder hatten, ein Kind so behandeln? Darüber dachte sie immer wieder nach und fand keine Antwort. Aus der offenen Wunde von damals war mit der Zeit eine Narbe geworden, und es hatten sich weitere dazu gesellt. Später hatte sie gelernt, das Muster zu erkennen. Wenn Menschen diesen Blick hatten, aber dachten, dass sie ihn verstecken konnten. Sie waren immer zu langsam. Im ersten Sekundenbruchteil, nachdem die Türe aufging oder sie sich umdrehten, kam ihre Maske nicht hinterher. Auf den Blick folgten für gewöhnlich ungerechte Anschuldigungen gegen sie. »Was stehst du hier so rum?«, »Sie sind gegen meine Tasche gekommen!«, »Schauen Sie gefälligst nicht so aggressiv«.

Es war vorhersehbar und schmerzte, obwohl sie wusste, dass es nichts mit ihr zu tun hatte. Als sie sechs Jahre alt war, hatte sie das noch nicht gewusst. Die Sache mit dem Bauern hatte das Tor geöffnet für alle weiteren derartigen Vorkommnisse. So schien es ihr jedenfalls. Was der Klassenkamerad wohl inzwischen machte? Fatou schüttelte den Kopf, fuhr die fünfzig Meter bis vor das Tor und parkte den Wagen.

»Madame beehrt uns wieder?« Tante Hortensia hatte ihre Lesebrille auf und warf einen Schulterblick auf den Tisch, an dem die Mädchen saßen und auf dem ihr Rommé-Blatt lag.

»Danke«, sagte Fatou. »Am Samstag hast du den ganzen Tag vor uns Ruhe. Da haben wir nämlich einen Wellnesstermin.« Es war das Stichwort für Yesim, aufzustehen und ihre Mutter persönlich zu begrüßen. Sie umarmten einander.

»Was für einen Wellnesstermin, Mama?« Fatou erzählte von Grace, die ihnen allen die Haare machen würde. »Dir natürlich auch, Isabel.« Yesim jubelte. Isabel lächelte nicht und blieb sitzen. »Ist alles okay bei euch?«

»Vielleicht gehe ich am Samstag auch zum Friseur«, sagte Hortensia. »Gebrauchen könnt ich's allemal. Ich seh schon aus wie ein Uhu-Küken.« Yesim und Fatou lachten. Hortensia unterstrich ihren Befund mit einem Blick in den Spiegel und der taktilen Überprüfung einiger flaumiger grauer Haare. »Jetzt spielen wir die Partie noch zu Ende, dann wärm ich uns die Suppe auf, und dann erzählst du uns, was du die ganze Zeit gemacht hast, dass du in aller Herrgottsfrüh raus bist.«

»Kann ich dich kurz was in der Küche fragen?«, sagte Fatou.

»Oho«, sagte Hortensia und ging voran. »Bist du in Schwierigkeiten?«

Fatou verneinte. »Was tust du denn so geheim die ganze Zeit?«, sagte Hortensia und lehnte sich mit verschränkten Armen an die Spüle. Fatou hatte gewusst, dass sie sich doch noch irgendwann würde rechtfertigen müssen.

»Ich hab dir doch erzählt, dass ich ... ermittle. Was die Sache mit der Kapelle angeht und mit der ...« Sie senkte ihre Stimme noch mehr. »... mit der kleinen Sophie. Mit der Entführung.« Wenn sie es aussprach, war es real. Ihre Unternehmungen fühlten sich wie ein kindisches Detektivspiel an, aber es war nichts Unbeschwertes daran. »Heute früh war ich mit Grace unterwegs. Wir haben verdeckt ermittelt.«

»Ach, dass du mit der Putzfrau in der Stadt warst? Das war eine verdeckte Ermittlung? So, so.«

Fatous Ohren wurden heiß. »Woher weißt du denn das jetzt?«

»Nichts für ungut, aber ganz unauffällige Erscheinungen wart ihr wohl nicht. Der Martin hat dich erkannt.«

»Der Martin, Isabels Bruder? Was hat der – wann hast du mit ihm …«

»Das wollte ich dir nachher eh noch erzählen«, sagte Hortensia. »Der Martin war da und hat gefragt, ob er mit Isabel was unternehmen darf.« Fatous Herz setzte einen Schlag aus. »Selbstredend habe ich es nicht erlaubt. Dass er sich überhaupt herkommen traut! Aber die Isabel hat ihn so umarmt und so geweint. Da hab ich erlaubt, dass die zwei sich unterhalten, in meiner Sichtweite.«

Fatou ärgerte sich. Sie wollte Hortensia einen Vorwurf machen. Während sie sich ihre Worte zurechtlegte, fiel ihr aber nicht ein, woraus der Vorwurf genau bestehen sollte. »Brauchst dich nicht aufzuregen, da ist nichts passiert«, sagte Hortensia. »Er hat sich gut benommen und Isabel war selig. Ich hab ihn gefragt, wie's seiner Mutter geht, da hat er gesagt, ihre Besserung verläuft nur ganz langsam. Über Sophie hat er nichts Neues gewusst und gesagt, die Polizei sagt ihm nichts. Er hat auch geweint. Als ich ihm nach einer halben Stunde gesagt hab, dass er jetzt langsam wieder gehen muss, hat er erzählt, dass er dich in Altötting gesehen hat, wie du mit einer Putzfrau die Gasse langgegangen bist, und dass er sich gewundert hat.«

»Um wieviel Uhr war das?«, fragte Fatou.

»Hier war er so um neun herum.« Also hatte er sich auf den Weg nach Neuötting gemacht, bevor sie im Burschenschaftshaus dem Typen mit dem Schmiss begegnet waren. Fatou hoffte, dass sie nicht befreundet waren und sich austauschen würden. Das wäre nicht gut. Vielleicht hatte sie einen Fehler gemacht und falsch eingeschätzt, dass sie in der Kittelschürze auf alle Menschheit anonym wirken würde. Daran, dass sie jemandem begegnen könnte, der sie kannte, hatte sie nicht gedacht. Sie verfluchte innerlich ihre eigene Unvorsichtigkeit. Es war nun nicht mehr zu ändern. Sie musste sich eine gute Ausrede überlegen, für den Fall, dass jemand sie noch mit der Sache konfrontieren würde – jemand Unangenehmes, wie zum Beispiel der Typ aus dem Obergeschoss oder die Polizei.

»Der hat seiner kleinen Schwester nichts getan«, sagte Hortensia. »Dazu ist der nicht gestrickt.«

»Vielleicht«, sagte Fatou. »Aber er weiß mehr, als er zugibt.« Hortensia hob ihre wachsame Augenbraue. »Er hat was damit zu tun«, sagte Fatou. Sie wollte der Tante nicht zwischen Tür und Angel eine wilde These präsentieren, die sie sich selbst noch nicht vollständig erklären konnte. In ihrem idealen Ablauf würde sie alles herausfinden, perfekt und lückenlos, mit Beweisen und allem Drum und Dran, und dann fein säuberlich Hortensia darlegen. Die würde sie für ihr kriminalistisches Geschick loben und sie mit einer Ermittlerin aus einem ihrer Romane vergleichen. Vielleicht solltest du ihr gar nichts weiter erzählen, um sie nicht zu belasten, flüsterte eine übervorsichtige Stimme in ihrem Vorderhirn. Sie blendete sie aus. Ihre rechte Schläfe pochte.

»Ich glaube, Martin wird erpresst«, sagte sie. Aber das will ich eben alles herausfinden. Drück mir die Daumen. Morgen habe ich einen Termin beim Bürgermeister.« Hortensia kniff ein Auge zu und zog über dem anderen die Braue hoch. Damit sah sie aus wie ein Westernheld. »Bitte sag es niemandem weiter. Ich gehe inkognito.« Bald würde die Tante denken, dass sie jeden Realitätssinn verloren hatte.

Übermüdet aß Fatou ihre Buchstabensuppe. Isabel war immer noch so ruhig. Es machte keinen Sinn, so zu tun, als hätten sie irgendeine Art von Alltagsleben.

»Wie geht's deiner Mutter? Aua!« Yesim hatte Fatou unter dem Tisch getreten, heftiger als jemals zuvor. Und sie warf ihrer Mutter einen erzürnten Seitenblick zu.

»Weiß nicht«, sagte Isabel. »Martin sagt, ihr geht's langsam besser. Mich lassen sie nicht mit ihr telefonieren.« *Das macht keinen Sinn*, dachte Fatou.

»Hast du angerufen?« Sie kassierte einen weiteren ungebremsten Tritt von Yesim an dieselbe Stelle an ihrem Schienbein. Es würde blaue Flecken geben.

»Ich hab zweimal angerufen, mit Tante Hortensia.« Isabel sah die Tante hilfesuchend an.

»Anitas Handy ist immer aus«, half Hortensia. »Da haben wir im Krankenhaus angerufen. Die haben gesagt, sie darf keinen Besuch kriegen und auch nicht telefonieren.«

Isabels Kinn zitterte. Yesims Blick in Fatous Richtung war strafend und bitterböse. Es hatte etwas von vertauschten Rollen. *Siehst du,* sagte der Blick, *das passiert, wenn du redest, bevor du nachdenkst. Und wenn du deine Familie vernachlässigst.* So kam es Fatou jedenfalls vor. Tante Hortensia tätschelte Isabels Hand. Yesim küsste sie auf die Wange. »Es tut mir leid, Isa«, war alles, was Fatou momentan einfiel.

Damit Tante Hortensia in Ruhe ihren Mittagsschlaf machen konnte, verfrachtete Fatou die Mädchen in Anitas Garten. So lange sie aufpassen würde, wären sie dort gut aufgehoben und Isabel hatte vielleicht wenigstens ein winziges bisschen Normalität. Fatou blätterte in alten Fernsehzeitungen in einem Liegestuhl auf der Terrasse, während Yesim und Isabel vor dem riesigen Fernseher im Wohnzimmer zugange waren. Sie übten Schritte und Verbiegungen eines avantgardistisch aussehenden Tanzes ein. Ab und zu warf sie einen Blick hinüber. Die beiden waren ziemlich verschieden, aber sie verstanden sich so gut, dass sie inzwischen wirkten wie Geschwister. Es würde schwer werden, aufzubrechen und Isabel zurückzulassen. Das Schuljahr würde beginnen. Sobald Anita wieder in die Spur kam, würde Fatou ihr vorschlagen, Isabel die Ferien bei ihnen in Hamburg verbringen zu lassen. *Bestimmt wird sie erst wieder ansprechbar, wenn Sophie auftaucht*, dachte Fatou bitter. Sie wettete mit sich selbst, dass Anita sich für Sophie, anders als für Isabel, aufrappeln würde.

Die Mädchen drehten die Anlage auf. Fatou erkannte das Lied. Es war »Papaoutai«. Sie sangen mit, während sie tanzten. Yesim kannte anscheinend den ganzen Text, obwohl sie in der Schule noch gar kein Französisch gelernt hatte. Isabel sang mit ausdrucksvoller, tiefer Stimme, die für ihr Alter zu viel Soul hatte. Fatou biss sich in den Zeigefinger, um nicht zu weinen.

***

»Freut ihr euch auf die Frisuren-Session?«

Yesim zupfte an den Fransen, die waagerecht aus ihrem Haargummi herausstachen. »Kann ich mir aussuchen, was sie mir macht?«

»Ich denke schon«, sagte Fatou. »Ich bin sicher, dass sie was ganz Tolles für euch macht. Grace hat Stil. Du hast sie ja auf dem Kulturfest gesehen.« Isabel erweckte nicht den Eindruck, gedanklich am Gespräch beteiligt zu sein. Fatou stupste sie mit dem Ellbogen an. »Und du? Haben Milady einen bestimmten Frisurenwunsch?« Isabel zuckte mit den Schultern. »Hast du schon mal eine afrikanische Frisur gehabt, Isabel?« Sie blickte Fatou von unten unverwandt an. »Traust du dich?«, versuchte Fatou es so niedrigschwellig wie möglich. Es war verständlich, dass es Isabel gerade nicht besonders gut ging, aber sie wirkte heute fast schon abweisend. »Vielleicht Cornrows? Die kannst du auch lang tragen und einen Pferdeschwanz machen. So, ganz straff …« Fatou demonstrierte es, indem sie ihre eigenen Haare streng nach hinten zog. »Dann siehst du aus wie eine Schauspielerin nach einem Facelift.« Isabel blinzelte nur. »Nicht alle können so was tragen. Taylor Swiff zum Beispiel kann es nicht tragen.«

»Swift, Mama, die heißt Taylor Swift«, sagte Yesim in gereiztem Tonfall. »Warum können wir nicht zu einer richtigen Friseurin gehen? Wir wissen überhaupt nicht, ob deine Freundin das kann.« Fatou traute ihren Ohren kaum. Damit hatte sie nun wirklich nicht gerechnet.

»Jetzt mach aber mal nen Punkt. Natürlich kann sie das. Es ist eine Ehre für uns, dass sie uns dazu eingeladen hat. Normalerweise hat sie bestimmt was Besseres zu tun, als samstagnachmittags drei Leuten im Akkord die Haare zu machen. Freundschaftsdienst nennt sich so was. Weil ihr aufgefallen ist, dass wir dringend Hilfe brauchen ... mit unseren Haaren. Jedenfalls du und ich.«

»Hast du mit ihr über meine Haare gesprochen?«, zischte Yesim. »Das geht gar nicht! Mama wie peinlich!«

Fatou stellte ihr Wasserglas aus der Schusslinie. »Liebe Yesim, hättest du dich nicht dafür entschieden, dir mitten in der Nacht die Rasta rauszumachen, müsste ich auch nicht darüber sprechen, dass du seit Tagen nur mit Kappe herumläufst.«

»Nur weil du knausern willst, darf ich nicht zum Afrofriseur«, sagte Yesim. »Isabels Mama ist im Krankenhaus, aber sie hat ihr wenigstens fünfhundert Euro dagelassen.«

Das hörte Fatou zum ersten Mal. Fragend sah sie Isabel an. »Stimmt das?«

Isabel nickte. »Für Essen und so«, sagte Yesim. Fatou war kurz davor, damit herauszuplatzen, dass Anita genauso pleite war wie sie selbst, schluckte es aber herunter. »Warum haben wir noch den alten Fernseher, der nicht mal YouTube hat, damit kann ich überhaupt keine Choreografien üben!«, meckerte Yesim weiter.

»Dafür hast du zwei Wohnungen«, sagte Fatou. Der Versuch, mit Humor zu kontern, fruchtete nicht. Yesim sah nach wie vor drein wie ein verwundetes Reh. *Und wenn schon*, dachte Fatou, *ich habe nichts zu verbergen*. »Du weißt, dass wir im Moment kein Geld haben«, sagte Fatou. »Ich wäre die erste, die dir jeden Monat eine teure Frisur spendiert und einen großen Fernseher. Du kannst ja mal deinen Vater fragen, ob er einen neuen Fernseher kaufen oder die Medikamente bezahlen will, was ihm lieber ist.« Yesim zog eine Schnute. »Manche Familien haben keine Geldsorgen. Das sind aber die wenigsten. Die meisten Leute können sich nicht alles leisten, so wie wir. Wenn es dir wichtig ist, dass du keine Geldsorgen hast, solltest du dich nicht so sträuben, auf's Gymnasium zu gehen.«

Yesim stand ruckartig auf. »Du bist gemein!«, rief sie und lief zum Klo. Fatou wollte ihr folgen, hielt aber im Aufstehen inne. Yesim sollte sich erst mal abregen.

Isabel kaute an einem Fingernagel herum und würdigte Fatou keines Blickes. »Isa. Ich seh doch, dass es dir heute nicht gut geht. Ich bin zu hundert Prozent auf deiner Seite. Wir können ganz ehrlich über alles reden. Okay?« Fatou streckte die Hand aus, um Isabels Schulter zu streicheln, aber sie wich ihr aus. »Habe ich etwas falsch gemacht, Isa?« Das Mädchen sah sie gerade so lang an, wie sie es aushalten konnte. Der kurze Moment war lang genug, um Fatou betroffen zu machen. In Isabels Blick lagen Unsicherheit, Wut, Enttäuschung, Zuneigung und Entschlossenheit – alles kurz hintereinander. Dass es in ihr derart brodelte, war Fatou nicht klar gewesen. Sie hatte sie den ganzen Vormittag für schüchtern und melancholisch gehalten. Sie hatte sich getäuscht.

»Du glaubst, dass Martin ein Verbrecher ist«, sagte Isabel heiser.

»Das stimmt nicht«, hätte Fatou am liebsten gesagt. Aber sie wollte Isabel nicht anlügen. »Ich glaube, dass er Freunde hat, die manchmal Sachen machen, die ... nicht richtig sind. Und auch nicht immer legal. Du kennst die Typen bestimmt auch. Sie sind alle älter, schon auf der Uni und ziemlich wild. Sie sind in der Burschenschaft. Das ist ein gefährlicher

Club.« Isabel schüttelte sich ihren Pony aus den Augen. Fatou fuhr fort. »Ich glaube, dass Martin gern bei diesem gefährlichen Club dazugehören will, weil seine Freunde ihm imponieren. Weil sie schon älter sind. Ich glaube, dass sie ihn unter Druck setzen.« Isabels Gesichtszüge weichten minimal auf, sie schien zu überlegen. Dass ihr Bruder sich mit Volksverhetzungsgraffiti hervorgetan hatte, würde sie ihr immer noch erklären können, wenn es bewiesen und amtlich war, oder alternativ dazu auch gar nicht, denn es war nicht ihr Job, diese verkorkste Familie zu analysieren, und Isabels Job war es auch nicht. Erst einmal sollte sie ihre Kindheit so seelisch intakt wie möglich überstehen. Dabei half es nicht, wenn Hiobsbotschaft, Verwirrung und Misstrauen im Sekundentakt aufeinanderfolgten. »Isa, falls du das selbe Gefühl hast wie ich, wenn du auch glaubst, dass Martins Freunde ... irgendwie unheimlich sind – ich denke, es könnte sein, dass einer von denen was mit der Entführung von Sophie zu tun hat. Wenn du so ein Gefühl hast, wäre es gut, wenn du es mir sagst. Oder mir ein Zeichen gibst.« Isabel betrachtete sie mit einem Anflug von Überforderung. »Ich würde niemandem verraten, dass wir darüber gesprochen haben. Aber es würde vielleicht helfen, Sophie zu finden.« Isabels kleine Schultern zitterten. Lautlos fing sie an zu weinen. Fatou nahm sie in den Arm. Sie war warm und verletzlich und hatte das alles nicht verdient. »Schhh«, flüsterte Fatou. Isabel schluchzte. »Du hast keine Schuld an irgendwas. Du bist sehr tapfer, Isa.« Sie holte ein Taschentuch aus ihrer Handtasche. Isabel putzte sich die Nase und sah sich um.

Yesim kam vom Klo zurück und blieb vor ihnen stehen. »Was ist denn hier los?« Sie umarmte Isabel, die sich nicht rührte. Fatou bedeutete ihr, sich zu setzen. »Wir drei

müssen jetzt mal reden. Unter uns. Unter starken Frauen.«
Yesim setzte sich angespannt auf eine Stuhlkante. Fatou erklärte, dass sie verdeckt ermittelte. Und dass sie den Verdacht hatte, dass Martin erpresst wurde.

»Cool«, sagte Yesim.

Wenn sie erfährt, dass ich dafür erst mal nur als Putzkraft verkleidet war, findet sie es wahrscheinlich weniger cool, dachte Fatou. »Ich hab sogar einen Termin beim Bürgermeister. Als amerikanische Tourismusbeauftragte«, sagte sie, um sich selbst cool zu finden. Sie schärfte den Mädchen ein, mit niemandem darüber zu sprechen. Nicht einmal mit Isabels Mutter, falls sie ansprechbar werden würde, weil ... sie sich schonen musste – und auch mit sonst niemandem, inklusive Freundinnen am Telefon und dem Rest der Welt. »Wenn euch also irgendetwas einfällt oder auffällt, es kann auch nur ein Bauchgefühl sein – alles, was Sophie betrifft und Freunde von Martin – das könnte ganz wichtig sein. Kommt bitte zu allererst zu mir und sagt es mir, egal ob es komisch klingt oder nicht.« Yesim und Isabel versprachen es. Fatou bemerkte, dass ihr Deo versagte. Sie schwitzte wie bei einem Vorstellungsgespräch.

»So, ihr zwei Dancing Queens. Lasst uns rüber zu Tante Hortensia gehen.«

***

Zu ihrer Überraschung hatte Tante Hortensia Besuch. Sie spielten gerade zu zweit Karten auf dem Balkon. Fatou konnte sich noch vage von früher an Frau Huber erinnern. Sie hatte blonde Locken gehabt, statt wie jetzt lilafarbene. Was war es nur immer, das Seniorinnen dazu bewegte, sich freiwillig in Punks zu verwandeln? Ließ die Wahrnehmung von Haarfarben mit dem Alter nach? War es ein böser Spaß von Friseurinnen?

Eine beeindruckend große Hornbrille hatte Frau Huber damals schon getragen. An einem der Bügel war ein rosafarbenes Hörgerät befestigt.

Fatou wollte ihr die Hand geben, aber Frau Huber rief »Geh!« und zog sie schon an ihren Busen. Ihre Statementkette drückte eine Delle in Fatous rechtes Ohr. »Mei, da schau her, wie groß –«, fing Frau Huber an.

»Geh, Mirtzi«, unterbrach Hortensia. »Sie ist über dreißig. Fast vierzig.«

»Hey«, merkte Fatou an.

»A ganz a Fesche is' worn«, fuhr Frau Huber fort. »Rassig.«

»Was Sie nicht sagen«, sagte Fatou, »das war als Kind ja nicht abzusehen.« Frau Huber entging diese Art des Humors, Tante Hortensia legte amüsiert ihren Hals in Falten. »Das ist meine Tochter Yesim und ihre Freundin Isabel.« Überfordert sah Frau Huber von der einen zur anderen. In ihrem Hirn versuchten bestimmt gerade die wenigen Nervenenden, die für kulturelle Zuordnungen zuständig waren, zu ermitteln, welche ihre Tochter war. Isabel war dunkler und hatte glatte schwarze Haare. Yesim sah Fatou ähnlich, hatte aber einen helleren Teint und hellbraune Haare. Beide standen steif im Türrahmen. Fatou erlöste die arme Frau. »Begrüß die Frau Huber, Yesim!« Roboterhaft trat Yesim vor, sagte »Guten Tag« und schüttelte Frau Huber mit maximal ausgestrecktem Arm die Hand. Sie hatte Fatous Begrüßung am Busen mitangesehen und fürchtete womöglich dasselbe Schicksal. Frau Huber war eine, die dazu in der Lage war, ein Taschentuch mit Spucke zu benetzen und einem damit ohne Vorwarnung ein Stäubchen aus dem Gesicht zu wischen.

»Guhten Taagh«, sagte Frau Huber. »Ihr seid's ja scho richtige Preissn!«

Yesim drehte sich fragend zu Fatou um. »Nordlichter!«, sagte Frau Huber recht laut. »Bei uns sagt ma ›Grüß Gott‹!«

»Grüß Gott«, sagte Yesim folgsam und fatalistisch.

»Und dann bist du die Isabella?«, rief Frau Huber.

»Isabel«, korrigierte Fatou.

»Oh, ohh, ein spanischer Name. Kommst du aus Spanien?«

Isa sah Fatou hilfesuchend an. »Isabel kommt aus Neuötting, genau wie wir.«

»Ich bin in Bangladesch geboren«, sagte Isabel.

»Mei!«, rief Frau Huber. Ihre Miene wechselte augenblicklich von Neugier zu Mitleid. Sie legte den Kopf schief. »So a feschs Madl. Da hat der Herrgott seine Finger im Spiel g'habt bei deiner Rettung.« Tatsächlich bekreuzigte sie sich.

Fatou war weit davon entfernt, mit Frau Huber ihre Einschätzung von »Rettung« in eine interkulturell inkompetente Familie zu debattieren. Vor Isabel sowieso nicht. »Nett, Sie wiederzusehen, Frau Huber. Wir retten uns jetzt mal in die Küche und machen uns einen Eistee.« Eilig bugsierte sie die Mädchen von dannen. »Bringts uns auch welchen raus«, rief Tante Hortensia hinterher.

In der Küche tauschten sie vielsagende Blicke aus. Fatou war stolz darauf, dass Yesim von Frau Huber Abstand gehalten hatte. Bei Isabel war sie sich nicht sicher. Womöglich liefen die meisten ihrer Begegnungen so ab. Es war besser, es nicht groß zu thematisieren. Es wäre grausam gewesen, Isabel die Rote Pille zu verabreichen und sie dann mit dem Wissen, dass eigentlich alle Erwachsenen sie auch weiterhin schlecht behandeln würden, allein zu lassen.

Fatou instruierte die beiden bei der Eisteezubereitung. Dann legte sie sich ein frisches Hemd heraus und duschte so heiß, wie sie es nur aushalten konnte. Der Hochsommer änderte nichts daran, dass kaltes Wasser etwas für Gefängnisinsassen und zur Selbstbestrafung war. Wenn es am Rücken nicht brannte, war das Wasser zu kalt eingestellt.

Das Kokos-Ananas-Aroma ihres mitgebrachten Duschgels hüllte sie in wohlige Wonnen. Sie würde es bald nachkaufen müssen. Sobald sie es sich leisten konnte. Eine Tube kostete sieben Euro.

Nach dem Eistee hatte Frau Huber sich widerstrebend von Tante Hortensia aus der Wohnung geleiten lassen. »Die wollte noch da bleiben, damit sie danach auch recht viel zu erzählen hat, die alte Ratscherin«, sagte Hortensia und setzte sich mit einem Seufzer auf die Couch. »Manchmal kommt sie fast jeden Tag zum Kartenspielen. Ich brauche ja auch Gesellschaft. Aber sie redet oft dasselbe, und dann auch noch über Leute, die schon gestorben sind. Die wird auch langsam alt.« Sie zwinkerte Fatou zu und legte die Beine hoch. »Heut ist nicht mehr viel los mit mir. Ich muss mich ausruhen. Gehts doch ins Kino!«

»Hier gibt's ein Kino?«, fragte Fatou.

»Geh, wir sind doch nicht hinterm Mond. Natürlich gibt's hier inzwischen auch ein Kino!« Sie drehte sich zu den Mädchen um, die gebannt lauschten. »Ein Lichtspielhaus. Da, in der Zeitung ist das Programm.«

Es gab mehrere Vorstellungen am Nachmittag. Die Mädchen sprangen auf einen Animationsfilm an, und Fatou stimmte bereitwillig zu. Dass sie auf die Idee nicht selbst gekommen war! Im Kino würde es kühl sein und dunkel. Es würde sie kein bisschen stören, wenn der Film langweilig wäre, dann würde sie einfach dösen. Wenn der Film gut war, würde er ihr die langersehnte Ablenkung vom Wirrwarr der Ereignisse, Verpflichtungen und Verflechtungen bieten. Tante Hortensia erlaubte ihren drei Besucherinnen, das Abendbrot vorzubereiten, sodass sie die kalte Platte später nur noch aus dem Kühlschrank würde holen müssen. Sie schien wirklich erschöpft. Yesim malte eine Blume und Isabel ein Herzchen mit Metallic-Stiften auf bunte Zettel, die sie auf den Aufschnittteller legten. Fatou erinnerte daran, wegen der Klimaanlagen auch Jacken mitzunehmen, und verfrachtete die Mädels aus der Tür.

Sie sah es sofort, schon als sie durch den Garten ging. Ihr Brustkorb zog sich zusammen. Sie überholte die Mädchen und zwang sich, nicht zu rennen. So schnell und beiläufig, wie es ihr möglich war, schnappte sie sich mit einer schwungvollen Handbewegung den roten Umschlag, der hinter ihrem Scheibenwischer klemmte. »Kruzifix!«, fluchte sie mit gespielter Empörung. Isabel hielt sich die Hand vor den Mund. »Immer irgendwelche Werbung am Auto. Sogar hier in der Kleinstadt.« Fatou tat so, als würde sie den Umschlag in der Hand zerknüllen, verbeulte ihn aber nur leicht und warf ihn dann in ihre Handtasche. Ihr Hals pochte. *Reg dich nicht auf, bevor du es gesehen hast*, redete sie sich zu. Unglücklicherweise war sie sich sicher, dass ihre Intuition ihr gerade keinen Streich spielte. Für so etwas war nie ein guter Zeitpunkt, aber jetzt gerade kam es nicht in Frage, eine Reaktion darauf zu zeigen. Wenigstens einen schönen Nachmittag im Kino sollten die Mädchen noch haben.

Auf der Fahrt rasten ihre Gedanken. Yesim musste sie mehr als einmal darauf aufmerksam machen, dass die Ampel auf grün umgeschaltet hatte. Wären sie in Hamburg gewesen, hätte Fatou es darauf ankommen lassen und die Polizei angerufen. Hier war das etwas anderes, das hatte sie schon einmal zu spüren bekommen. Immer wieder sah sie in den Rückspiegel, um herauszufinden, ob ihr jemand folgte. Die Situation überforderte sie. Dafür war sie nicht ausgebildet worden. Im Lehrgang für Kaufhausdetektive war es darum gegangen, wie sie jemandem folgen konnte, nicht anders herum. Das hier war neu und nicht gut. Jedes Auto, das länger als zwei Querstraßen hinter ihr her fuhr, machte sie nervös. Selbst Fahrradfahrer beunruhigten sie und Autos, die in sicherer Entfernung parallel zu ihr durch kleine Gassen fuhren. Sogar die Frau mit der Yogamatte auf dem Beifahrersitz im Jeep neben ihr. Dass das Aussehen einer Person auf nichts schließen ließ, wusste sie selbst am besten. Sie hatte den Drang, Grace anzurufen, aber vor den Mädchen konnte sie darüber nicht sprechen. Ihre Hände waren trotz der Hitze klamm. Sie wischte sich andauernd die Stirn, sodass Yesim sie schon auslachte. »Du schwitzt voll, Mama. Wir müssen dir gleich ein Eis kaufen!« Am Kino angelangt, kostete es Fatou viel Kraft, sich darauf zu konzentrieren, vernünftige Mengen an Popcorn und Getränken zu bestellen und in der Ansammlung von aufgeregten Kindern und gutgelaunten Erwachsenen im Foyer Ruhe zu bewahren. Am liebsten wäre sie aus einem Fluchtimpuls heraus gleich wieder aus dem Kino hinausgelaufen.

Hier drinnen ist es sicherer, hier ist der beste Ort, wiederholte sie wie ein Mantra. Sie brauchte dringend einen Platz zum Nachdenken. Und Rat und Unterstützung. Den Film würde sie unter diesen Umständen nicht durchstehen. Ihre Gedanken würden sich in eine Panikspirale hineinmanövrieren, sie hatten bereits damit begonnen. Eine Drohung am Auto zu finden wie in einem Mafiafilm, war nichts, womit Fatou gerechnet hatte. *Ich sollte mir die Nachricht erst mal ansehen*, dachte sie. Vielleicht war es ja nur ein Jungenstreich oder Mobbing. Immerhin war sie auffällig, waren sie alle auffällig, sie, Yesim und Isabel, und nun schon eine Woche zusammen in der kleinen Wohnsiedlung präsent. Vielleicht passte das irgendwelchen Rassisten nicht, die hinter ihrer Blümchengardine die Nasen rümpften und Angst hatten, die Florastraße könne sich über Nacht in die Bronx verwandeln. *Ich war zuerst hier*, dachte Fatou. *Vor jedem Kind, das hier in den letzten dreißig Jahren geboren ist, vor jeder schnippischen jungen Verkäuferin, vor allen Burschenschaftlern, die denken, sie wüssten, was »Heimat« ist.* Sie zwang sich, die Gedanken beiseite zu schieben und besann sich darauf, was als Nächstes zu tun war. Sie wandte sich den Mädchen zu. »Jetzt kommt erst mal eine Viertelstunde Werbung.« Yesim und Isabel freuten sich schon darauf. »Ich geh so lange raus«, sagte Fatou. »Ich schau gern den Film, aber auf Werbung habe ich gerade keine Lust.« Yesim fand es peinlich, akzeptierte es aber mit einem sauren Zitronengesicht. Isabel mampfte Popcorn. »Zum Film bin ich pünktlich wieder da«, sagte Fatou und schob sich durch die Reihe zurück zum Gang.

So lässig, wie sie bewerkstelligen konnte, ging sie ins Foyer. Niemand darin kam ihr suspekt vor. Sie setzte sich in einen Sessel in einer Ecke und rief Graces Kontakt auf. Bevor sie die grüne Taste drückte, besann sie sich und holte mit zittrigen Fingern endlich den roten Umschlag aus ihrer Tasche. Auf seiner Rückseite waren zwei gefaltete Hände aufgedruckt. Der Umschlag war nicht zugeklebt. *Keine DNA*, dachte Fatou. Es spielte keine Rolle. Für eine Drohung an jemanden wie sie würde sowieso keine Behörde in Bayern einen derart teuren Test machen, ob tot oder lebendig. Sie verdrängte den Gedanken und sah in den Umschlag. Es war eine Karte darin aus altweißem Kartonpapier. Sie hatte einen Trauerrand und die Aufschrift »Unser Herzliches Beileid«. Ihr Herz klopfte wie wild. Sie klappte die Karte auf. Dort stand in krakeliger Schrift: »Schwarze Madonna Schnüfflerin Sie nerven fahren sie zurück wo sie hergekommen sind sonst passiert euch was«. Es war nicht zu fassen. Sie musste kurz auflachen, was ihr einen neugierigen Blick von einer Popcornverkäuferin einbrachte. *Wahrscheinlich mit der linken Hand geschrieben*, dachte Fatou. *Von einem jungen Mann.* Eine Frau hätte versucht, die Rechtschreibung zu beachten, es richtig zu machen. Schon allein, damit ihre Botschaft überhaupt ernstgenommen würde. Eine ältere Person hätte durchweg die Anrede »du« benutzt, um Respektlosigkeit zu demonstrieren. Und vermutlich noch etwas eindeutiger Beleidigendes oder Feindliches dazu geschrieben. Fatou hatte Erfahrung mit Menschen, deren Nerven am Ende waren, und die ihre Anwesenheit verfluchten. Früher hatte fast jede Person, die sie beim »Gelegenheitsdiebstahl« erwischt hatte, hatte sich *beleidigt* darüber gezeigt. Manche hatten sogar nach der Polizei verlangt, so empört waren sie darüber gewesen, »von jemandem wie« ihr gestellt und festgehalten worden zu sein. Fatou hatte ihnen den Gefallen immer gern getan und direkt Polizeibeamte gerufen. Die älteren Gelegenheitsdiebe nahmen es besonders persönlich und benahmen sich auch so, unflätig, rassistisch, frauenfeindlich, Sprüche unter der Gürtellinie. Es schien einen Kulturwandel gegeben zu haben in der letzten Generation. Jüngere Langfinger fassten Fatous Autorität nicht als Majestätsbeleidigung auf, sondern waren einfach genervt, dass sie ertappt worden waren. Von wem spielte für sie keine besondere Rolle. Selbst wenn sie ausfallend wurden, äußerten sie sich nicht vordergründig rassistisch, sondern höchstens in Untertönen.

Genau wie der Verfasser dieser Karte. Sie tippte auf einen jungen Mann mit deutschen Eltern und einem Dreier-Abitur, rückgratlos genug, um so etwas zu machen, wahrscheinlich wären seine Eltern entsetzt, wenn sie es wüssten. Ängstlich, weil er selbst beim Drohbriefe schreiben Hemmungen hatte, eine gewisse geschmackliche Grenze zu unterschreiten. Wäre das Motiv Rassismus, würde die Nachricht sich ganz anders lesen. Es musste ihn persönlich etwas angehen, stark belasten, er musste unter Druck stehen. Sie suchte einen Jungen exakt wie Martin. Nur, dass er es nicht war. Dafür war er viel zu nah dran. Er hätte sich niemals getraut, selbst eine solche Karte zu schreiben und ihr ans Auto zu stecken. Das war kein Grund zur Entwarnung. Wenn sie aus dem Umfeld der Burschenschaft kamen, was wahrscheinlich schien, waren ihre Gegner eine Horde Typen, die blutige Waffengefechte als Vereinsgrundsatz hatten, und die jetzt nervös wurden. Eine gefährlichere Kombination gab es kaum. Zwei, drei, vier von ihnen – gewöhnt, zu bekommen, was auch immer sie sich einbildeten – konnten sich aus vielen verschiedenen

Gründen als ihre Nemesis betrachten. Im Rudel würden sie sich doppelt unbesiegbar fühlen.

Fatou drückte die grüne Taste. Nach endlosem Klingeln ging Grace endlich ran. »Mh?«

»Grace, Gottseidank. Hier ist Fatou, hast du einen Moment? Ich hab nicht lang Zeit, nur fünf Minuten. Ich bin im Kino mit den Mädchen, sie sind drin, ich bin draußen und muss gleich wieder rein, hör zu, es ist was passiert, bitte sag mir, was ich machen soll, ich brauche deine Hilfe.«

»Wowowow«, sagte Grace nach einer Sekunde Pause. »Ich habe nur die Hälfte verstanden. Du brauchst Hilfe mit den Mädchen im Kino?«

»Nein, nein«, sagte Fatou und versuchte, sich zu sammeln. Ihre Hand schwitzte wieder. »Ich kann nicht so laut sprechen. Hör zu. Ich habe einen Drohbrief bekommen. An meinem Auto, am Scheibenwischer. Da steckte ein Drohbrief. Ich soll von hier verschwinden. *Schwarze Madonna Schnüfflerin*, steht da drauf, *fahren sie zurück wo sie hergekommen sind sonst passiert euch was.*«

»Was?« Grace klang irritiert.

»Ich bin mit den Mädchen unterwegs. Sie haben den Drohbrief nicht gesehen. Wir sind im Kino. Ich weiß nicht, ob mir jemand folgt. Bist du noch dran?«

Grace atmete hörbar und machte ein paarmal »Hm, hm«. Schließlich sagte sie: »Ich verstehe.«

»Soll ich abreisen? Aber was wird dann mit Isabel?«

»Quatsch«, sagte Grace. »Dafür gibt's keinen Grund, wenn du mich fragst. Ich habe jetzt keine Zeit, aber wir sehen uns am Samstag sowieso. Dann sprechen wir über alles.«

»Das ist doch noch ewig hin«, sagte Fatou. »Und die Mädchen sind dabei. Und …«

»Fatou«, sagte Grace, und ihre Stimme klang ein wenig genervt . »Was glaubst du, was wir in der Refugee-Initiative jeden Tag für Drohungen kriegen? Persönlich, allgemein, mit Zetteln, als E-Mail, im Supermarkt ins Gesicht, auf dem Amt, auf der Straße. Das ist ehrlich gesagt nichts Besonderes für mich. Die meisten von uns können nicht überlegen, ob sie nach Hause fahren, weißt du. Manchmal passiert was, meistens nicht, aber es gibt sowieso keine Alternative. Weggehen, abhauen wohin?« Die Bedeutung von Graces Worten erreichte Fatou mit einiger Verzögerung. Erst war sie wütend darüber, dass sie es nicht ernst nahm, dass Grace sich anscheinend gar keine Sorgen um ihr Wohlergehen oder das der Mädchen machte. Sie wollte sagen »Das ist was anderes«, verkniff es sich aber.

»Echt?«, fragte Fatou stattdessen. »Ihr kriegt die ganze Zeit solche –«

»Oh, bitte!«, sagte Grace. Sie klang jetzt sehr ungeduldig. »Tu doch nicht so. Kommst du mal aus dem Elfenbeinturm raus? Ich denke mir das bestimmt nicht aus!«

»Entschuldige«, sagte Fatou.

»Ruf auf jeden Fall nicht die Polizei«, riet Grace. »Kommt am Samstag. Haare und alles habe ich da. Bringt Limo mit, mein Kasten ist leer. Ich muss jetzt los.« Sie legte auf.

Fatou starrte auf den Handybildschirm und wusste nicht, ob sie lachen oder weinen sollte. Die Klimaanlage hatte ihren Schweißausbruch von vorhin getrocknet, jetzt bekam sie eine Gänsehaut. Die Saaltür öffnete sich. Zwei Teenager liefen heraus und um die Ecke zu den Toiletten. *Ich sollte wieder reingehen*, dachte Fatou, *und jetzt erst einmal genau das machen, was Grace vorgeschlagen hat: nichts.*

Es gelang ihr nicht, sich auf den Film zu konzentrieren, aber zumindest war ihre Panik gewichen. Sie nutzte

Dunkelheit und Auszeit, um gründlich nachzudenken. Sie musste sich Gedanken machen, wie sie diese Kerle schnellstens finden, identifizieren und abstellen konnte. Ihre Detektivarbeit war kein Hobby mehr. Seit Sophie entführt worden war, war es schon kein Spiel mehr. Bisher hatte sie einen Ersatzfallschirm gehabt, hätte ihre Nachforschungen jederzeit wieder einstellen können, weil kein Mensch von ihr verlangte, die Angelegenheit zu lösen. Das hatte sich soeben geändert.

Fatou befiel eine seltsame Ruhe, die sie sich nicht vollständig erklären konnte. Sie fühlte sich nicht mehr allein.

***

Die Mädchen hatten den Film gemocht und erzählten sich die besten Szenen mit verstellten Stimmen nach. Isabel war wieder lebhaft, sogar albern, der Kinobesuch war genau das Richtige gewesen. Fatou spendierte noch eine Runde Eis. Sie steuerten damit eine Parkbank am Rand einer Wiese am Bach an. Pärchen saßen dort, junge Familien, sogar eine Großfamilie, die professionelles Grillen betrieb, wie Fatou es aus Hamburg kannte, mit Kühltaschen, Klapptischen, einem Baldachin und Sonnenschirmen für die Großmutter. Jugendliche spielten Frisbee. Mücken und Hummeln surrten. Vögel pickten nach Essensresten. Sie konnte keine Verfolger oder Beobachter erkennen.

»Ihr zwei Stars, ich muss mal eben telefonieren.« Fatou ging ein paar Schritte zum Bach, der leise vor sich hin gurgelte. Sie war außer Hörweite, aber nicht außer Sichtweite der Mädchen. Sie hockte sich auf einen Baumstumpf und wählte Pater Simones Kontakt. Es war Zeit, den Druck zu erhöhen. Simone stand mit Martin in Verbindung; er konnte nicht ewig den Unbeteiligten spielen.

»Guten Tag Frau Fall, was kann ich für Sie tun?« Seine Stimme klang gelassen und ruhig.

»Haben Sie ein paar Minuten jetzt am Telefon? Ich muss etwas mit Ihnen besprechen.« Simone bejahte. Fatou sah sich um. Als sie es aussprach, kam es ihr surreal vor. »Ich habe gerade einen Drohbrief bekommen.«

»Wie bitte?«

»Er steckte an meinem Auto, am Scheibenwischer.«

»Sind Sie sicher? Was stand darin?«

Fatou kannte den Text auswendig. »Er war von Hand geschrieben, ich glaube von einem jungen Mann. Den Eindruck habe ich jedenfalls.«

»Das gibt's doch nicht«, sagte Simone. »Das geht zu weit! Es tut mir sehr leid, dass Sie das hier erleben müssen, Frau Fall.« Fatou tat es auch leid, egal ob sie es hier erlebte oder anderswo. »Was wollen Sie jetzt tun?«

»Das weiß ich noch nicht genau, aber jedenfalls nicht das, was der … wer auch immer das geschrieben hat, will, das ich tue.«

Sie konnte ihn unregelmäßig atmen hören. »Was haben Sie denn zuvor gemacht?«, fragte Simone. »Haben Sie etwas Bestimmtes getan, mit jemandem gesprochen?«

Ich muss das beschleunigen, dachte sie. Auch wenn es hieß, dass sie sich noch weiter aus ihrer Komfortzone heraus bewegen musste. »Mit Martin. Ich habe mit Martin gesprochen.«

»Martin?«

»Der Junge, der so ekelhaft Ihre Kapelle angesprüht hat. Dessen kleine Schwester entführt worden ist. Der bei uns nebenan wohnt. Martin Stefan.«

Simone spielte weiter den Zerstreuten. »Jaja, natürlich …«, begann er. Erst mitten im Satz schien er zu bemerken, was Fatou gerade gesagt hatte. »Meine Kapelle – angesprüht? Martin?«

Fatou rollte mit den Augen, obwohl er es nicht sehen konnte. »Ganz recht. Ich dachte, Sie wüssten es schon.«

»Das ist eine schwere Anschuldigung an den Jungen«, sagte Simone. Seine Stimme bebte ein wenig. »Ich … ich kenne den Martin. Er kommt manchmal in die Messe, er war sogar Ministrant früher. Er würde nicht –«

Fatou räusperte sich. »Pater Simone, da machen Sie draus, was Sie möchten. Es ist Ihre Kapelle. Mich interessiert viel mehr, was mit Martins kleiner Schwester Sophie passiert ist, und es kommt mir langsam vor, als wäre ich die Einzige, die das interessiert.«

»Ich verstehe Ihre Aufregung«, sagte Simone, nun wieder gefasster. »Ich werde dem nachgehen und mit Martin sprechen, sobald es möglich ist, heute, spätestens morgen. Glauben Sie, dass er selbst seine kleine Schwester …?«

»Nein, das glaube ich eben nicht«, sagte Fatou. »Ich glaube, Martin wird erpresst. Ich glaube, jemand anderes hat Sophie entführt und Martin weiß wer, und ist zu feige, um auszupacken, obwohl Sophies Leben auf dem Spiel steht. Sie ist schon vier Tage fort. Warum kommt nichts darüber in den Nachrichten? Warum ist hier nicht alles voller Hundestaffeln und Hubschrauber? Warum bekomme ich einen Drohbrief? Das ist doch ein Sauhaufen hier.«

Fatou hatte sich in Rage geredet und sah sich schnell um, ob sie auffällig geworden war. Außer zwei Säuglingen, die auf einer Frotteedecke positioniert waren, sah niemand in ihre Richtung.

»Sie haben recht, Frau Fall, dass es sicherlich viele Fragen gibt. Auch ich stelle mir viele Fragen. Aber wir sind nicht da, um alle Antworten selbst zu finden. Verstehen Sie? Ich bin naturgegeben ein sehr gläubiger Mensch. Der Herrgott schickt uns Prüfungen, damit wir uns auf das Wesentliche konzentrieren. Damit wir zu unserer eigentlichen Aufgabe finden.« War das nun schon eine Antwort auf ihre Frage, oder flüchtete er sich gerade in einen auswendig gelernten Predigttext? Konnte ein Mensch wirklich authentisch so kitschig sein? »Zum Beispiel meine Aufgabe ist, den Menschen eine Gemeinde und Jugendlichen eine Perspektive zu geben«, fuhr er fort. »Bei allen Dingen, die geschehen, akzeptiere ich die Wege des Herrn. Dazu gehören Situationen, die uns schrecklich vorkommen. Ich begrüße sie nicht, aber ich akzeptiere Seinen Willen.« Fatou überlegte einen Augenblick lang, ob Simone es sich mit dieser Einstellung besonders einfach machte oder besonders schwer. Er konnte doch nicht jedes Verbrechen abnicken, nur weil ›der Herr‹ sie so wollte. Wenn das alle täten. »Ich kann mir vorstellen, was Sie denken, Frau Fall. Nennen Sie es ruhig weltfremd. Ich bin mit Leib und Seele ein Diener des Herrn. Verstehen Sie? Auch Sie können im Glauben Ruhe finden, auch auf eine ganz eigene Art. Ihre Aufgabe ist nicht, komplizierte Probleme in unserer Welt zu lösen oder zu entfernen. Ihre Aufgabe ist Ihre Familie, Ihr Glauben und Ihre Fröhlichkeit. Finden Sie zu dem, was Sie wirklich erfüllt. Machen Sie sich keine Sorgen. Sie haben nichts Falsches getan und Sie müssen nichts wieder gut machen. Verstehen Sie? Gehen Sie nicht in die Kompliziertheit hinein. Nehmen Sie die Probleme der Welt, und es sind schlimme Probleme, nicht als Ihre Verantwortung an. Das wäre mein Rat.« Fatou war sprachlos. »Sind Sie noch dran, Frau Fall?« Sie sagte nichts. »Sie wissen, wo Sie mich finden. Ich bin Seelsorger und für Sie da. Ja, Frau Fall? Nichts zu danken. Alles Gute. Gott segne Sie.«

So gut wie nie war Fatou nach einer kalten Dusche zumute. Jetzt wünschte sie sich eine.

Im Frühstücksradio liefen die Acht-Uhr-Nachrichten. Übermorgen würden die Landtagswahlen stattfinden. Ein Reporter las die Umfragewerte vor: »Guade fümfadreißg Prozent« habe die SPD nach den aktuellen Umfragen, »dreiafuchzg« die CSU, und damit knapp die absolute Mehrheit, wenn alles so bliebe. Die Grünen seien die großen Verlierer, von »zwoarazwanzg« der letzten Periode seien sie nun in den Umfragen abgerutscht auf »knapp fuchzehn«, was der Reporter der Handlungsunfähigkeit der Partei in Wirtschafts- und Migrationsfragen zuschrieb, man erinnere sich nur an den Skandal mit dem polnischen Agrarminister im letzten Jahr. Fatou schaltete das Radio aus. Sie hatte schlecht geschlafen, wirr und unheimlich geträumt. Wie meistens konnte sie sich nicht mehr an den Inhalt ihrer Träume erinnern, nur an das Gefühl, das sie hinterließen. Ausweglose, gefährliche Situationen, unterbrochen von bangen Wachphasen, in denen sie in die Dunkelheit hineingehorcht hatte. Als es draußen endlich langsam hell geworden war und die ersten Singvögel laut wurden, war sie schließlich doch noch für ein, zwei unterbrechungsfreie Stunden eingeschlafen. Ausreichend erholt fühlte sie sich nicht, seit Wochen war das nun schon Dauerzustand. Gleich würde sie sich einen starken Kaffee machen.

Kochend heiß lief das Wasser ihre Schultern hinab. Sie wollte »squeaky clean« sein, so sauber, dass es quietschte.

Zur besseren Tarnung und um in ihre Rolle zu kommen, würde sie nach irgendeinem alten, lange unbeachtet im Schrank ein trauriges florales Dasein fristenden Parfum von Tante Hortensia riechen und ein bisschen nach Kaugummi. Während sie sich mit dem Peelinghandschuh die Oberarme schrubbte, ließ sie die Haarkur einwirken. Es war bedauerlich, dass sie den Termin mit dem Bürgermeister nicht mit neuer Frisur bestreiten konnte. Mit perfekten Haaren hätte sie sich besser gefühlt in ihrer Rolle als amerikanische Tourismusbeauftragte, doch es war nun nicht zu ändern. Sie hatte sich für eine Baseballmütze entschieden und dazu einen gelb-rot-grünen Schal aus Kente, der mit Goldfaden gesäumt war. Um für Oberbayern glaubwürdig eine einflussreiche Afroamerikanerin abzugeben, konnte sie gar nicht zu dick auftragen. Die großen Goldkreolen, die sie für die Eventualität spontaner besonderer Anlässe immer auf Reisen mitnahm, würden sie besonders selbstbewusst wirken lassen.

Sie stieg aus der Dusche und trocknete sich ab. An den Knien und Ellbogen zeigte sich das dörrende Klima des Hochsommers. Sie sahen staubig aus und verlangten nach Körpermilch.

Ich rieche wie ein Multivitaminbonbon, dachte Fatou, *während sie sich eincremte. Wenn ich fertig bin, braucht der Bürgermeister eine Sauerstoffmaske.*

Sie kämmte sich die Haare über der Badewanne, spülte sie aus und seufzte. Der Leave-in-Conditioner stieß an seine Belastungsgrenze. Sie bürstete sich alle Haare streng nach hinten, griff zum uneleganten Ultima Ratio Strong-Gel plus Haarwachs und fixierte das Ganze zusätzlich mit dicken Haarklammern. Es würde trocknen, während sie ihren Kaffee trank.

Danach wählte sie ihren engsten schlecht sitzenden BH, damit der Bürgermeister sich unsicher und unwohl fühlen würde, und schnürte ihn sich unter Schnaufen um den protestierenden Busen. Der saß nun wunschgemäß ungefähr unter ihrem Hals. Auf dem schwarzen T-Shirt stand mit goldenen verschnörkelten Buchstaben »ACE«. Sie konnte sich nicht mehr erinnern, wo sie es herhatte, und trug es meist nur noch im Haus. Den orangefarbenen Lippenstift verwarf sie nach einer Schrecksekunde im Spiegel – er passte nicht zu den Rot- und Grüntönen des Kente-Schals. Stattdessen wählte sie dunkelroséfarbenes Lipgloss. Zwei Lagen Mascara und etwas Rouge, fertig war Stacey Laronda Williams. Oder wie auch immer sie sich genannt hatte. Oh nein, hatte sie sich das nicht aufgeschrieben? Sie lief in den Flur, um ihre Handtasche zu durchsuchen. Nein, das machte keinen Sinn. Sie hatte sich bestimmt nicht ihren eigenen fingierten Namen auf einem Zettel notiert. Im Handy vielleicht? Tante Hortensia hustete hinter verschlossener Tür. Sie war aufgewacht. Gleichzeitig öffnete sich die Tür des anderen Schlafzimmers. Yesim kam im Nachthemd herausgeschlurft und rieb sich die Augen. Als sie Fatou sah, erstarrte sie. »Mama! Flippst du jetzt aus?«

»Sei nicht so frech. Ich habe eine verdeckte Ermittlung als Amerikanerin.« Yesim starrte sie an wie ein landendes UFO. »Ich muss nicht aussehen wie eine echte Amerikanerin, sondern wie jemand, den die Bayern sich unter einer Amerikanerin vorstellen. Ist doch gut geworden, oder?«

»Du bist bunt«, sagte Yesim. Fatou bugsierte sie in die Küche und stellte Kakaopulver und Milch bereit.

»Schläft Isa noch?«, fragte Fatou

»Die liest. Können wir heute in die Bücherei? Wir wollen CDs anhören.«

»Hier gehts ja zu wie im Taubenschlag«, sagte Tante Hortensia in der Tür. Ihr Haarnetz saß etwas schief, aber ihr seidener Morgenmantel glich das an Eleganz aus. »Was ist denn mit dir passiert, bist du in den Malkasten gefallen?«

»Mama hat eine verdeckte Ermittlung«, sagte Yesim. Sie klang stolz.

»Das sollst du doch niemandem sagen, Yesim, sonst ist es keine verdeckte Ermittlung mehr«, sagte Fatou.

»Hast du die Ermittlung in einem Nachtclub?«, sagte Hortensia. »Was verheimlicht ihr mir noch alles?« Sie ging ins Badezimmer. Isabel kam aus dem Schlafzimmer und riss die Augen auf.

»Sag nichts, ich weiß wie ich aussehe«, kam Fatou ihr zuvor. Isabel lachte mit vorgehaltener Hand. »Du kannst ruhig offen lachen, ich hab vorhin, als ich vor dem Spiegel stand, selbst über mich gelacht.« Yesim gab Isabel ein halbvolles Kakaoglas in die Hand und machte sich ein neues. Fatou befüllte die Kaffeemaschine. Für Hortensia würde sie den Espresso verdünnen müssen.

Die Tante hatte nichts dagegen, mit den Mädchen in die Bücherei zu gehen. Es war ihr zwar neu, dass es dort auch »CD-Platten« gab, aber sie hatte früher regelmäßig Zeit dort verbracht, um in Ruhe Romane durchzublättern. »Die Reineke, die Buchhändlerin, ist ganz eine falsche Person«, erklärte sie. Fatou erinnerte sich. Das war Thema gewesen, vor vielen Jahren. Die Buchhändlerin hatte Anspielungen gemacht, Tante Rosa und Tante Hortensia betreffend, und war sich dabei anscheinend stark und schlau vorgekommen. Seitdem hatten sie die Buchhandlung gemieden, oder besser: boykottiert. Wenn Tante Hortensia wissen wollte, ob ein Buch sich zu kaufen lohnte, hatte sie es sich fortan in der Bücherei angesehen anstatt in der Buchhandlung.

»Jetzt les ich kaum noch«, sagte sie, während sie sich setzte. »Und wenn, dann alte Bücher, die ich schon hab. Wenn man so alt ist, hat man das meiste schon lang vergessen. Bei den Büchern, die ich schon hab, weiß ich wenigstens, dass sie mir gefallen.«

Die Mädchen versprachen Fatou, der Tante nicht mit allerlei Sonderwünschen auf die Nerven zu fallen und gut auf sie zu hören.

»Vielleicht komme ich erst nachmittags zurück. Wenn Grace Zeit hat, muss ich was Wichtiges mit ihr besprechen. Ihr könnt mich aber jederzeit anrufen ab zwölf Uhr«, sagte Fatou. Es schien keine groß zu interessieren. »Ich meine nur, falls was ist«, sagte sie. »Oder wenn ich was aus dem Supermarkt mitbringen soll.«

»Eis«, sagte Yesim. Fatou holte einen zwanzig Euro Schein aus ihrem Portemonnaie und legte ihn Tante Hortensia in den Flur. Wenn sie schon ihre Zeit, ihr Zuhause und ihre Ruhe für sie opferte, sollte sie dafür nicht auch noch bezahlen müssen. »Geh!« sagte Hortensia, als sie Fatou dabei erwischte. »Das brauch ich nicht. Ich hab eine sehr gute Rente.« Fatou gehorchte. Dass es keinen Sinn machte, Hortensia Fideltalers Anordnungen zuwider zu handeln, wusste sie schon seit über dreißig Jahren.

***

Das Rathaus sah aus wie alle Rathäuser. Es dominierten Steinboden, rotbraune Läufer, überdimensionierte Kerzenständer und langweilige Gemälde. Männer in Anzügen kamen in kleinen Gruppen die Treppen herunter und postierten sich in der Eingangshalle, um aufgekratzt zu lachen und mit ihren Aktentaschen zu wedeln. Sekretärinnen in Bleistiftröcken trugen Dokumente durch die Flure, während ihre Brillen von Halsketten baumelten. *Vielleicht feiern sie auch gerade die 1950er-Jahre Revival-Wochen*, dachte Fatou.

Auf der kurzen Autofahrt hatte sie sich den Kopf zerbrochen, wie sie ihren Termin wahrnehmen konnte, ohne sich an ihren Namen zu erinnern. Sie war zu dem Schluss gekommen, dass es den Leuten wahrscheinlich sowieso egal war. Sie würden sie genauso wenig identifizieren können wie Vertreter der Wirtschaftsdelegation aus Bejing.

Nachdem der ordnungsgemäß grummelige Pförtner ihr Englisch so lange ignoriert hatte, bis sie auf einen Zettel geschrieben hatte »Tourist Board AMERIKA, Burgermeistertermin JETZT«, machte er gnädig eine Handbewegung in Richtung des Aufzugs. »Zweiter Stock!«, schrie er und hielt dabei drei Finger hoch. Fatou hatte schon in ihrer Kindheit beobachten können, dass manche Süddeutsche das Konzept Verständlichkeit so wenig kapierten, dass sie einfach in ihrer eigenen Sprache lauter wurden, um besser verstanden zu werden.

»Raum Nummer?«, fragte Fatou mit amerikanisch gerolltem R. *Ich klinge wie Howard Carpendale*, dachte sie.

»Tuh. Zweiter Stock twuh«, ergänzte der Pförtner lautstark. Ein kosmopoliterer Kollege aus dem Hinterzimmer kam zu Hilfe. In besserem Englisch gab er ihr die Raumnummer und erklärte den Weg. *Bestimmt lehnen sie sich jetzt aus dem Fenster, um mir hinterher zu starren*, dachte sie.

Im Aufzug überprüfte sie ihr knalliges Aussehen und rückte ihre Baseballmütze zurecht.

»Ja. Herein – come in!« Das Vorzimmer war leer. Neben dem Rezeptionstisch stand eine Tür offen. Dahinter raschelte etwas. Fatou machte einen Schritt darauf zu. »Miss – Mrs – Johnson! Herzlich willkommen!« Der Bürgermeister höchstselbst empfing sie an seiner Bürotür und streckte ihr die Hand entgegen. Sie war erstaunt, wie zierlich er in Wirklichkeit außerhalb des Fernsehers wirkte. »Piekow, sehr erfreut.« Fatou nickte huldvoll und ließ sich in seinen Amtssitz geleiten. Mit einem freundlichen Murmeln und einer Geste bedeutete er ihr, in einer kleinen Sitzecke Platz zu nehmen. Der geometrische schwarze Ledersessel quietschte, als Fatou sich darin niederließ. Piekow rückte ein paar Untersetzer auf dem Glastisch zurecht. Er trug einen gut sitzenden teuer aussehenden dunkelgrauen Anzug. Als Farbtupfer erlaubte er sich eine weißblaue Krawattennadel. *Und ich habe Angst gehabt, zu sehr wie ein Klischee auszusehen*, dachte Fatou.

»Möchten Sie etwas trinken? Einen Kaffee? Wasser?« Fatou verneinte. »We can also talk English«, sagte Piekow. Auch das lehnte sie dankend ab.

»Vielen Dank, dass Sie die Zeit genommen haben«, sagte Fatou. Sie hatte sich für einen nur leichten Akzent entschieden. Sonst würde es zu anstrengend werden, durchzuhalten. »Ich habe eine deutsche Großmutter«, sagte sie. »Sie hieß Aminata Diallo.«

Piekow nickte eifrig. *Er hat nicht zugehört*, dachte Fatou. *Oder sofort verdrängt, was er gerade gehört hat. Er ist entweder von mir beeindruckt, Macho oder nationalkonservativ.* Gegen Zweiteres sprach, dass er ihr noch kein einziges Mal auf den Busen geschaut hatte. Seine Fußspitze wippte.

»Ich war auch schon ein paarmal in den USA«, sagte Piekow. »In New York. Zum Shopping, mit meiner Frau vor zwei Jahren zum Hochzeitstag.« Er lächelte verklärt. »Mit hier ist das ja gar nicht zu vergleichen. Und ich war schon mehrmals in Michigan auf der Landwirtschaftsmesse. Auch nicht zu vergleichen, ganz andere Größenordnungen. Aber die deutschen Erntemaschinen sind dort bekannt und geachtet.« Er deutete auf etwas hinter Fatou. Sie drehte sich um. An der Wand hing ein Bild von einer riesigen, abstrakt aussehenden Erntemaschine auf einem Feld bei Sonnenaufgang.

Fatou räusperte sich. »Herr Burgermeister. Wir reden ganz offen.« Piekow setzte sich zurecht und drehte sich zu ihr. *Er hat ein Managerseminar besucht*, dachte sie.

»Mein Tourist Board erreichen Anfragen von American Citizens. Alle wollen Bayern und die Alpen besuchen. Aber sie haben Sorgen mit den neuesten ... Entwicklungen. ›Is it safe here?‹, alle fragen mich. Sind sie hier in Sicherheit? Was kann ich ihnen sagen?«

Piekow nickte. Kommunikationstraining. *Hoffentlich wiederholt er jetzt nicht alles, was ich gesagt habe, um mir zu zeigen, dass er verstanden hat, was ich gesagt habe*, dachte Fatou. *Sonst sind wir in fünf Stunden noch hier.*

»Ich verstehe, was Sie sagen, Frau Johnson. Sicherheitsbedenken sind aber absolut unbegründet, da kann ich Sie voll und ganz beruhigen. Wir sind eine der sichersten Gegenden der Welt. Die Kriminalitätsrate in unserem Landkreis ist durchweg vernachlässigbar. Bei uns gibt es so gut wie keine Kriminalität. Im Straßenverkehr haben wir die Sicherheit noch um vierzehn Prozent erhöhen können im letzten Jahr. Touristen sind an Verkehrsunfällen gar keine beteiligt gewesen, soweit ich weiß. Der Landkreis Altötting kann mit Fug und Recht behaupten, dass ...«

Fatou unterbrach seine Werbedurchsage. »Meine Klienten, sie meinen nicht den Straßenverkehr. Sondern das, was wir in den Nachrichten sehen. In Amerika wurde berichtet über Vandalismus an Ihrer Kapelle. Aus München habe ich gehört, dass es eine bestimmte Situation gibt, seitdem.« Nebulös faseln konnte Fatou ebenfalls. *Mal sehen, ab welchem Punkt er anspringt*, dachte sie. Sie war zuversichtlich, dass sie an einer unbewussten Reaktion von ihm bemerken würde, sobald er sich ertappt fühlte – falls er sich ertappt fühlte.

Piekow holte langsam, als wollte er niemanden erschrecken oder aufwecken, einen kleinen Block und Bleistift aus der Innentasche seines Jacketts und machte sich eine Notiz. »Die Kapelle meinen Sie. Da kann ich Sie voll und ganz beruhigen. Die Polizei ist bei uns sehr fleißig.« Er sah aus, als würde er es ernst meinen. »Hier bei uns in Altötting sind Ihre Klienten sicher.«

»Well«, sagte Fatou. *Würden Sie für populistische Zwecke Kapellen schänden und Kinder entführen lassen?*, konnte sie ihn schlecht fragen. Er würde auch darauf eine adrette Antwort bereithalten, da war sie sicher. »Es wurde ein kleines Mädchen entführt«, sagte sie, ohne ihn aus den Augen zu lassen. Piekow nickte und machte ein zerknirschtes Gesicht. Keine Geste der Abwehr. Es sah aufrichtig aus. »Ja, das stimmt. Es ist furchtbar. So etwas kommt bei uns aber normalerweise natürlich nicht vor. Ich glaube, seltener als in Amerika.« *Touché*, dachte Fatou. »Seien Sie versichert, dass die Stadt Altötting alles tut, was in ihrer Macht steht, um das Verbrechen aufzuklären.« *Er meint das tatsächlich*, dachte sie. Entweder er ist ahnungslos oder er unterschätzt mich. Piekow drehte an seinem Ehering herum. »Was ist denn konkret die Sorge ihrer ... Klienten? Wir bemühen uns immer, die amerikanischen Besucherinnen und Besucher so gastfreundlich wie möglich zu empfangen. Wenn Sie Verbesserungsvorschläge haben, werden wir gern versuchen, alle umzusetzen. Ich kann Sie mit Frau Steinhausen vom Altötting-Tourismus bekannt machen. Eine Kooperation wäre uns sehr willkommen.«

»Well«, begann Fatou, «unsere muslimischen und Black Communities äußern ... Irritationen über die jüngsten Vorfälle. Vergessen Sie nicht, dass in vielen Ländern der Welt Wahlen in angespannter kultureller Situation zu Bürgerkriegen führen.« Sie wusste, dass sie dick auftrug. Es begann, ihr Spaß zu machen. »Ihnen ist sicher bekannt, dass in Amerika die muslimischen und African American Burgerinnen die meisten Devisen für Wellness und Freizeit ausgeben. Dazu gehören auch Reisen. Südamerikanische Communities investieren jedes Jahr fünfzehn Milliarden alleine in religiöse Devotionalien.« Piekow blinzelte kurz und notierte sich etwas auf seinem Block. »Wir arbeiten eng zusammen mit Heritage London.« Das hatte sie spontan erfunden und nahm sich vor, sich später dafür auf die Schulter zu klopfen. »In England, die nigerianische Community ist der konsumkräftigste Bevölkerungsanteil im ganzen Land. Auch sie wollen angenehme Reisen ohne Feindseligkeit oder Generalverdacht.«

»Ja«, sagte Piekow abwesend. Fatou konnte sein Gehirn rattern hören. Sie ließ ihn das alles einen kleinen Moment verdauen. Nicht zu lange, damit sie die Oberhand behalten würde. Es fühlte sich gut an. Sie erinnerte sich an ihre Rolle und Position. Ihre Aufgabe hier war es, etwas zu überprüfen.

Sie rief sich eine Schwarze Staatsanwältin in einer Gerichtssendung in Erinnerung. Amerikanisch höflich, aber streng. Durch eine imaginäre Lesebrille sah sie ihn von unten an. »Präzise, was unternimmt Altötting und Sie als Bürgermeister gegen Fremdenfeindlichkeit?«

Piekow rollte in Zeitlupe seinen hölzernen Bleistift zwischen den Fingern hin und her. Als er mit seiner inneren Vorformulierung fertig war, sah er Fatou direkt und offen an. »Es gibt sehr wenig Fremdenfeindlichkeit hier. Bayern begrüßt den Tourismus. Die Demografie ist bei uns ... nicht mehr wie früher. Wir sind selber Multikulti, auch in Altötting. Ich persönlich finde das richtig. Selbst wenn man wollte, wir können's ja gar nicht aufhalten. Also müssen wir uns arrangieren. Ich gebe zu, wir sind ... dabei noch ziemlich am Anfang. Aber wir dulden hier keinen Extremismus, nicht von Religionen und nicht von rechts und nicht von links.« Fatou musste sich zusammennehmen, um nicht wie ihre Tochter genervt zu stöhnen. »Wir haben sogar eine Moschee, die erweitert wird ... werden soll. Ich bemühe mich persönlich um ein Miteinander. Wir haben einen abrahamischen Dialog. Ein Religionsforum. Mit Muslimen, Pfarrern und sogar einem Rabbi. Mein Großvater war jüdisch. Aber ich bin katholisch«, fügte er etwas zu eifrig hinzu. Fatou hatte genug gehört und gesehen. Fast war sie enttäuscht: Er zeigte keine Spur von versteckter Panik oder der Arroganz, die Kriminelle oft zeigten, die sich selbst überschätzten und für unangreifbar hielten. Er war nervös, lavierte herum und versuchte, sein Gesicht zu wahren – alles aus normalen Gründen. Er war ein lokaler Bürgermeister, der sich für das Weltgeschehen interessierte, das aber nicht zu sehr heraushängen lassen durfte, um bei seinen Leuten nicht als abgehoben zu gelten. Er gab sich uneitel und versteckte seine Nervosität nicht besonders gut. Fatou glaubte, dass er weder Volksverhetzung noch Kindesentführung in Auftrag gegeben hatte. So plötzlich wollte sie das Gespräch aber nicht beenden. Es gefiel ihr, dass er versuchte, sie zu beeindrucken. Außerdem hatte er einen Denkzettel nötig.

Sie lockerte ihren Nacken und entspannte sich. *Die Show kann beginnen,* dachte sie. »Das Ereignis an der Kapelle wurde für ein schlechtes Licht auf die Muslime und die Gefluchteten benutzt im Wahlkampf. Wie planen Sie zu korrigieren, dass wegen unbekannte Einzeltätern ein negatives Bild gemacht wird von allen People of Color? Meine Klienten, sie fuhlen sich subjektiv nicht safe in dieser Gegend nun.«

»Ja«, sagte Piekow. Fatou sah ihn weiter an. Diese unangenehme Stille war nicht ihre, sondern seine. »Also, ich kann Ihnen versichern, dass ich diese Bedenken sehr ernst nehme. Ich höre sie heute so konkret zum ersten Mal. Ich werde das besprechen und mich selbst darum kümmern. Ich kann ein Forum einberufen. Vielleicht mit dem Tourismusbüro und der Polizei.«

»Und der Antidiskriminierungsbeauftragten«, ergänzte Fatou. Sie wusste nicht, ob so etwas hier überhaupt existierte.

»Wir haben eine Gleichstellungsbeauftragte«, sagte Piekow. »Ich persönlich glaube ja daran, dass man Meinungsverschiedenheiten in einem persönlichen Austausch immer am besten lösen kann. Aber ich verstehe Ihren Punkt, die gefühlte Sicherheit der Touristen ...« sein Blick schweifte aus dem Fenster. *Wahrscheinlich wird ihm gerade klar, dass er die Befindlichkeiten seines zweitgrößten Wirtschaftsfaktors nicht kennt,* dachte sie. *Das kann schon mal nervös machen.*

»Was konkret unternehmen Sie für die«, das Wort kam Fatou nur schwer über die Lippen, »Integration?« Vorsichtshalber zog sie die Augenbrauen hoch. Genau wie ihre strenge Deutschlehrerin Frau Feinherr es gemacht hatte, wenn sie signalisieren wollte, dass eine falsche Antwort jetzt fatal sein würde.

Piekow richtete seine Krawattennadel. »Selbstverständlich ist die Integration auch bei uns ganz wichtig.« Er rang sichtlich nach den richtigen Worten. »Wir möchten ja unsere Kultur und Traditionen auch weitergeben und, äh, behalten.« Fatou atmete tief ein und erinnerte sich daran, ihre Mimik zu kontrollieren. Es fiel ihr nicht leicht. »Ich gebe zu, dass es nicht unser Kernthema ist. Von meiner Partei, meine ich. Aber wir haben ja einen ... ausgewogenen Landtag. Die SPD ist ganz aktiv in dem Thema. Und wir von der CSU kümmern uns darum, dass Altötting sich soziale Projekte überhaupt leisten kann, wenn Sie so wollen. Wenn die Wirtschaft schwächelt, gibt es auch keine neuen Schulen und Integrationszentren und Sportplätze. Da nützen auch keine großen Fördergelder was. Die finanzieren vielleicht den Bau, aber danach? Sense. Verfall. Das ist eine unpopuläre Meinung, das ist mir klar, aber es ist nun mal so. Wir Konservativen denken mit längerem Atem. Viele wollen auf einmal auf den Integrationszug aufspringen, jetzt wo er lukrativ wird, aber, Frau Johnson, ein seriöses Projekt trägt sich auch von unten heraus, das weiß jeder Bauer, der eine Scheune bauen will, nicht wahr?« Fatou war ganz Ohr. »Die Basis muss stark sein. Dafür setzen wir uns ein, das ist unsere Philosophie. Und auch meine persönliche.« Wenn er es so einfach sagte, klang es fast vernünftig. Fatou hatte das Gefühl, dass irgendetwas an seiner Logik nicht wirklich stimmig war, konnte aber den Finger nicht darauf legen. Sie war nicht hier, um sich zum ersten Mal im Leben für die Feinheiten von Kommunalpolitik zu interessieren.

»Verstehen Sie mich nicht falsch, Frau Johnson, Integration ist selbstverständlich für uns ein Thema. Aber wir haben da eine eher … konservative Vorstellung, wie sie umgesetzt wird. Wir zählen auf Nächstenliebe und Nachbarschaftlichkeit, im Betrieb zum Beispiel, oder im Wirtshaus.« Er lächelte. »Manche Muslime gehen gar nicht ins Wirtshaus, und wenn sie dann noch ihren eigenen Kulturverein aufmachen … da ist es natürlich schwer, zusammenzufinden, nicht?« Fatou sah ihn schweigend an. Yesim hatte ihr vor ein paar Wochen ein »blank face meme« von Michelle Obama gezeigt. Auf dem Foto saß die First Lady bei einem offiziellen Bankett am Tisch neben jemandem, der offensichtlich gerade Unsinn redete. Es stand ihr ins Gesicht geschrieben. Es zeigte nämlich *gar keinen* Ausdruck. Das war eine deutliche Reaktion, aber zugleich nicht greifbar unhöflich. Das Foto hatte einen dicken Rand und die Unterschrift »FLOTUS blank face like a champ forever reblog«. Es hatte fast eine halbe Stunde gedauert, bis Yesim ihr begreiflich machen konnte, was der Text bedeutete. Michelle Obamas Gesichtsausdruck hatte ihr sehr imponiert. Der jetzige Moment war eine hervorragende Gelegenheit, diesen Gesichtsausdruck erstmals selbst auszuprobieren, fand Fatou. *FLOTUS blank face like a champ*, dachte sie. Ohne Regung im Gesicht sah sie Piekow an und dachte sich dabei in Großbuchstaben »HORST«. Es hatte ihr Vergnügen bereitet, Theater zu spielen und es ihm schwer zu machen, nun war es aber Zeit, zu gehen. Bevor sie zu plaudern begannen und er auf die Idee kommen würde, den Spieß umzudrehen und ihr berufliche Fragen zu stellen, musste sie das Gespräch beendet haben. Sie legte die Hände im Schoß aufeinander, wie sie es bei Oprah gesehen hatte.

»Well, vielen Dank für die Einblicke. Und für Ihre Zeit. Es war ein sehr informativer Exchange, Herr Burgermeister.« *Den Blick von unten nach oben muss ich mir für den Elternsprechtag merken,* dachte sie. Toll, wie es damit möglich war, von unten nach oben von oben herab zu schauen.

»Ich danke Ihnen für die offenen Worte und dass Sie auf mich zugekommen sind. Die Touristen und Besucher sind auch unsere Bürger«, sagte Piekow. Fatou verkniff sich einen Kommentar darüber, dass die Refugees keine Bürgerrechte hatten, und stand so huldvoll wie möglich auf. *Nicht zu schnell*, dachte sie. *Wie würde FLOTUS aufstehen? FLOTUS bei Oprah? Beim Elternsprechtag?* Sie ließ sich Zeit und hielt ihren Oberkörper gerade. Piekow eilte an ihr vorbei, um ihr die Tür aufzuhalten. »Ich begleite Sie noch mit hinaus. Frau Mahn gibt Ihnen die Karte vom Tourismusbüro.« Die Sekretärin, die sich inzwischen eingefunden hatte, war nur mittelgut darin, ihre Überraschung zu verbergen, als sie Fatou erblickte. Erstarrt sah sie sie an und machte keine Anstalten, zu reagieren. Fatou nickte ihr jovial zu und dachte: *Buh!*

»Frau Mahn?«, wiederholte Piekow. »Entschuldigen Sie, Mrs Johnson.« Orientierungslos, als sei sie soeben aus dem Sekundenschlaf aufgewacht, sah Frau Mahn ihren Chef an. »Den Kontakt zu Frau Steinhausen«, sagte Piekow. Sofort entspannte Frau Mahn ihre verkrampfte Körperhaltung und setzte dafür ein falsches Lächeln auf. »Tourismusbüro, ja, aber natürlich.«

»Lassen Sie bitte auch Ihre Karte da, Frau Johnson. Vielen Dank für das Gespräch. Ich habe einen Termin außerhalb. Viel Erfolg. Goodbye«, sagte Piekow und zog sich in sein Büro zurück.

Fatou wusste, dass die Sekretärin nicht nach ihrer nichtexistenten Visitenkarte fragen würde, weil sie viel zu beschäftigt damit war, eine funktionierende Person zu imitieren, während sie unkonzentriert in einem Kartenkarussell herumblätterte. Sie probierte noch eine Minute lang *FLOTUS blank face* an ihr aus, dann drehte sie sich um und verließ wortlos das Büro.

Im Fahrstuhl überprüfte sie wieder ihre Erscheinung und Mimik. Die Rolle zu spielen, hatte sich gut angefühlt. Sie erwog für einen Augenblick, einer Freizeittheatergruppe beizutreten, verwarf den Gedanken aber gleich wieder. Dann bekam sie ein schlechtes Gewissen, weil sie von zukünftigen Hobbys träumte, während Sophie entführt worden war.

Huldvoll glitt sie durch die Eingangshalle und über den Rathausvorplatz. Eine Frau im Seniorenalter, die ein »I Love New York«-T-Shirt trug, winkte ihr aus der Ferne zu.

Im Auto nahm sie die großen Ohrringe ab. Sie überlegte kurz, Grace anzurufen, entschied sich aber dagegen. Sie hätte ihr nicht erklären können, woran es genau lag, dass sie Piekow für harmlos hielt. Sie verspürte keinerlei Lust, in die Situation zu geraten, dass sie ihn oder seine Partei vor Grace verteidigte. *Im Grunde bin ich immer noch genauso schlau wie vorher*, dachte sie und seufzte. Konnte ihr nicht jemand die Ermittlung abnehmen oder zumindest einen heißen Tipp geben?

Was sagte eigentlich Orhan dazu? Er musste doch eine Theorie haben, was hier vor sich ging, und vor allem, warum. Als sie ihn beim Kulturfest darauf angesprochen hatte, hatte er seltsam abgeblockt. Vielleicht war es nicht der richtige Moment gewesen. Vielleicht hatte er inzwischen darüber nachgedacht und eine eigene Theorie entwickelt. Immerhin waren seitdem nun schon mehrere Tage vergangen. Er musste sich doch damit beschäftigt haben, es betraf schließlich ihn und seine Gemeinde! Außerdem war er hier geboren und kannte alle. Sie fand seine Büronummer im Internet und rief ihn an. Er klang nicht enthusiastisch, hatte aber Zeit für ein Treffen. Fatou nahm ihre Baseballmütze ab und fuhr los.

***

Orhans Büro befand sich in einem etwas desolaten dreistöckigen Siebzigerjahre-Kasten am Stadtrand, dessen Fassade einmal hellgrau, weiß oder beige gewesen war. Davor erstreckte sich ein großer »Parkplatz« – eine nicht zementierte Fläche, die sich bei Regen bestimmt in eine Schlammgrube verwandelte. Hinter dem Haus befand sich ein Feld.

Der Verein residierte in zwei Räumen im zweiten Stock. In Orhans Büro roch es nach kaltem Zigarettenrauch, Pfefferminz und Raumspray. Wäre die Balkontüre nicht offen gewesen, hätte Kopfschmerzgefahr bestanden. Der große durchgehende Balkon bot einen luxuriösen Blick auf landwirtschaftliche Vernachlässigung. An das Feld grenzte ein kleines Wäldchen. »Schau's dir nur an, so lang's noch da ist«, lachte Orhan und hustete. Seine Baskenmütze wackelte dabei ein wenig. »Da kommt Inshallah unser Kulturzentrum hin. Ich bin total im Stress. Kannst dir ja vorstellen. Im Moment sind alle total kopflos wegen der Sache mit der Moschee.« Fatou setzte sich auf einen alten Bürostuhl mit grauem Stoffbezug und betrachtete Orhans Schreibtisch, auf dem sensationell unübersichtliche Haufen Dokumente, Broschüren und Bücher lagen. Der Computermonitor fiel darin kaum auf. »Die Möbel haben wir übernommen damals. Jetzt ist das schon acht Jahre her. Vorher hat es in der ganzen Stadt keine offizielle muslimische Gemeinde gegeben und keinen Kulturverein, stell dir das vor!« Die Sonne brannte durch die Schlieren der Fensterscheiben milchige Muster ins Zimmer. »Wir haben ganz schön was geschafft. Wir sind auf der Zielgeraden. Endspurt. Am Montag ist Entscheidung. Nur noch eine Formalie.« Fatou sah ihn fragend an. »Die EU-Fördergelder. Montag ist Startschuss. Willst du mal sehen?« Fatou nickte höflich. Er würde ihr bestimmt gleich zeigen, wovon er eigentlich sprach. Orhan stand auf und bedeutete ihr, mitzukommen. Sie gingen in den Raum nebenan, in dem ein verhältnismäßig aufgeräumter Schreibtisch stand. Auf ihm lagen fast genauso viele Dokumente wie bei Orhan, aber sie waren auf gerade, ansehnliche Stapel aufgeteilt, die in Plastikkörbchen lagen. »Hier ist nachmittags dreimal die Woche Canan, für die Buchhaltung und für die Frauen.« Eine lustige Mischung an Zuständigkeiten, fand Fatou. »Wir sind bloß zu zweit. Wenn einer von uns überfahren wird, ist die ganze Vereinsarbeit kaputt. Das darfst du natürlich nicht der EU sagen.« Orhan lachte und hustete wieder etwas. »Hab mit dem Rauchen aufgehört letzte Woche. Seitdem muss ich mehr husten als vorher. Glaubst du das?« Fatou glaubte es. Sie wünschte sich eine Zigarette. Wenigstens gab es keinen Kaffee. Das Verlangen würde gleich vorbei sein.

»Komm mit«, sagte Orhan. Hinter einem Regal, das als Raumtrenner und als Depot für noch mehr Drucksachen aller Art fungierte, standen drei lange Sofas in arabischer Anordnung. Orhan ging zum Regal, zog einen dicken Ordner heraus und schlug ihn auf. »Schau«, sagte er. Fatou konnte nur einen Grundriss erkennen, inmitten von Buchstaben und Linien. Darum herum standen wild verteilt Einsen und

Zweien. »Die Ziffern sind die Bäume«, sagte Orhan. »In Deutschland werden statt Bäumen auf den Karten Ziffern eingetragen.« Er lachte »Das passt zu Deutschland.«

»Ist das euer Kulturzentrum?«

»Das glaubst du aber! Da kommt die neue Moschee hin. Wir haben sie ›die grüne Moschee‹ getauft, wie die Hoffnung. Das da wird ein Saal mit Bühne für Veranstaltungen. Und da sind vier Räume für Unterricht. Büros auch. Und die Kindertagesstätte. Da hinten machen wir einen Spielplatz und Grillplatz hin, sogar einen Gemüsegarten haben wir geplant, schau –«, er deutete mit dem Finger auf eine rechteckige Fläche am Rande des Geländes. »Das ist kein Swimmingpool, sondern ein Gemüsegarten«, lachte er.

»Wow«, sagte Fatou und setzte sich auf die Couch. »Orhan, hast du kurz Zeit?« Widerstrebend setzte er sich auf die Kante des angrenzenden Sofas. Es zog ihn sichtlich zu seiner Arbeit zurück. »Was verschafft mir denn die Ehre deines Besuchs?«

Fatou lächelte. »Ich bin Privatdetektivin«, sagte sie. »Ich ermittle in der Sache mit der Kapelle.« Orhan machte ein müdes Gesicht. »Auch wenn das mit der Kapelle nicht dein Lieblingsthema ist. Es geht auch noch um eine größere Dimension, ein anderes, schwereres Verbrechen. Ich glaube, die beiden Sachen hängen zusammen. Und ich glaube, es ist was Politisches.«

»Natürlich ist das was Politisches!«, rief Orhan. »Ich meine, wie naiv kann man sein? ›Allah Wakba‹ sprühen in einer Kinderschrift! Ist doch klar, dass das keine Muslime waren!«

»Sondern zwei Männer, die im Gesicht dunkelbraun angemalt waren«, sagte Fatou.

»Ja ja«, murmelte Orhan.

Fatou ließ nicht locker. »Warum ist dir das so egal? Warum habt ihr es nicht öffentlich gemacht?«

Orhan rutschte unbequem auf der Couch hin und her. »Also erst mal«, er tastete seine Hemdtasche ab und zog einen Kaugummi heraus, »habe ich es nicht selbst gesehen. Das ist Hörensagen, wenn ich es weitersage oder sogar veröffentliche, völlig unglaubwürdig. Und eine grobe Beschuldigung. Egal, ob's stimmt oder nicht, das eskaliert doch. Das wär das Letzte, was wir jetzt brauchen. Die Schlagzeilen sind schlimm genug wie sie sind. Und … «

Er sah aus dem Fenster.

»Und was?«, fragte Fatou. »Wir stehen doch eh schon unter Beobachtung seit der Sache. Wenn ich so was sage und dann dafür als Vorstand angegangen werde … Das wär Gift für die Vergabe. Dann wär'n sie futsch, die Fördergelder.«

Fatou verstand. »Und deswegen hältst du dich raus.«

»Und deswegen halte ich mich raus«, sagte Orhan. »Entschieden wird es am Montag. Ich bin total unter Druck. Bis dahin darf nichts Negatives vorkommen, was mit dem Verein zu tun hat. Die bösen Muslime hier, die bösen Muslime da, muslimische Eichhörnchen bedrohen Alpenvorland – gegen das alles müssen wir eh schon arbeiten.« Er lachte kurz bitter auf. »Aber Herr Daimagüler und sein Islamischer Kulturverein haben eine Verleumdungsklage am Hals wegen diskriminierenden Äußerungen gegenüber Deutschen, oder ein Rassismusvorwurf oder jetzt irgend so was, das wäre eine Katastrophe.«

Fatou nickte in Zeitlupe. Ein Zahnrädchen klickte an einer Stelle ihres Gehirns, zu der sie noch keinen vollständigen Zugang hatte. Sie machte sich eine geistige Notiz. »Ich muss einfach ruhig sein im Moment«, sagte

Orhan, »und Händchen mit denen halten und Kumbaya singen. Es ist auch ein Jugendprojekt. Ich kann jetzt nicht politisch mit Zündstoff spielen. Trotzdem regt mich das dermaßen auf.«

»Kennst du welche von der Superia-Burschenschaft?«, fragte Fatou.

Orhan verzog seinen Mund und lehnte sich von ihr weg. »Um Gottes Willen nein, da kenne ich keinen, Alhamdulillah, was willst du mit denen bitteschön?«

»Mir ist jemand aufgefallen«, sagte Fatou. »Er ist Mitte, Ende zwanzig, hat eine Glatze, sportliche Figur, breit, überheblich, grinst unverschämt. Hat irgendwas zu tun mit einem neuen Gebäude, das die Burschenschaft plant. Sagt dir das was?«

Orhan kratzte sich am Bart. »Nein, wirklich, denen versuche ich aus dem Weg zu gehen. Du solltest das auch.«

Fatou fühlte Frust in sich aufsteigen. »Das ist doch aber eine Kleinstadt hier! Ihr kriegt doch automatisch mit, was die anderen so machen. Ihr hört doch was beim Bäcker oder beim Friseur, von den Nachbarn, kennt euch aus der Schule …«

Orhan überlegte oder er tat so. »Mein Friseur redet nur über seine Familie und berühmte Sängerinnen. Beim Bäcker hören sie auf zu sprechen, wenn ich reinkomme. Ich hab mit unserem Kulturverein schon genug Drama. Was der Huaber Schorsch mit der Wasner Resi macht, hat mich noch nie interessiert. Und ich sag dir was, ich bin sogar froh, dass ich das meiste nicht mitkriege. Da rege ich mich doch sonst dauernd auf.«

Fatou hätte jetzt einen Luftzug gut gebrauchen können, aber das Kippfenster vermischte nur die Schwüle drinnen mit der Schwüle draußen. »Das kann doch nicht sein,«

sagte sie »dass hier irgendwelche Parallelgesellschaften ganz im Verborgenen Riesenprojekte planen!«

Orhan schien überrascht. »Meinst du die Burschenschaft?« »Ja, natürlich«, sagte Fatou. Orhan kratzte seinen Schnurrbart. »Von Riesenprojekten hab ich nichts gehört. Nur von unserem.«

»Die Burschenschaft hat anscheinend ein Immobilienprojekt vor«, sagte Fatou. »Der Typ, den ich suche ...«

Im Büro nebenan klingelte das Telefon.

»Sorry, da muss ich ran«, sagte Orhan und stand auf. Fatou stand ebenfalls auf und sah aus dem Fenster. Welche Verbindung bestand zwischen den Burschenschaftlern, den antimuslimischen Aktionen und der aktuellen politischen Agenda? Was hatte vorhin in ihrem Kopf mit einem Leuchtstab gewunken? »Das kann doch nicht!«, hörte sie Orhan laut in seinem Büro nebenan poltern. »Ja. Ich meine, nein. Nein!« Seine Stimme überschlug sich fast. »Zefix!« Fatou überlegte, ob sie näher hingehen sollte, um noch mehr zu hören, aber es schien ihr nicht wie ein Gespräch, das länger dauern würde. Orhan war außerdem so laut, dass sie ihn auch vom Fenster aus gut verstehen konnte.

»Ja. Natürlich. Das ist klar. Dankeschön!«

Er murmelte ein paar Sätze, die sie nicht verstand, und in denen viele verschiedene Flüche vorkamen. Wahrscheinlich hatte er schon aufgelegt. Mit Schweißperlen auf der Stirn und rot angelaufenem Gesicht kam er zurück. Er sah aus, als hätte er soeben die Nachricht bekommen, dass sein Haus abgebrannt sei. »Dasgibtsnicht!«, brachte er hervor. Schuldbewusst stellte Fatou fest, dass ihre Neugier stärker war als die Sorge, dass etwas Schlimmes passiert sein könnte. Orhan sah an Fatou vorbei an die Wand. »Ich muss Canan anrufen und alle. Sorry, ich hab jetzt keine Zeit mehr. Das ist eine Katastrophe!«

Er sieht aus, als hätte er einen Schock, dachte Fatou. »Orhan, jetzt setz dich erst mal eine Minute hin. Sonst bekommst du einen Herzinfarkt.« Überraschenderweise hörte er auf sie und nahm wieder mit einer Pobacke auf der Kante der Couch Platz.

»Woher weißt du das? Mein Arzt hat mir gesagt, dass ich herzinfarktgefährdet bin. Ich hab aber wirklich jetzt gar keine Zeit.«

Fatou stand auf, fand eine Kaffeetasse und ließ am Waschbecken Wasser hineinlaufen. »Zuerst muss dein Puls normal werden. Dann rufst du alle an. Vorher erzählst du mir, was los ist.« Orhan wollte abwehren, fand aber offensichtlich nicht die Kraft dazu. Er wirkte wie ein Ventil unter Überdruck. Er schnaufte. »Ich darf's dir eigentlich nicht sagen. Ich darf's gar nicht wissen. Du darfst es keinem Menschen weitersagen.« Fatou versprach es ihm. Orhan trank das Wasser in einem Zug aus. »Das war gerade ein Anruf von der Stiftung.« Fatou stand auf, um ihm eine weitere Tasse Wasser zu holen. »Unser Antrag. Das ganze Kulturzentrum, Moschee, Fortbildung, alles. Es gibt einen neuen Antrag. Von einer anderen Organisation. In unserem Landkreis. Auf dieselbe Förderung!« Während er sprach, wurde ihm anscheinend erst richtig bewusst, was er gerade am Telefon erfahren hatte. Zumindest schüttelte er andauernd den Kopf.

»Welche Stiftung?«, fragte Fatou. »Ich denke, ihr bekommt die Gelder von der EU?«

Orhan schnaufte. »Die EU gibt den Großteil der Gelder. Den Rest kriegen wir von einer Stiftung für Integration. Auf die sind wir auch angewiesen.«

»Okay«, sagte Fatou. Orhan fuhr fort: »Und auf einmal soll ein neuer Antrag eingegangen sein. Gerade erst heute früh. Zwei Tage vor der Entscheidung, das gibt's ja wohl gar nicht. So eine Riesensauerei!«

Fatou verstand das Problem nicht ganz. Bei einem großen Fördertopf konnte er kaum davon ausgehen, dass er der einzige Bewerber war. »Was ist daran schlimm?«, fragte sie.

»Machst du Witze? Wir haben jahrelang dafür gekämpft, dass die Stadt uns unterstützt. Für dieselbe Förderung bei der EU kann eine Stadt immer nur ein Projekt unterstützen. Und das sind wir. Integrationsprojekte gibt's hier sonst keine. Unterstützt uns, dann müsst ihr euch keine Vorwürfe anhören, dass ihr untätig seid, haben wir denen gesagt. Piekow hat zugestimmt. Es war ein Triumph für uns. Die Stiftung hat gesagt, wir können damit rechnen, dass wir es bewilligt bekommen. Modellcharakter. Die katholischste Stadt im ganzen Land setzt sich ein für ein friedliches Miteinander, indem sie ein Islamisches Kulturzentrum bauen lässt. Wir sollen ruhig schon mal fest damit planen, hat sie immer gesagt. Jetzt ruft sie mich an und erzählt mir, dass es von der Stadt auf einmal ein zweites Projekt gibt. Das kann gar nicht sein!«

Fatou verstand es immer noch nicht vollständig. »Wenn die Stadt nur ein Projekt unterstützen darf, wie kann es dann ein zweites Projekt geben?«

Orhans Farbe wurde wieder röter. Er gestikulierte aufgeregt. »Das ist es ja! Die Stadt hat das neue Projekt ›unter Vorbehalt‹ eingereicht, dass unserem Projekt ›die Unterstützung entzogen‹ wird. ›Entzogen‹! Einfach so!«

»Das heißt, dass sie sich nicht mehr sicher sind?«

»Das heißt auf Deutsch, dass es die diplomatische Version dafür ist, dass sie uns direkt absägen! Zwei Tage vorher!« Wer auch immer bei der Stadt für diese Anträge zuständig war, hatte es sich offensichtlich anders überlegt. So kurzfristig, dass Orhans Verein kaum würde reagieren können. »Das andere Projekt soll vierhunderttausend Euro weniger kosten. Das sind fast zehn Prozent! Und noch größer soll's auch sein. Das kann alles nicht stimmen. Es ist überhaupt nicht möglich, so zu kalkulieren. Wir haben monatelang kalkuliert, immer alles noch billiger gemacht, immer noch weniger, damit es nur nicht zu teuer wird. Ein Projekt, das größer ist, für zehn Prozent weniger Kosten, das gibt's nicht! Die Stadt muss das doch erkennen! Die dürfen das gar nicht einreichen!«

Fatou kannte sich mit öffentlichen und behördlichen Angelegenheiten so wenig aus wie mit Bonsaizucht. Aber so, wie Orhan es erklärte, war etwas gewaltig faul. »Und wenn ihr der EU nochmal vorrechnet, dass es günstiger nicht möglich ist?« Orhan stand auf und ging im Zimmer hin und her. »Ich kann nicht drauf reagieren, weil ich es gar nicht wissen darf. Es ist verboten, dass die Stiftung von der EU was erfährt. Keiner von denen darf irgendwelche Auskunft geben, was Mitbewerber machen. Das war alles total unter der Hand. Ich musste der Frau von der Stiftung gerade versprechen, nichts zu sagen. Wenn ich was weitererzähle und es schon Gerede gibt, können wir das Projekt direkt vergessen und alle zukünftigen Gelder von der Stiftung dazu.«

Sie haben anscheinend wirklich gute Chancen gehabt, das Projekt zu bekommen, dachte Fatou. Jemand auf höherer Ebene hatte aus Sympathie oder Loyalität die neue Entwicklung verraten, obwohl das verboten war. Es war eine verzwickte Lage. Rechtfertigte sich der Verein und verlangte von der Stadt eine Erklärung, wurde klar, dass etwas durchgesickert war, und sie würden ihr Kulturzentrum nicht bekommen. Tat Orhan nichts, dann konnten die Personen, die das Projekt gerade aus welchem Grund auch immer sabotierten, diesen Plan in Ruhe zu Ende führen. »Hast du jemanden bei der Stadt, mit dem du im Vertrauen reden kannst?«

Orhan holte Luft und machte den Mund auf und zu, so dass er wie eine Pumpe wirkte. »Ich kann doch jetzt gar keinem mehr trauen bei der Stadt!«, rief er. »›Unter Vorbehalt‹! Vorbehalt, dass uns die Unterstützung entzogen wird! Das heißt doch schon, dass uns die Unterstützung entzogen wird! Glauben die, ich bin auf der Brennsuppe dahergeschwommen? Ich schwör dir, irgendwer hat da nur draufgewartet! Die ganze Zeit gelauert, bis es endlich so weit ist!« Der Gedanke war Fatou auch schon gekommen. So eine vage Begründung wie ›falls dem Verein die Unterstützung entzogen wird‹ konnte nur funktionieren, wenn bereits tiefes Misstrauen bestand oder schon etwas vorgefallen war. »Vielleicht haben sie nicht gewartet, sondern selbst dafür gesorgt?«, fragte sie. »Hattet ihr in letzter Zeit Schwierigkeiten oder Auseinandersetzungen mit jemandem von der Stadt oder der Regierung?«

»Null«, sagte Orhan. »Ich sag dir doch, wir haben uns extra zurückgehalten und uns nirgends eingemischt und nichts getan, was irgendjemand irgendwie provozieren könnte. Um das Projekt nicht zu gefährden. Was glaubst du, wie oft ich mir auf die Lippe gebissen hab! Ich muss jetzt telefonieren. Sei mir nicht böse, ich hab keine Zeit mehr.« Orhan stand auf. Fatou blieb sitzen.

»Das andere Projekt – falls dein Kontakt bei der Stiftung es dir verraten hat – es ist nicht zufällig eine Jugendsportstätte mit zusätzlichen Bildungsangeboten?«

Orhan drehte sich auf dem Absatz um. »Woher weißt du das?« Er sah Fatou misstrauisch an.

»Ich weiß es nicht«, sagte Fatou. »Ich denke es mir. Schlussfolgerung.«

Orhans gesamte Panik-Energie hatte sich jetzt in seinen Füßen versammelt. Er stampfte zur Tür und zurück. »Das gibt's doch nicht. Woher Schlussfolgerung? Warum weiß ich nichts davon?«

Fatou fand, dass er sich abregen sollte, zumindest was sie selbst anging. Sie konnte schließlich nichts dafür. »Ich habe dich doch vorhin nach dem Burschenschaftler gefragt, der etwas mit einem Gebäudeprojekt zu tun hat. Das Gebäudeprojekt könnte es sein. Es ist ein Sportplatz für Jugendliche, daneben Häuser für Unterricht. Vielleicht ein Internat oder ein ambitionierter Sportverein. Das Projekt kommt aus Altötting. Hinter dem geplanten Sportzentrum liegt auch ein Mischwald.« Orhan und Fatou sahen gleichzeitig aus dem Fenster. Konnte es sein, dass sie eine Sportstätte planten, auf demselben Platz, an dem eigentlich die Moschee und Kultureinrichtung entstehen sollten? Hier, wo das Büro des muslimischen Kulturvereins war?

»Warum weißt du etwas darüber und ich nicht?«, schnaubte Orhan.

»Reg dich nicht auf«, sagte Fatou. »Ich habe ein Modell gesehen. Ich habe ermittelt. Also, herumspioniert. Das darfst du auch niemandem weitersagen. Seitdem werde ich bedroht.« Fatou erzählte ihm vom Drohbrief im Umschlag an ihrem Scheibenwischer. Orhan sagte nichts dazu, hatte aber für den Moment seine aufgeregte Energie herabgeschraubt. Sie war stattdessen auf Fatou übergesprungen. »Ich frage dich gerade so aus, Orhan, und ich ermittle, weil ich nicht will, dass ich und meine Tochter eine Heimatstadt haben, in der Gerechtigkeit keine Rolle spielt. Und weil zwei Rotznasen nicht mit einer pseudo-islamistischen Aktion mitten in der Stadt davon kommen sollen! Und weil ein kleines Mädchen entführt worden ist! Und weil das alles miteinander zusammenhängt! Und weil die Polizei nichts tut, und das macht mir eine Scheißangst!«

»Okay. Nicht okay«, sagte Orhan. »Was für ein Mädchen?«

»Das ist eine Privatsache, aber das hat auch damit zu tun«, sagte Fatou.

Orhan stand auf. »Das klingt furchtbar. Wenn ich dir helfen kann, sag Bescheid. Wenn du was brauchst oder so. Ich weiß zwar nicht, wie ich dir helfen könnte. Du siehst ja, ich hab selber genug Katastrophen. Aber ruf mich unbedingt an, wenn du mehr rauskriegst mit der Burschenschaft. Verdammt! Ausgerechnet!« Er begann wieder zu fluchen. Fatou stand auf. Es hatte gut getan, dass sie ihren Gedanken hatte Luft machen können. Sie hatte das Gefühl, der Lösung mit dem, was sich gerade bei Orhan zugetragen hatte, ganz nahe gekommen zu sein – so verworren es im Moment auch noch schien. Allerdings hatte sie auch das Bedürfnis, sich jetzt von seiner schlechten Laune zu entfernen. »Das werde ich. Danke, Orhan. Viel Glück mit eurem Projekt.«

Sie konnte seine aufgeregte Stimme noch hören, als sie auf den Parkplatz ging.

Als sie im Auto ihr Telefon auf Nachrichten überprüfte, sah sie, dass sie es auf lautlos gestellt hatte. Zwei verpasste Anrufe von Pater Simone. Sie rief ihn zurück. »Gottseidank, Frau Fall. Können Sie in die Stadt kommen, zu mir?«

»Warum?«, fragte sie. An irgendetwas hatte sie sich vorhin unbedingt erinnern wollen. Was war es nur gewesen?

Sie war nur halb bei der Sache. Simone redete sowieso immer sieben bis acht Sätze zu viel und zu blumig, bis er zum Punkt kam. Die Moschee, die Burschenschaft, der widerwärtige Architekt, die Entführung, die Kapelle …

»Hören Sie, Frau Fall? Das entführte Mädchen! Es geht ihr gut!« Fatou wurde gleichzeitig heiß und kalt. Ihr Herz begann zu rasen, aber die Zeit schien still zu stehen. »Sie sollen das wissen, weil Sie sich ja Sorgen gemacht haben und sogar ermitteln. Kommen Sie schnell vorbei, ich erzähle Ihnen alles.« Ein Schmetterling, der am offenen Autofenster vorbeiflatterte, bewegte die Flügel in Zeitlupe. Sie konnte das Muster genau erkennen. Die metallicblaue Oberfläche, die gelben Kringel, die langen Fühler. »Hallo, Frau Fall? Hören Sie?«

»Wie geht es ihr? Wie geht es Anita?«

»Das Mädchen ist noch nicht zurück, aber gehen Sie davon aus, dass ihr nichts passiert ist. Kommen Sie vorbei.« Fatou startete den Motor. Ihre Hände zitterten. *Ich sollte jetzt gar nicht Auto fahren*, dachte sie. Sie wischte sich übers Gesicht.

Mit angezogener Handbremse drückte sie auf das Gaspedal. Es dauerte einige Augenblicke, bis sie bemerkte, dass der Motor außerdem im Leerlauf war. Ein Taxi lag nicht in ihrem Budget. Sie dachte an ihren alten Fahrlehrer und atmete ein paarmal tief durch. Eine innere Stimme rief »Entspann dich endlich!« Sie trug nicht zu ihrer Entspannung bei. Mit immer noch wackeligen Knien fuhr sie vom Parkplatz herunter und in Richtung Innenstadt. Simones Worte schwirrten ihr im Kopf herum. Warum machte er so ein Geheimnis daraus, was er ihr genau sagen wollte? Wurde er vielleicht auch bedroht? Der Gedanke jagte Fatou einen Angstschauer über den Rücken. Wenn sie nun schon große sportliche Geistliche bedrohten, waren die verkorksten Jungen noch viel gefährlicher, als sie gedacht hatte. *Ich kann mich jetzt nicht mit wilden Spekulationen noch nervöser machen*, dachte sie und schaltete die Lüftung ein. Diese summte und blies ihr Staub ins Gesicht. Fast hätte Fatou einem Kleintransporter die Vorfahrt genommen. *Ich muss jetzt aufhören, an alles Mögliche zu denken. Ich muss mich auf die Straße konzentrieren.*

Die Altöttinger Innenstadt war überraschend verstopft. Es war Freitagmittag. Menschen machten Einkäufe fürs Wochenende, Behörden schlossen, Angestellte wollten nach Hause. Hinter ihr hupte es. Vor ihr reihten sich ein paar Autos vor einer roten Ampel auf. Fatou sah in den Rückspiegel. Ein Fahrradfahrer wagte es, vor einem wartenden BMW die Straße zu überqueren. Der Autofahrer gestikulierte wild und lehnte sich mit orangefarbenem Gesicht aus dem Fenster.

Deine Probleme möchte ich haben, dachte sie. In den Gassen um die Fußgängerzone herum rechnete sie sich keine großen Chancen aus, einen Parkplatz zu finden. Sie versuchte es trotzdem. Sie war zu angespannt, um in Ruhe weiter weg zu fahren und dann zurück zu laufen. Gegenüber fuhr ein Kombi aus einer Lücke, doch der Wagen vor ihr schnappte ihr den Parkplatz weg. Einer der modernen Jeeps, die nicht mehr wie Jeeps aussahen. Was musste eine Frau wie sie tun, um sich ein solches Auto kaufen zu können? Nicht bei Hortie arbeiten. Unternehmerin sein. Businessfrau werden. Gut, teuer und gefragt sein. Leichter gesagt als getan.

Die Schlange derer, die einen Parkplatz suchten, kroch langsam voran. Sie befand sich jetzt in einer Sackgasse, die hinter dem Superia-Haus in die Fußgängerzone mündete. Fatou überkam das Gefühl, in Altötting zu wohnen, nie nach Hamburg gezogen zu sein. Wie oft war sie in den letzten Tagen hier in der Innenstadt gewesen? Alles kam ihr langweilig vertraut vor. Das Rathaus mit seinen herausgeputzten Giebeln in Altrosa. Das Burschenschaftshaus, in dem sie den Keller durchsucht hatte. Das Eiscafé Adria am Rand des Kapellplatzes. Das Kopfsteinpflaster, die Buden mit Souvenirs, die Touristen und die Gnadenkapelle. Von Letzterer hatte sie schon mehr gesehen, als ihr lieb war. In ihrem Bauch bildete sich ein Backstein beim Gedanken, dass sie gerade auf dem Weg an diesen bedrückenden Ort war, der nach kaltem Weihrauch und Selbstkasteiung roch. Sie wollte nicht an die staubige Luft in der Kapelle erinnert werden, an die Urnen, in denen Körperteile von toten Fürsten aufbewahrt wurden, an den ganzen Prunk, an die Statue der Schwarzen Madonna, die in ihr das Gefühl hervorrief, eine zu bizarre Kindheit zugeteilt bekommen zu haben. Jetzt steuerte sie geradewegs darauf zu. Sie ging Optionen durch, Pater Simone abzusagen, aber es fiel ihr keine Möglichkeit ein, die ihr entschuldbar vorkam. Es war zu wichtig. Wenn sie die Nachricht, dass es Sophie gut ging, zu Isabel nach Hause bringen konnte, wäre das vermutlich die größte Erleichterung ihres Lebens. Zuvor musste sie sich aber versichern, dass es stimmte. Vor ihr stauten sich drei Wagen vor der Einfahrt in ein Parkhaus. Sie setzte den Blinker, um herumzudrehen. Irgendwer würde sie schon reinlassen. Hinter ihr hupte es. Als würde der Stau vor dem Parkhaus sich durch Zauberhand auflösen, wenn sie nicht wenden würde! Der Huper war derselbe cholerische BMW-Fahrer von vorhin, jetzt zwei Wagen hinter ihr. Sie erkannte ihn nur, weil er sich wieder mit halbem

Oberkörper aus dem Fenster gelehnt hatte. »Mia san fei ned in Timbuktu!«, rief er. Fatou zeigte im Rückspiegel den Mittelfinger. Vorsichtshalber sah sie sich noch einmal um. Nicht, dass sich die falsche Person beleidigt fühlte oder der Choleriker schon auf dem Weg zu ihr war.

Neben ihr grinsten zwei Teenager im Vorbeigehen. In dem unscheinbaren VW Golf direkt hinter ihr war niemand cholerisch. Der Mann, der darin saß, schien sogar etwas zu schrumpfen, als sie ihn ansah. Er machte ein verkrampftes Gesicht und vertiefte sich in sein Handy. *Sei ruhig eingeschüchtert von meiner selbstbewussten, zornigen Energie,* dachte Fatou. Sie sah auf die Uhr. Pater Simone würde sicher schon ungeduldig warten. Sie wollte alles erfahren und es Isabel berichten, so schnell es ging. Danach würde sie mit Martin sprechen. Zum einen, um es ihm mitzuteilen – er wusste es sicher schon, aber seine Reaktion würde ihr vielleicht Aufschlüsse geben – und zum anderen, um etwas über den unheimlichen Burschenschaftler-Architekten zu erfahren. Zur Not würde sie es aus Martin herausschütteln. Eigentlich hatte sie gar nicht die Zeit, um hier gerade Parkplatz-Zen zu üben! Sie fuhr aus der Gasse heraus und um den Stadtkern herum. Auf der anderen Seite der Kapelle würden die Straßen hoffentlich weniger voll sein. Eine weitere rote Ampel steigerte ihre Ungeduld. Sie öffnete eine Packung Kaugummis und warf das Papier auf den Beifahrersitz. Die Straßen neben der Fußgängerzone hatte sie eigentlich vermeiden wollen. Die Autos stauten sich, manchmal kam sie gar nicht bei Grün über eine Kreuzung. Ein alter Audi stand der Linksabbiegerspur im Weg. Auf seiner Hutablage stand eine umhäkelte Klorolle. *Tief durchatmen*, dachte sie, *wenn ich mich aufrege, geht der Verkehr auch nicht besser voran.* Es gelang ihr nur für wenige

Sekunden, dann war das Kribbeln wieder zurück, von dem sie nicht wusste, ob es Ungeduld war oder Beklemmung.

Als sie es endlich um den Altstadtkern herum geschafft hatte, war der einzige freie Parkplatz mit einem Rollstuhlzeichen versehen. Sie seufzte und drehte um. Ein schmutzig dunkelblauer Golf hinter ihr parkte ein. In der übernächsten Parallelgasse fand sie schließlich eine Parklücke. *Alhamdulillah*, dachte sie. Der Weg zur Kapelle kam ihr ewig vor. Sie ging so schnell, dass sie außer Atem geriet.

Im Schaufenster eines Sportgeschäftes hing ein übergroßes Poster von Carl Lewis. Ein Mann verdeckte den größten Teil des Werbefotos. In der Schaufensterscheibe begegneten sich ihre Blicke für den Bruchteil einer Sekunde. Es war der verkrampfte Typ, der vorher im Golf hinter ihr gewesen war, als sie in der Sackgasse gewartet hatte. In ihrem Magen meldete sich eine Alarmsirene. Etwas stimmte nicht mit ihm. Sie ging weiter und behielt ihre Geschwindigkeit bei. Vor ihr lag der Kapellplatz. Er hatte zu schnell weggesehen. Das machten sie hier in der Gegend nicht.

Und noch etwas fiel ihr ein. Der blaue Golf vorhin – war das der gewesen, der auf dem Rollstuhlparkplatz eingeparkt hatte? Jetzt stand der Mann vor dem Sportgeschäft herum.

Er folgt mir. Sie blieb einen Augenblick stehen und kratzte an ihrer Schuhsole, um Zeit zu gewinnen. Dann kramte sie das Handy aus ihrer Handtasche; keine neuen Nachrichten. Langsameren Schrittes als zuvor ging sie weiter und tat, als würde sie im Gehen eine Nachricht schreiben. Im Display ihres Smartphones sah sie, dass der Mann ihr folgte. Fatou tat den ersten Schritt auf den Platz. Sie würde es niemals unbeobachtet zur Kapelle schaffen.

Was hat jemand davon, mich zu beobachten? Kann mir ein Schaden daraus entstehen, wenn ich dabei gesehen werde, wie ich in die Kapelle gehe?, fragte sie sich. Ihr fiel nichts ein. *Oder er will mich nicht beschatten, sondern attackieren*, schoss ihr durch den Kopf. Wahrscheinlich würde niemand auf den offenen Platz laufen, um ihr zu helfen. Wenn er schlau war und »Diebin!« schrie, würden höchstens Leute kommen, um sie festzuhalten. Im Tumult könnte er verschwinden. Sie sah sich so unauffällig wie möglich um. Es waren nicht so viele Menschen unterwegs wie in der Fußgängerzone: nur eine Frau mit Rollator und ein älterer Weißhaariger, der grimmig dreinschaute. Nicht zu weit entfernt flatterte ein orangefarbenes Fähnchen neben ein paar Luftballons. Der Mann, der ihr folgte, hatte die Distanz zwischen ihnen schon merklich verkürzt. Sie sprach in ihr Handy, als würde sie mit jemandem telefonieren. »Ach so?«, rief sie laut aus. »Na, dann komm ich erst mal bei Euch vorbei. Ist gut.« Sie bog im neunzig Grad Winkel ab und ging in Richtung der Luftballons. Aus dem Augenwinkel konnte sie den Mann sehen. Er wurde langsamer, blieb fast stehen. Fatou ging rasch weiter, bis sie an den Luftballons angekommen war. Es war eine Werbung für Kabelfernsehen vor einem Internetcafé. Die Scheibe war gesprungen und wurde provisorisch von Klebeband zusammengehalten. Fatou ging in das Ladengeschäft und nahm mit Erleichterung zur Kenntnis, dass Fotos von Moscheen, dem Meer und Bergen in goldenen Rahmen an der Wand hingen. *Vielleicht ist deswegen die Scheibe kaputt*, dachte sie. Eine Frau saß auf einem Drehstuhl und nickte ihr zu. Fatou blickte aus dem Fenster. Ihr Verfolger war nicht zu sehen. Sie bemerkte Schweißflecken unter ihren Armen.

»Möchten Sie einen Tee?«, fragte die Frau. Fatou bejahte und bestellte eine Stunde Internet, um nicht nur suspekt herumzulungern. Sie rief Pater Simone an.

»Simone, ich kann leider nicht zu Ihnen kommen. Es ist ... mir etwas passiert auf dem Weg zu Ihnen. Ich muss direkt zum Arzt«, log sie.

»Oh«, sagte Simone.

Fatou fuhr fort: »Erzählen Sie mir alles am Telefon. Ich muss noch warten, jetzt habe ich dafür Zeit.«

»Können Sie nach Ihrem Arzttermin zu mir kommen?«

Langsam regte er sie auf. Was dachte er sich eigentlich. »Simone, machen Sie bitte keine Andeutungen, sondern sagen Sie direkt, was los ist. Haben Sie mit der Familie Stefan gesprochen?«

»Selbstverständlich. Sie wissen schon, dass es dem Kind gut geht. Anita ist sehr froh. Vorsichtshalber wird sie im Krankenhaus bleiben, bis das Mädchen zurück ist, das ist klar, es ist besser für ihre ... gesundheitliche Situation.« Was schwafelte er da wieder?

»Und Martin? Ihr Bruder?«

»Dem habe ich es natürlich gleich mitgeteilt«, sagte Simone. »Die Polizei weiß auch Bescheid. Alle sind sehr erleichtert, dass das Kind wohlbehalten ist und ohne Schaden. Es gibt außerdem noch etwas, das Sie in Augenschein nehmen sollten.«

»Können Sie mir jetzt mal sagen, was genau passiert ist, und warum Sophie nicht hier ist, wenn angeblich alles gut ist?«

Simone zögerte. Fatous Schläfe fühlte sich an, als wäre ihre Haut zu eng und würde an ihrem Kopf ziehen. »Schauen Sie«, sagte Simone, »es wäre wirklich besser, wenn wir darüber persönlich sprechen. Ich bemühe Sie nicht umsonst.«

Er klang schon fast ärgerlich. Jedenfalls ungeduldig. Dabei hatte sie doch gesagt, dass sie zum Arzt musste. Was durfte sie denn nicht am Telefon erfahren? Ihre Geduld neigte sich dem Ende zu. »Wenn es um Verschwiegenheit geht, Simone, können Sie es mir genauso gut am Telefon sagen.«

»Es lässt sich schlecht erzählen«, sagte er. »Wenn Sie herkommen können ... oder ich komme zu Ihnen. Wann ist Ihr Arzttermin zu Ende?«

»Das weiß ich doch nicht«, sagte sie. Die Frau, die im Internetcafé arbeitete, sah sie neugierig an. »Ich melde mich. Vielleicht geht es mir nachher schon wieder besser, oder morgen«, fabulierte Fatou und legte grußlos auf.

Die Frau brachte ihr einen Tee und einen Keks. »Immer Stress«, sagte sie und lächelte verständnisvoll. Fatou dachte nach. Sie konnte Grace nicht andauernd und bei jeder Kleinigkeit um Hilfe bitten. Aber dies hier war keine Kleinigkeit. Und sie waren schließlich Freundinnen. Nach zweimal Klingeln hob Grace ab. »Was ist?«, fragte sie.

»Kannst du herkommen? Ich glaube, ich werde verfolgt.«

»Was?«, sagte Grace. »Ich habe Besuch.« Fatou umriss ihr so kurz wie möglich Pater Simones kryptische Nachricht. Sie berichtete von dem vermutlichen Verfolger und gab ihren Standort im Internetcafé durch. Dabei spähte sie aus dem geflickten Schaufenster. Sie sah den Mann zwar immer noch nirgends, er brauchte allerdings auch nur irgendwo in Sichtweite der Tür auf sie zu warten – oder an ihrem Auto! Er konnte überall sein, ohne dass sie ihn vom Laden aus sehen konnte. »Kannst du deinen Besuch mitbringen? Je mehr desto besser. Es würde mir sehr helfen. Bitte.« Zusammen würden sie sich eine Ablenkung einfallen lassen, damit sie zumindest aus dem Internetcafé heraus käme, vielleicht würden sie den Verfolger sogar austricksen und stellen.

»Es ist nur Kenny bei mir«, sagte Grace. »Bleib, wo du bist, das Café We-LAN kenne ich.« Fatou atmete erleichtert auf. Auf Grace war Verlass.

Sie bedauerte, dass sie in Hamburg keine solche Freundin hatte, die ihr immer ehrlich die Meinung sagte und ihr beistand, wenn es richtig eng wurde. Sie war selbst nicht so eine Freundin gewesen, erinnerte sie sich schmerzhaft. Als Yesim klein war, war sie wenig spontan gewesen. Danach war sie vor allem damit beschäftigt gewesen, ihre Beziehung zu kitten, was ihr – wie sie nun wusste – nicht gelingen konnte. Oft hatte sie das Telefon auf lautlos gestellt, wenn eine Freundin anrief, weil sie zu müde war, nach der Arbeit überhaupt noch mit jemandem zu sprechen. Partys fanden meistens so spät nachts statt, dass sie schon zu erschöpft war, um hinzugehen. Dutzende Male hatte sie versprochen, auf irgendeine Party oder Geburtstagsfeier zu kommen, und dann im letzten Moment per SMS abgesagt. Irgendwann waren die Einladungen ausgeblieben. An manchen Wochenenden gab es Barbecues, und Fatou liebte Barbecues. Sie waren so etwas wie offene Gemeindeveranstaltungen, meistens von einem Verein oder einer Community organisiert. Alle waren dort willkommen, Groß und Klein grillten fröhlich miteinander, und Fatou kannte immer mehrere Leute dort. Einfach so zu einem Barbecue zu gehen, ohne selbst etwas mitzubringen, wäre ihr aber wie Schnorren vorgekommen. Sie hatte es sich oft vorgenommen, den Termin in ihren Kalender eingetragen und sich darauf gefreut. Wenn sie es dann doch nicht schaffte, war sie erleichtert, dass sie nicht für zwanzig Leute Salat zubereiten musste. Es lag nicht daran, dass sie keine

Lust hatte, sondern daran, dass sie zu viel um die Ohren hatte. Woher Grace ihre Energie nahm, war ihr schleierhaft.

Ein Gedanke an Yesim und Isabel riss Fatou aus ihren Überlegungen. *Die Mädchen!*, schoss es ihr durch den Kopf. Sie musste Tante Hortensia so eindringlich und so wenig alarmierend wie möglich sagen, dass sie jetzt wirklich niemandem mehr die Tür aufmachen sollte. Wie konnte sie das nur bewerkstelligen, ohne sie in Angst zu versetzen?

»Du bist's«, sagte Hortensia gutgelaunt. »Stell dir vor, die kleine Sophie ist wieder da. Martin hat gerade angerufen. Sie war bei Bekannten, und es war alles ein Missverständnis, und die Polizei weiß Bescheid.«

»Deswegen rufe ich an«, sagte Fatou. »Hast du es Isabel schon erzählt?«

»Ja, natürlich! Die Mädchen tanzen und singen und wollen gleich rüber, für Sophie ein Willkommensgeschenk basteln.«

»Tante Hortensia«, sagte Fatou, »irgendwas stimmt da nicht. Ich trau der Sache nicht. So sehr ich es mir wünsche … aber da ist was faul. Sophie ist noch nicht zurück. Der Rest ist Hörensagen. Ich will, dass wir jetzt nicht leichtsinnig werden. Tagelang haben wir Isabel nicht aus den Augen gelassen, aus Vorsicht.«

»Du meinst, *ich* habe auf sie aufgepasst«, korrigierte Hortensia, »während du die meiste Zeit in der Stadt herumgeschwirrt bist. Beim *Ermitteln*.« Sie machte, dass es klang, als sei sie im Vergnügungspark gewesen.

»Dass ich ermittle, scheint ein paar Leuten nicht zu passen, Tante. Ich traue dem Frieden nicht und wir wissen zu wenig. Ich will euch nicht beunruhigen, aber es ist sicherer, wenn wir jetzt eher mehr auf Isabel aufpassen als bisher, nicht weniger.«

»So?« Hortensia klang nach wie vor skeptisch.

»Bitte«, sagte Fatou. »Ich bin kein kleines Kind mehr und das ist kein Detektivspiel. Geh auf keinen Fall mit Isabel oder Yesim nach drüben. Und lass niemanden in die Wohnung. Auch keinen Postboten, Paketdienst, Elektriker, Martin oder sonstwen. Bis wir Sophie nicht mit eigenen Augen gesehen haben, und bis wir genau wissen, was da los war, haben wir keinen Grund, leichtsinnig zu werden.« ›Leichtsinnig sein‹, das war immer einer von Tante Hortensias Lieblingsvorwürfen gewesen. Wenn sie sich das Knie aufgeschlagen hatte, sich mit zu dünner Mütze zu verkühlen drohte oder auf der Bordsteinkante gehüpft war, war ›leichtsinnig‹ Tante Hortensias Übersetzung von ›ahnungslos, gefährlich und keines Mitleids würdig‹.

»Meinetwegen«, sagte Hortensia. »Isabel wird aber nicht begeistert sein. Das musst du ihr selber erklären, ich mach das nicht. Und danach erklärst du mir, was du so alles ermittelt hast. Es klingt nämlich ungut.« Hortensia legte auf.

Fatou bestellte noch einen Pfefferminztee und eine Dose Uludag. Sie setzte sich an einen Computer, von dem aus sie auf die Straße sehen konnte. Der Himmel hatte sich ein wenig bewölkt, die Sonne schien nicht mehr so erbarmungslos. Bis auf die geklebten gesprungenen Stellen in der Fensterscheibe war der Bürgersteig gut zu sehen. Die Frau brachte den Tee und schaltete den Monitor an. Fatou fragte sie nach der Fensterscheibe. Sie deutete zur Antwort mit dem Daumen auf die Kapelle. Dann ging sie zurück zu ihrem eigenen Tee. Fatou startete den Browser und gab »SUPERIA Vereinigung« ein. Es erschienen Wikipedia-Artikel, heimatkundliche Fanseiten, Berichte über Jubiläumsfeiern und Ankündigungen von örtlichen Zeitungen. Die Homepage der Burschenschaft war modern designt, die Inhalte waren es nicht. Jemand hatte den Vorstand verlassen, jemand war in den Ehrenrat eingetreten, ein anderer dementierte »reaktionäre Ausrichtung« und verteidigte den Erhalt von Tradition und Brauchtumspflege. Sie sah sich die »Über Uns«- Seite an, erkannte jedoch niemanden. Die zusätzlichen Suchbegriffe »Grundriss« und »Neubau-Projekt« brachten nur eine Debatte über eine Kaufhausumgestaltung gegenüber dem Superia-Haus zum Vorschein. »Sportzentrum« ergab nur ein paar Einträge aus dem Landkreis Traunstein, wo ein Sportverein seine Pläne nicht umsetzen durfte, weil sich auf dem Gelände eine seltene Feldhamsterart angesiedelt hatte, die unter Naturschutz stand. Auf dem Bild lehnten ein paar Leute mit einem Banner, auf dem »Naturschutz statt Profitgier« stand, an einem Traktor. Christian. Christian Brandl. So hatte der Junge vom Bauernhof geheißen, dessen Vater sie so grausam herausgeworfen hatte. Was er wohl inzwischen machte? Sie gab »Christian Brandl Altötting« als neue Suche ein und erhielt eine Reihe uninteressanter Ergebnisse von Christians mit anderen Nachnamen und einem örtlichen Landschaftsmaler, der Thomas Brandl hieß und es offensichtlich gut verstand, im Internet zu werben. Erst zwei Seiten weiter hinten fand Fatou einen Christian Brandl in der Pressemeldung eines Sportvereins erwähnt, bei der es ums Fechten ging. Ihr war nicht bewusst gewesen, dass es Fechten in Bayern auf dem Land überhaupt gab. Wenn es im Fernsehen gelaufen war, hatten die Tanten immer darüber gelästert, wie sündhaft teuer die Ausrüstung für diesen Sport wäre, »für ein Sieb und eine Strumpfhose!«

Fatou kopierte den Namen des Sportvereins in das Suchfeld zu »Christian Brandl« und drückte den Suche-Button. Unter den Ergebnissen waren in der oberen Zeile auch ein paar Personenfotos. Eines davon zeigte den Mann mit Glatze und Schmiss aus dem Burschenschaftshaus. Fatou erschrak bei dem unverhofften Anblick. Er hatte einen nachhaltig unangenehmen Eindruck auf sie hinterlassen.

Nach dem habe ich doch gar nicht gesucht, dachte sie. Erst langsam dämmerte es ihr. Es konnte doch hoffentlich nicht wahr sein, sie hätte ihn doch erkannt! Er hätte sie doch erkannt! Sie klickte auf das Portraitbild.

Christian Brandl von FG TSV Altötting wechselt in den Vorstand vom *Fechterverband Bavaria*.

Die Meldung war zwei Jahre alt. Auf dem Bild trug er ein Poloshirt und sah selbstbewusst drein.

»Bonjour!« Grace und Kenny waren angekommen. Kenny trug einen Blouson in hellblauem Camouflage. Grace hielt ihre Handtasche wie eine Waffe. Fatou dankte den beiden für ihr schnelles Erscheinen. »Ist doch klar, wenn dir irgend so ein Clown nachstellt!«, sagte Kenny.

»Wir haben niemanden draußen herumstehen sehen«, sagte Grace. »Dein Auto haben wir entdeckt, aber da stand auch keiner in der Nähe. Wie sah er denn genau aus?«

Die Bedienung kam, und Grace und sie begrüßten sich freundlich. Grace schien in dieser Stadt wirklich alle zu kennen. »Das ist echt das Letzte mit eurer Fensterscheibe, Malaika«, sagte sie. »Zahlt die Versicherung?«

»Hoffentlich«, sagte Malaika und ging, um Tee zu holen oder dem Gesprächsthema aus dem Weg zu gehen oder beides.

»Hey, du hast unseren Architekten-Burschenschaftler gefunden«, sagte Grace. »Respekt. Zeig mal!« Sie sahen zu dritt auf den Monitor.

»Ich hatte in der ersten Klasse einen Schulfreund mit demselben Namen«, sagte Fatou. »Den habe ich gesucht, einfach nur so. Ich hoffe nicht, dass er das ist. Irgendeine Chance, dass du das rausfinden kannst?«

»Zu achtzig Prozent«, sagte Kenny. »Ich kann mein Laptop holen. Was haben die hier für eine Bandbreite? Ach egal, sind ja ein Internetcafé, wird schon reichen. Zur Not muss ich halt mit dem VPN und meiner Firewall des Todes bisschen den Betrieb aufhalten.« Fatou widerstand der Versuchung, so zu tun, als würde sie regelmäßig vor ähnlichen Überlegungen stehen oder als habe sie gerade folgen können. Kenny übernahm die Tastatur, rief im Browser eine Seite auf und überprüfte irgendwelche Zahlen im Netzwerk. »Du hast noch nicht gesagt, wie der Mann ausgesehen hat, der dich verfolgt.«

»Durchschnittlich sah er aus«, sagte Fatou. »Weiß. Schlanke Figur, ungefähr eins achtzig oder ein bisschen kleiner, kurze braune Haare, weißes T-Shirt, Jeans, zieht leicht die Schultern ein. Er ist verkrampft, als ich ihn entdeckt habe.«

»Okay. Ich halte die Augen auf. Bin gleich zurück mit meinem Zauberkasten. The Power of Marktforschung.« Kenny gab Grace einen Kuss auf die Wange und ging.

»Kenny ist wirklich ein-e, äh, … sehr nett«, sagte Fatou.

»Ich habe Kenny sehr, sehr gern«, sagte Grace und sah aus dem Fenster. »Noch nie habe ich so eine Person getroffen. So voller Energie und warmherzig und intelligent und …« Sie lächelte und sprach nicht zu Ende. Fatou kämpfte gegen ihre Neugier. Es ging sie nichts an, ob die beiden etwas miteinander hatten oder nicht. Wenn sie nicht aufdringlich fragte, würde sie es vielleicht erfahren. Die Bedienung brachte ein Tablett mit frischem Tee. Grace pustete in ihr Glas. »Und was ist mit Pater Simone?« Fatou gab das Telefonat von vorhin wieder, so gut sie konnte. Grace machte solidarisch unwirsche Gesichter dazu. »das klingt wirklich sehr seltsam«, war ihr abschließendes Urteil.

»Ich will da jetzt nicht rübergehen«, sagte Fatou. »Aber ich will wissen, was mit Sophie ist.«

»Hast du ihren Bruder schon angerufen? Du brauchst nicht zu warten, bis du mit Simone gesprochen hast, um es bei Martin zu versuchen. Vielleicht weiß er was.«

»Er geht bestimmt nicht ran«, sagte Fatou. Sie wusste aber, dass Grace recht hatte. Sie schaltete ihre Rufnummern-Übermittlung ab und wählte Martins Nummer.

»Hallo?« Er klang unsicher und angespannt – und als hätte er einen Anruf erwartet. *Aber sicher nicht von mir*, dachte Fatou.

»Martin, hier ist Fatou Fall. Pater Simone hat mich gerade angerufen. Was weißt du über Sophie?«

»Es geht ihr gut«, antwortete Martin wie aus der Pistole geschossen. »Am Montag kommt sie zurück. Die Polizei weiß schon Bescheid.« *Wie* er es sagte, passte nicht dazu, *was* er sagte. Er klang nicht euphorisch, sondern bedrückt.

»Wo ist sie jetzt?«, fragte Fatou. »Und bei wem, und warum kommt sie erst am Montag zurück? Sag mir alles, was du weißt!«

»Ich weiß genauso viel wie Sie«, sagte er. Fatou konnte hören, dass er log. Außerdem war es suspekt, dass er wusste, wieviel sie wusste. Simone und er hatten sich sicherlich abgesprochen. Aber zu welchem Zweck? »Martin, mir reicht es jetzt. Was soll der Affenzirkus. Was haben du oder Pater Simone der Polizei gesagt? Warum glaubst du, dass Sophie nicht in Gefahr ist? Sie ist deine Schwester, Mensch! Du hast auch noch eine andere Schwester, falls du dich erinnerst, und der bist du Rechenschaft schuldig. Du weißt auf jeden Fall mehr, als du zugibst. Raus mit der Sprache, oder wir müssen uns über deine schlechte Graffiti-Sprühtechnik unterhalten. Ich lasse mir doch nicht von dir auf der Nase herumtanzen.« Grace hielt sich eine Hand vor den Mund. Malaika stand ›unauffällig‹ am Tresen und ließ sich die Aufführung ebenfalls nicht entgehen. Am anderen Ende der Leitung war es still. Martin hatte es wohl die Sprache verschlagen. »Sophie war bei Bekannten!«, rief er schließlich. Seine Stimme überschlug sich. »Es war ein Missverständnis! Sie bringen sie am Montag! Ich kenne die Leute, sie sind mit meiner Mutter befreundet. Es ist alles in Ordnung, halten Sie sich jetzt da raus!« Was fiel dem Bengel ein? Fatou schnaubte und wollte ihm telefonisch die Ohren lang ziehen. Im letzten Moment erinnerte sie sich, dass sie nicht wusste, wer Martins ›Freunde‹ waren, die sie bedrohten, ihn wahrscheinlich erpressten, und dass sie gerade einen Verfolger abzuschütteln hatte. Es ging nicht darum, dass er ein verstockter Mistkerl war. Es ging darum, sich sicher aus dieser Misere herauszulavieren. Sie legte so viel Autorität in ihre Stimme, wie sie aufbringen konnte. »Was will Pater Simone mir unbedingt zeigen?«

»Ich weiß es nicht!«, rief Martin. »Gehen Sie ... fahren Sie wieder nach Hause zurück. Sie machen alles noch schlimmer! Es wäre alles in Ordnung, wenn Sie nicht ständig ... fahren Sie nach Hause!«

Fatou konnte ihre Wut nicht mehr in Zaum halten. Was zu viel war, war zu viel. Dachte er etwa, das, worin er da verwickelt war, sei ein Jungenstreich? »Ich glaube, es hackt!«, rief sie. »Hast du mir diesen Brief ans Auto gesteckt? Und ich denke die ganze Zeit, jemand –« Es knackte. Martin hatte aufgelegt.

»Unfassbar!«, rief sie und schlug auf die Tischkante. Ihre Handfläche brannte.

»Was war da los?«, fragte Grace. Fatou gab wider, was Martin gesagt oder vielmehr nicht gesagt und wie er die Nerven verloren hatte. Grace blieb ernst. »Da stimmt gar nix«, sagte sie. Fatou nickte. »Wann wolltest du zurück fahren?«

»Am Montag«, sagte Fatou, »eigentlich.«

»Auf jeden Fall fährst du nicht vorher«, sagte Grace.

»Ich muss jetzt nach Yesim und Isabel schauen«, sagte Fatou. Es war schon nach ein Uhr. Grace verzog den Mund und sah auf den Monitor. Fatou hatte Kopfschmerzen. Sie legte die Handflächen auf die Augen, aber es half nicht.

Kenny kam mit dem Laptop zurück. Fatou war zu angespannt, um weiter im Café zu sitzen. »Seid mir nicht böse, aber ich habe keine ruhige Minute, bis ich nicht bei meinen Mädchen bin«, sagte sie. Die beiden hatten Verständnis. Sie versprachen, Christian Brandl bei Grace zu Hause zu scannen. Fatou gab Kenny die wenigen Daten, die sie von ihm noch wusste. Wann er ungefähr geboren war, dass der Hof seiner Eltern in der Florastraße gewesen war, wann er welche Grundschule besucht hatte. »Wir bringen dich noch zu deinem Auto, und zu Hause passt du bitte gut auf«, ordnete Grace vor der Tür an. Fatou war gerührt von der Selbstverständlichkeit, mit der Grace und Kenny ihr halfen, ohne sie für zu dramatisch zu halten oder ihre Erlebnisse anzuzweifeln. Gleichzeitig beunruhigte es sie: Wenn Grace sich Sorgen machte, war es wirklich ernst.

Auf der Straße war etwas mehr los als zuvor. Der Verfolger war nicht zu sehen. Als sie an Fatous Auto angekommen waren, bat Kenny Fatou, eine Münze fallen zu lassen, und sah beim Aufheben unter den Wagen. »Sieht alles okay aus. Trotzdem, bevor du richtig losfährst, probier erst mal die Bremsen aus, nur für alle Fälle. Wird schon schiefgehen.« Fatou war nun noch beunruhigter. Grace sagte, sie würde Ausschau halten, ob ein Auto ihr merklich folgte. Es war eine seltsame Stimmung. Fatou kam sich vor wie bei einem Räuber-und-Gendarme-Spiel, als würden sie etwas Ausgedachtes miteinander proben. Sie stieg ein und testete die Bremse. Kenny nahm noch einmal den Boden der Parklücke in Augenschein und hob den Daumen. Fatou fuhr los und winkte.

**

Es roch nach Tomatensauce. Yesim stürmte auf ihre Mutter zu und umarmte sie, als sei sie wochenlang fort gewesen. Auch Isabel umarmte Fatou und sagte: »Gut, dass du endlich wieder da bist!« Fatou wurde vor lauter Erleichterung ganz warm. Tante Hortensia wirkte entspannt und ausgeruht. »Wir haben so einen schönen Vormittag gehabt«, sagte sie. »Es ist noch Essen da.«

Fatou schaufelte sich eine große Portion Nudeln auf den Teller und ließ sich von Hortensia und Isabel alles über Martins Anruf berichten. Als sie fertig gegessen hatte, waren alle Blicke gespannt auf sie geheftet. »Pater Simone hat mich angerufen und es mir auch schon erzählt«, begann sie. »Das klingt alles … wirklich toll. Aber wir sollten nicht vergessen, dass Sophie noch nicht wieder zu Hause ist. Richtig freuen kann ich mich erst, wenn sie wieder zurück ist, wisst ihr. Wenn ich sie vor mir stehen sehe.« *Und übrigens, da stimmt was nicht, irgendwas ist an der Sache übel. Ich glaube davon kein Wort, und es bricht mir das Herz, dass vielleicht doch etwas Schlimmes mit ihr passiert ist und ihr euch möglicherweise zu früh freut.* Fatou hoffte inständig, dass ihre Gedanken nicht schuld an einem fatalen Ausgang sein würden. Sie verfluchte sich dafür, »The Secret« angesehen zu haben: Positives Denken führte zu positiven Zufällen, und demnach war negatives Denken schuld an negativen Erlebnissen. Wochenlang hatte das schlechte Gewissen im New Age Fieber ihre eigenen Gedanken für alles, was passierte, verantwortlich gemacht. Für das gestohlene Fahrrad, für die Mieterhöhung, dafür, dass Aytaç sich als schwul geoutet hatte. Bis es ihr zu bunt geworden war und sie beschlossen hatte, dass sie nicht die Ursache von allem war, was auf der Welt passierte. Ein paar Überreste dieser Denke waren trotzdem hängengeblieben.

Isabel und Yesim reagierten nicht groß. Sie lächelten sie nur an, als würden sie sie nicht ernst nehmen. *Soll mir recht sein, wenn Hortensia ihnen erzählt hat, dass ich übertreibe*, dachte Fatou. Es genügte, wenn sie sich Sorgen machte. Dennoch musste sie sicher gehen, dass sie sich an die Regeln hielten.

»Wir lassen alles wie gehabt, bis Sophie zurück ist«, sagte Fatou. »Bis die Entführer verhaftet sind, geht ihr nicht allein raus, und lasst auch niemanden rein. Wir sind sogar noch vorsichtiger und kontrollieren immer, dass die Tür abgeschlossen ist, nur um ganz sicher zu gehen, dass wir alles richtig gemacht haben.« Diesen Trick hatte sie von einer Stewardess gelernt. Tu so, als hätten kleine Sicherheitsmaßnahmen Auswirkungen auf die Wahrscheinlichkeit einer großen Katastrophe. Erkläre die Schwimmweste. »Wir können nachher zusammen rübergehen. Ihr bereitet alles vor und wir machen uns einen schönen Tag. Zeigt mir doch mal, welche Frisuren ihr euch ausgesucht habt für morgen. Habt ihr schon Bilder?« Yesim schüttelte den Kopf.

»Doch«, sagte Isabel. Sie holte eine Mappe aus rosa Plastik, in der sich eine Sammlung bunter Zeitschriftenausschnitte befand. Feierlich öffnete sie sie auf dem Tisch. Jedes einzelne Bild wurde anmoderiert. »Emily Sandé bei den VMA«, »Janelle Monáe in London«, »Willow Smith bei der Releaseparty«. Der Trend ging offensichtlich zum natürlichen Haar mit Undercut.

»Aber die haben ja alle gar keine Braids und Rasta«, merkte Fatou an.

»Lange Haare sind out«, sagte Isabel.

Tante Hortensia schmunzelte.

Sie packten das Notwendige zusammen und gingen gemeinsam über die Straße zu Isabels Haus. Fatou sah sich

mehrmals um und konnte nichts Ungewöhnliches entdek-
ken. Während die Mädchen sich im Wohnzimmer aufgeregt daran machten, mithilfe von Bastelscheren, Farben
und allerlei Kartons ihre Willkommensdekoration umzusetzen, machte Fatou Kaffee und Eistee. Als sie fertig war,
bedeutete Hortensia ihr, sich auf der Terrasse niederzulas-
sen. Die Sonne stand hoch am Himmel, diesige Episoden
wechselten sich ab mit bayrisch sommerlichem Blau. Vielleicht würde es später regnen.

»Jetzt erzählst du mal, was du so alles getrieben hast in
der Stadt, bei deinen Ermittlungen! Und was der wirkliche
Grund ist, dass du nicht glaubst, dass die Sophie zurück
kommt.« Hortensias Ton machte deutlich, dass an Widerrede, Ausflüchte oder Beschönigungen nicht zu denken
war. Fatou seufzte. Sie hatte sie eigentlich schonen und sich
selbst vor der Blamage bewahren wollen, eine unausgego-
rene Geschichte aufzutischen. Sie hatte keine Energie mehr
dazu. Es war jedoch wichtig, dass Hortensia verstand, wie
ernst die Situation war, der Mädchen wegen. Bestimmt
würde sie ihr Vorwürfe machen. »Überleg nicht, was du
mir erzählst und was nicht«, sagte Hortensia. Sie hielt eine
Hand über ihre Augen, um die Sonne abzuschirmen. »Ich
bin nicht so gebrechlich, dass du mich schonen musst. Ich
hab schon ganz andere Sachen erlebt.«

Fatou räusperte sich. »Erinnerst du dich, als ich dir erzählt habe, dass Martin auf dem Kulturfest eine Schlägerei
hatte, mitten auf dem Kapellplatz?«

»Freilich«, sagte Hortensia.

Fatou nahm ihren Mut zusammen und berichtete ihr
auch den Rest. Sein aufgelöster Auftritt beim Pater in der
Kapelle, und wie sie sich dabei im Beichtstuhl versteckt
hatte. Fatous und Graces Aktion, das Burschenschaftshaus

zu putzen, und der gruselige Kerl, dem sie dort begegnet waren. Hortensia sah sie mit großen Augen an und unterbrach sie kein einziges Mal.

Bevor sie von dem Drohbrief erzählte, versicherte Fatou sich mit einem Blick ins Wohnzimmer, dass die Kinder ausreichend mit sich beschäftigt waren. Dann holte sie den Umschlag aus der Handtasche. Hortensia las den Brief und schüttelte dabei in Zeitlupe den Kopf. Ihre Augen waren hellwach.

Als Fatou berichtete, dass der Typ in der Burschenschaft womöglich ihr Schulfreund Christian Brandl war, runzelte Hortensia die Stirn. Als sie von ihrem Besuch beim Bürgermeister erzählte, hatte die Tante beide Hände vor dem Kinn verschränkt, die Geste, die sie machte, wenn sie aufmerksam einen guten Krimi im Fernsehen schaute. Fatou glaubte sogar ein bisschen Stolz in ihrem Blick zu erkennen. Ermutigt fuhr sie fort. Sie berichtete vom Besuch bei Orhan und der Sabotage seines Kulturzentrums und ließ Hortensia versprechen, dass sie das Stiftungs-Leak niemandem weitererzählen würde. Schließlich schloss sie mit Pater Simones kryptischem Anruf, ihrer Panik, als sie den Verfolger in der Stadt bemerkt hatte, ihrer Flucht ins Internetcafé und Martins Benehmen vorhin am Telefon.

Ihr Hals war ganz trocken vom vielen Sprechen. Sie nahm einen großen Schluck Eistee. Zwei Zitronenscheiben schwebten auf den Glasboden zurück. Hortensia lehnte sich in ihrem Gartenstuhl zurück, verschränkte die Hände vor der Brust und dachte anscheinend nach. In regelmäßigen Abständen schüttelte sie den Kopf. Es war besser, sie jetzt nicht zu unterbrechen.

»Und das hast du alles in den letzten paar Tagen …?« Fatou nickte. »Da ist aber was ganz faul«, sagte Hortensia.

»Glaube ich auch«, sagte Fatou. »Vielleicht ist es wirklich zu gefährlich und wir sollten direkt wieder nach Hause fahren.«

»Schmarrn«, sagte Hortensia. »Ihr bleibts bei mir. Aber diesem Pater solltest du nicht trauen!« Fatou hatte geahnt, dass sie so etwas sagen würde. Hortensia traute Männern sowieso nicht und ausländischen noch viel weniger.

»Ich wünschte, er würde nicht so ein Geheimnis draus machen«, sagte Fatou. »Es ist wichtig, sagt er, ich muss es unbedingt sehen, und es geht nicht am Telefon. Was kann das sein?«

»Pfarrer sind auch keine Heiligen«, sagte Hortensia. »Wer weiß, was der von dir will.«

»Also bitte, Tante Tensi! Dass der was von mir will, kann ich, glaube ich, ausschließen.« Hortensia kniff skeptisch ein Auge zu. »Vielleicht ist es ja doch politisch«, sagte die Tante, »aber wer entführt denn wegen Politik das kleine Mädchen von einer Alleinerziehenden?«

Fatou wischte sich einen imaginären Krümel vom Schoß. »Wenn du mich fragst, Martin hat die Kapelle angesprüht, um sich bei seinen Burschenschaftlern zu qualifizieren, und es danach bereut. Dann haben sie ihn erpresst, und damit er dicht hält, seine Schwester entführt.«

»Das wäre eine Möglichkeit«, sagte Hortensia, »aber den Martin könnten sie doch auch anders in Schach halten. Da müssen sie doch nicht zum Äußersten greifen.«

»Außer sie sind in Panik«, sagte Fatou. »Weil es um etwas sehr Wichtiges geht, nicht nur um einen Jungenstreich. Zum Beispiel um ein Millionenprojekt.«

»Jetzt haben sie jedenfalls Angst vor dir«, sagte Hortensia. »Das heißt, dass du nicht ganz weit entfernt davon entfernt sein kannst, alles herauszufinden.«

»Ja, vielleicht«, sagte Fatou und drehte ihr leeres Glas mit beiden Händen hin und her.

»Pass auf dich auf, wenn du in der Stadt herumläufst«, sagte Hortensia. »Schau, dass du unter Leuten bist, und ich bleib mit den Kindern im Haus. Dann kann nichts passieren. Vielleicht kommt Sophie ja wirklich am Montag zurück.« Ihre Stimme klang so klar und beruhigend, dass Fatou ihr glauben wollte.

Isabel war losgelöst und fröhlich. Abends saßen die Mädchen noch stundenlang über ihren Zeitschriften und redeten über Frisuren, bis sie müde waren. Fatou war froh, dass sie sich so lebhaft miteinander beschäftigten. Sie hätte sich gewünscht, Isabel vorher gekannt zu haben. Dann hätte sie erahnen können, ob sie sich durch Sophies Entführung sehr verändert hatte. Sie nahm sich vor, darauf zu bestehen, dass Isa so bald wie möglich psychologische Hilfe bekommen würde – notfalls würde sie Anita dazu erpressen.

Kommt rein, come in, entrez!«, rief Grace aus ihrer Wohnung ins Treppenhaus. Es roch nach Pfefferminztee und aufgebackenen Brötchen. »Hey ihr zwei Superstars«, begrüßte sie zuerst Yesim und Isabel, die sich noch etwa schüchtern im Flur herumdrückten. Sie gaben ihr förmlich die Hand.

Grace lachte. »Ihr seid aber gut erzogen. Meine Nichte ist in eurem Alter. Die kommt rein und geht als erstes an den Kühlschrank.« Fatou bekam ein Bussi. Grace war gerade dabei gewesen, im Wohnzimmer einen bunt gemusterten Plastikteppich auszurollen.

»Wir haben dir was mitgebracht«, sagte Yesim. Sie schleppte die Tüte mit Obst, Keksen und Limonade ins Wohnzimmer. Grace ließ sie und Isabel das ganze Knabberzeug auf dem Couchtisch drapieren.

»Wie geht's dir?«, fragte sie Fatou mit vielsagendem Blick.

»Alles okay bei uns. Habt ihr irgendwas rausbekommen?«

»Ja und nein«, sagte Grace. »Vielleicht ist es nichts. Kenny kommt nachher auch.« Yesim und Isabel stritten sich darum, ob eine Tüte Süßigkeiten jetzt schon aufgemacht werden durfte. »Lasst euch mal ansehen«, sagte Grace. »Was machen wir euch überhaupt für Frisuren? Wer ist die erste?«

»Ich!«, riefen Isabel und Yesim gleichzeitig. Isabel zog ein eigens für diesen Anlass frisch bemaltes Mäppchen aus ihrem Beutel. Feierlich entnahm sie ihm ein Bild nach dem anderen. »Ich will einen Undercut.«

»Das ist aber eine auffällige Frisur«, gab Grace zu bedenken.

»Ich falle sowieso immer auf«, sagte Isabel.

»Das stimmt«, lachte Grace. »Es ist auch eine mutige Frisur. Deswegen laufen die ganzen Stars so rum, damit sie stark wirken. Weißt du, wo die Frisur ursprünglich herkommt?« Isabel schüttelte den Kopf. Grace stand auf und ging aus dem Zimmer. Es klapperte. Sie kam mit einem großen Bildband zurück. Auf dem Buchcover war ein Mann mit prächtigen Dreadlocks zu sehen. Über ihm stand »Traditional Ethnic Hairstyles«.

»Der Titel ist schlecht«, sagte Grace. »Aber es sind super Frisuren drin. Zu jeder wird erklärt, woher sie kommt und wer sie tragen kann.« Isabel und Yesim lauschten gespannt. »Manche Frisuren sind nur für bestimmte Leute. Zum Beispiel Frauen nach ihrem ersten Kind. Oder Jäger, wenn sie ein Raubtier getötet haben. Oder Priester. Oder Fischer. Oder Leute, die einen Kampf gewonnen haben.«

Fatou fragte sich, welche Frisur sich wohl eine Priesterin machen ließ, die nach dem ersten Kind ein Raubtier getötet hatte. Das Buch offenbarte wahre Kunstwerke. Manche Haartrachten sahen aus wie kleine Türme, manche bestanden aus akkurat rasierten Mustern oder so winzig kleinen Zöpfen, dass es Tage dauern musste, sie herzustellen.

»Jetzt schau'n wir mal nach deiner Frisur«, sagte Grace, blätterte zielsicher und fand die richtige Stelle. Das Bild zeigte einen Mann mittleren Alters mit freiem Oberkörper. Er hatte die Haare an den Seiten rasiert und ein langer Pony fiel ihm ins Gesicht. Dort stand:

*Traditioneller Haarschnitt der Mohawk. Es bleibt nur
ein Streifen auf dem Kopf, der zu bestimmten Zwecken
aufgestellt wird. Im Alltagsleben wird das Haar herab-
hängend getragen.*

»Der sieht aus wie Bryan Ferry in braun«, sagte Fatou.
Grace sah sie unverwandt an. »Wer ist Brine Fairy?«

»Ein Sänger aus den Achtzigerjahren. Nicht so wichtig.«

»Kannst du mir das machen?«, fragte Isabel.

Grace stemmte eine Hand in die Hüfte. »Selbstverständlich. Du musst aber ganz still halten. Sonst hast du eine
Ecke vom Rasierer.« Isabel nickte tapfer. »Gut«, fuhr Grace
fort. »Wir machen das. Hast du dir schon ausgedacht, was
du deiner Mutter erzählst? Die findet das bestimmt krass.«

Isabel hatte ein feierliches Glühen im Gesicht. »Ja. Die
findet das bestimmt zu krass«, sagte sie und lächelte. Fatou
sah Isabel an. *Stolz*, dachte sie, *sie ist gerade stolz. Und ich
bin stolz auf sie.*

Fatou lächelte ebenfalls. »So wie ich das sehe, sind es
deine Haare, und du kannst sie tragen, wie du willst.« Isabel strahlte. Yesim rutschte unruhig auf ihrem Hintern
hin und her.

»Echt, Mama? Kann ich auch mit meinen Haaren machen, was ich will?« *Mist*, dachte Fatou.

»Das kommt drauf an«, sagte sie. »Solang du dir nicht
mit Chemikalien die Kopfhaut frittierst oder mich bla-
mierst.« Yesims beschrieb ihren Frisurwunsch. Sie wollte
auch einen Undercut, und darüber lange Zöpfchen. Grace
gab ihr zu verstehen, dass das zwei Frisuren auf einmal waren. »Das ist übertrieben. Dann siehst du aus, als wärst du
verwirrt. Hier Rasta, dort rasiert, das hat keinen Stil. Ent-
scheide dich für eine Frisur.«

Yesim hatte so viele verschiedene Bilder von Frisuren mitgebracht, die ihr gefielen, dass sie immer noch Auswahlschwierigkeiten hatte. Grace betrachtete das Sammelsurium. »Das geht nur mit Glättung, das geht gar nicht, hier gefällt dir bestimmt vor allem das Kleid.« Tyra Banks hatte eine lange gelbe Robe an. Verschämt nahm Yesim das Bild beiseite. Sie einigten sich schließlich auf dünne Cornrows an den Schläfen, gemäß Willow Smith im Video zu »Whip My Hair«. Die restlichen Haare würden offen bleiben, damit sie sich nach ihrem monatelangen Rastadasein erholen konnten.

»Okay. Next.«

»Das war's«, sagte Fatou. »Ich habe keine weiteren Mädchen in deiner Wohnung versteckt.«

Grace lachte herzhaft. »Willst du dich drücken? Sag schon, was willst du mit der herausgewachsenen Sache auf deinem Kopf machen. Zeig mal her.«

Fatou rutschte von ihr fort. »Mach doch erstmal die Frisuren der zwei VIPs hier und schau danach, ob du überhaupt noch Lust hast.«

»Also bitte«, sagte Grace. »Glaubst du, ich bin nach zwei Stunden schon erschöpft? Ist das bei euch so in Norddeutschland?« Sie legte gespielt den Handrücken an die Stirn. »Ahh, so viele Haare, ich bin ja so fix und fertig, gib mir mal bitte einen Schlafsack.«

Isabel lachte. »Garnicht«, sagte Yesim. »Bei uns machen die Frauen auch den ganzen Tag die Haare. Die Mutter von Binta macht das.«

»Du bist nur nichts gewöhnt«, sagte Grace zu Fatou. »Oder willst du dich drücken? Hast du für dich nichts vorbereitet?«

Fatou wurde die Aufmerksamkeit etwas zu viel.

»Ich habe mir tatsächlich nichts überlegt«, schwindelte sie. »Ich meine, es gibt tolle Frisuren. Ich sehe ja auch Musikvideos. Nur sind die Stylings alle viel zu unrealistisch für mich.«

»Was unrealistisch ist, liegt nur daran, was die Friseurin kann«, sagte Grace. »Ich beherrsche die Frisuren von allen Stars, weil ich sie an mir selbst so lange ausprobiere, bis sie richtig sitzen. Und zwar seit mehr als zwanzig Jahren. Los, sag mir irgendeine Frisur und ich sage dir, ob ich sie machen kann.«

»Ich glaube dir, dass du sie machen kannst«, sagte Fatou schnell. »Nur, ob ich sie tragen kann …«

Grace bestand darauf, die legendären Frisuren der Stars zu rekapitulieren, um die allerbeste zu ermitteln. Während die Mädchen vermutlich nur Bahnhof verstanden, weil sie zu den besprochenen Zeitaltern noch nicht geboren waren, riefen die Erwachsenen sich alle Haarprachten in Erinnerung, die sie von MTV und VIVA und sogar noch älteren Fernsehsendungen her kannten. Mary J Blige gewann stimmlich, unterlag aber Toni Braxtons Haarstyling in den 1990er Jahren. In den 2000ern waren sie sich uneinig über die frühe Alicia Keys (Grace fand ihre Cornrows »furchtbar, wie eine Touristin, Bo Derek Style«) und Beyoncé, deren Perücke von 2003 Fatou nicht gefiel. Dann diskutierten sie, ob handgeknüpfte Echthaar-Weaves außer Konkurrenz laufen sollten. Einig waren sie sich bei den Frisuren von Queen Latifah (»chemisch und praktisch«), Missy Elliott (»wie eine Torte auf dem Kopf«) und schließlich bei der Kür der großen Gewinnerin aller Jahrzehnte, Miriam Makeba. Ihr ein Zentimeter kurzer perfekt gleichmäßiger Afro war der Inbegriff von Würde und Eleganz.

»Das würde dir auch gut stehen«, sagte Fatou. Grace winkte ab. »Meine Haare sind mein Hobby, das weißt du doch. Kurzes Haar ist viel zu unflexibel.«

Fatou fand den Gedanken dagegen verlockend. »Wenn ich nicht bei jedem Vorstellungsgespräch gleich in einer bestimmten Schublade landen würde, hätte ich gern so eine Frisur.«

»Nts«, machte Grace. »Wenn du einen Job nicht kriegst, weil du zu afrikanisch aussiehst, warum willst du dann diesen Job überhaupt?« Fatou unterdrückte den Impuls, sich zu entschuldigen und ärgerte sich darüber, dass es viel einfacher klang, wenn Grace es so sagte.

»Gut. Dann hätte ich gerne bitte einen ganz kurzen akkuraten Afro.« Sie stand auf und holte ihre Handtasche aus dem Flur. *Bestimmt sehen sie sich gerade hinter meinem Rücken alle gegenseitig ungläubig an*, dachte sie. In einer alten Hörzu von Tante Hortensia hatte sie in der Rubrik »Show- und Weltstars – das war heute vor 30 Jahren« Miriam Makebas Bild entdeckt und heimlich ausgeschnitten. Sie hatte sich daran erinnert, wie stolz es sie als kleines Mädchen gemacht hatte, diese elegante Frau im Fernsehen zu sehen. Sie war durch und durch afrikanisch. Sie sang vor fremdem Publikum und verzauberte alle. Sie war selbstbewusster als alle anderen Frauen, die Fatou je gesehen hatte. Sie hatte sie bewundert und gedacht, wenn nur ein Fünkchen ihrer Ausstrahlung auf sie übergehen könnte, wäre das ganze Leben viel einfacher und alles wäre möglich. »Du hast ja doch ein Bild dabei. Du ...«, sagte Grace.

»Wer ist das?«, fragte Isabel. »Die sieht schön aus.«

»Das habe ich dir doch gesagt, dass dir das gut stehen würde«, sagte Grace. Sie stupste Fatou an. »Back to the roots.«

»Aber die Frisur ist altmodisch«, sagte Yesim und verstummte sofort, als Graces Blick sie traf. *So geht das also*, dachte Fatou.

»Also, jetzt wissen wir alle, was heute ansteht«, sagte Grace. Sie ließ sich einen Karton mit Utensilien geben und begann, Isabel mit einem Kamm und Klammern die Seitenpartien abzutrennen. Fatou und Yesim gingen währenddessen in die Küche, um Obst zu waschen und mit Keksen in Schalen zu drapieren. »Mama, Grace ist cool«, flüsterte Yesim. Fatou nahm sie in den Arm und hielt sie mindestens drei Minuten lang.

Am frühen Nachmittag machte Fatou sich daran, einen Topf Spaghetti zu kochen. Die Mädchen würden bald eine Pause einlegen müssen. Aus dem Wohnzimmer drang Gelächter herüber. *So sollten alle Tage sein*, dachte sie. Wenn Oberbayern doch nur nicht so weit weg wäre. Sie würde Grace sehr vermissen. Was wäre ein angemessenes Abschiedsgeschenk? Am besten etwas, das sie dazu motivieren würde, sie in Hamburg besuchen zu kommen. *Eintrittskarten für den »König der Löwen«*, dachte sie und musste über sich selbst lachen. Das war entweder eine sehr gute oder eine sehr schlechte Idee. Grace hätte vielleicht Spaß – aber vielleicht würde sie auch in der laufenden Aufführung aufstehen und dem ganzen Saal erklären, dass das nicht afrikanisch war, sondern Firlefanz. Beides war möglich. Sie nahm sich vor, Grace zu fragen, was sie von dem Musical hielt. Sie holte ihr Handy heraus, um eine SMS an sich selbst schicken. Zwei unbeantwortete Anrufe von Pater Simone und eine Mitteilung von ihm auf der Mailbox wurden ihr angezeigt – zusammen mit seinen Anrufen von gestern ergab das nun schon acht. Sie seufzte und goss das Nudelwasser aus, suchte und fand eine kleine Tüte Parmesan im Kühlschrank und deckte den Tisch. Dann setzte sie sich und hörte die Mailbox ab. Ihr Puls ging etwas schneller, als sie auf die Verbindung wartete. Vielleicht war es ja eine gute Nachricht.

»Guten Tag, Frau Fall. Hier ist Simone. Ich hoffe, es geht Ihnen gut. Bitte melden Sie sich doch recht bald für ein Treffen. Danke.« Fatou sah den Bildschirm böse an und schüttelte den Kopf. Sie steckte das Telefon in ihre Tasche zurück und ging ins Wohnzimmer, um zum Essen zu rufen. Grace lehnte sich an der Couch an und dehnte ihren Nacken. »Ich sollte Yoga machen«, stöhnte sie.

»Schau«, sagte Isabel und zeigte ihre frische Haarpracht. Die Seiten waren ganz und gar rasiert.

»Wow«, sagte Fatou. »Gratuliere!« Isabel strahlte, lief zum Badezimmerspiegel und kam mit stolzem und waghalsigem Gesichtsausdruck zurück.

»Als nächstes bin ich dran«, verkündete Yesim. Sie versammelten sich am kleinen Tisch in der Küche und aßen.

Es klingelte an der Tür. »Mh«, machte Grace mit vollem Mund und stand auf. »Das ist Kenny.« Yesim sah ihre Mutter fragend an. »Hola«, war aus dem Flur zu vernehmen. Fatou hörte einen lauten Schmatzer. *Das kann auch rein freundschaftlich sein*, dachte sie. Gleich darauf erschien Kennys Kopf im Türrahmen. »Guten Tag zusammen. Ist hier noch ein Platz frei?« Fatou rutschte neben Yesim, die Kenny anstarrte, und räusperte sich. Yesim sah verlegen weg. Isabel grinste. »Wie geht's dir, Fatou?« Fatou blickte auffallend langsam erst zu Isabel, dann zu Yesim, und sagte »Gut, danke. Hast du neulich auf dem Parkplatz beim Internetcafé deinen Freund nochmal gesehen?«

»Nein, den haben wir nicht mehr gefunden«, sagte Kenny. »Wir waren noch um den Block spazieren gegangen, aber da war alles okay – ich meine, auch keine Hundehaufen. Keiner ist auf der Straße herumgelungert oder so. Unser Kumpel war nicht da.«

»Auch nicht sein Auto«, sagte Grace.

Yesim flüsterte Isabel zu: »Er hat coole Schuhe.«

»Ersie«, sagte Kenny.

»Ersie ist voll der coole Name«, sagte Yesim. Grace lachte.

»Schatz, das ist nicht mein Name, sondern mein Pronomen«, sagte Kenny. Yesim wurde rot. »In der wievielten Klasse bist du? Weißt du, was ein Pronomen ist? Sind das deine Kids, Fatou?«

Yesim und Isabel sahen sich an. »Ich bin ihre Tochter, und das ist meine Freundin«, erklärte Yesim.

»Oh. Tochter und Freundin, das sind aber schöne Namen«, witzelte Kenny. Isabel streckte die Hand aus. »Ich heiße Isabel«, sagte sie. Yesim wirkte verlegen und so, als ob sie gar nicht wüsste, wo sie hinsehen sollte.

Fatou schoss ein flüchtiger Gedanke durch den Kopf, ohne dass sie ihn richtig hätte greifen können. Etwas Aktuelles. Wie ein Puzzleteil, das in der Couchkante verschwand. Sie grübelte.

Kenny bediente sich an den Spaghetti. »Der Christian ist gar nicht so leicht. Mit seinem Namen und Alter gibt's im Landkreis über hundert, na ja, war ja eigentlich klar, *Christian* ist halt auch kein Name, sondern ein Sammelbegriff. Aber ich schätze, ich krieg ihn, wenn ich noch ein oder zwei Infos habe. Weißt du, wie seine Eltern hießen?«

Fatou überlegte. »Der Vater war schon bestimmt über fünfzig. Ich glaube, er hatte nur noch ein Bein. Und er hat Kuckucksuhren gesammelt. Die hingen überall im Haus.« Kenny lachte.

»Nicht schlecht. Ein alter Nazi, der Trost in Vögeln sucht.« Grace räusperte sich lautstark. »In Singvögeln. Wer weiß, vielleicht geht was über 'ne Sammlerbörse. Ich probier's aus. Gern geschehen.« Kenny hatte etwas Tomatensauce am Kinn. Yesim betrachtete den Klecks andächtig. »Hast du selbst noch irgendwen ... getroffen gestern? Oder dein Auto gewaschen?«

»Bei uns war alles ruhig, und das Auto ist sauber«, sagte Fatou in beiläufigem Ton. »Ich hab natürlich aufgepasst, dass der Rückspiegel auch richtig eingestellt ist.«

Ein Seitenblick auf Yesim ergab, dass ihr der doppelte Boden der Unterhaltung nicht auffiel. Fatou kam sich gemein vor, ihre Tochter so auszutricksen und direkt vor ihrer Nase ein ›Geheimgespräch‹ zu führen. Aber es ging eben nicht anders.

»Okay«, sagte Grace und schob den leeren Teller von sich. »Wir wollen auch fertig werden. Lasst uns weitermachen.«

Kenny stand auf. »Ich wollte eigentlich nur kurz Bescheid sagen, dass wir morgen ins Wirtshaus gehen, und dass die anderen sich freuen würden, wenn du mitkommst.«

Der Stammtisch! Daran hatte Fatou gar nicht mehr gedacht. »Oh. Ich hab vergessen, anzurufen!«, sagte sie.

»Ist kein Problem, wir gehen einfach in den Straubinger und schnappen uns den Stammtisch und schauen was passiert. Mehr als ›Is reserviert!‹ sagen, können sie nicht, dann setzen wir uns woanders hin. Aktion Frühschoppen: läuft.«

»Wo treffen wir uns?«, fragte Grace. »Wenn wir da alle zusammen reingehen ...« Fatou verstand sofort, was Grace meinte. Wenn sie als Gruppe auftraten, sieben, acht Schwarze Leute, könnte es leicht gefährlich werden. Sie würden vielleicht keinen Platz bekommen, mit der Ausrede, die ›Gäste‹ könnten sich gestört fühlen. Oder man würde bezweifeln, dass sie die Rechnung nicht bezahlen konnten, und deswegen peinliche Fragen stellen und das Geld im Voraus verlangen. Wenn sie sich draußen trafen und auf jemanden warteten, der sich etwas verspätete, könnten Passanten behaupten, dass sie herumlungerten, und die Polizei rufen. Sie konnten zwar auch einfach auf den Überraschungsfaktor setzen und einzeln ins Wirtshaus gehen. Doch dann würden sie auch einzeln den Blicken und Kommentaren der Wirtshausgäste ausgesetzt sein. Stammgäste oder betrunkene Örtliche würden es nicht unbedingt ohne Protest oder Gemeinheiten hinnehmen, dass sich gleich mehrere Schwarze Leute nicht an das ungeschriebene Gesetz hielten, dass sie ihre Freizeitgestaltung außerhalb und unsichtbar zu verrichten hätten.

»Ich reserviere uns einen Tisch«, sagte Fatou. »Tut mir leid, dass ich es noch nicht gemacht habe. Wie viele sind wir? Sechs? Ich sage, es kommt die internationale Tourismusdelegation. Damit wir gut bedient werden.«

»Sauber«, sagte Kenny. »Das kannst du als Bayerin machen.«

»Nah«, sagte Fatou, »als American!«

»Wir treffen uns einfach im Café We-LAN«, sagte Grace, »und gehen dann alle zusammen ins Wirtshaus. Ein kleiner Spaziergang.«

»Zehn Uhr im We-LAN. Ich gebe allen Bescheid«, sagte Kenny, stand auf und verabschiedete sich erst von den Mädchen, dann von Fatou. »Wenn ich mit dem Brandl-Typen weiterkomme, melde ich mich.« Fatou wollte noch zu verstehen geben, dass es sie nervös machte. Dass es ihr wichtig war, Klarheit zu erlangen, ob der Burschenschaftler wirklich ihr Schulfreund war – und dass sie das Gefühl hatte, dass diese Information entscheidend sein konnte für – irgendetwas. Aber die Wohnungstür fiel schon ins Schloss. Yesim betrachtete mit verträumtem Blick den leeren Küchentürrahmen.

Während Yesim ihren Willow-Smith-Look verpasst bekam, blätterte Isabel das Frisurenbuch durch. »Nichts aus Malaysia drin«, sagte sie leise.

»Willst du mal hinfahren?«, fragte Fatou. Isabel schüttelte den Kopf. Fatou erinnerte sich daran, wie es war, als sie selbst in Isabels Alter gewesen war. Damals hatte sie sich den Gedanken verboten, dass es in dem afrikanischen Teil ihrer Wurzeln irgendetwas Wichtiges für sie zu sehen geben könnte. Es wäre Verrat gewesen. An den bayrischen Tanten, die sie schließlich fürsorglich aufzogen. An den deutschen Lehrerinnen, die immer betonten, dass »wir hier alle gleich« seien. Und an ihrer Heimat in Europa. Wenn sie sich nach Afrika sehnte, würde sie nie dazugehören.

»Und wenn du erwachsen bist?«, fragte Fatou. Isabel zögerte einen Moment. Dann nickte sie.

***

Bryan Ferry, Willow Smith und Miriam Makeba sangen laut zu Rihannas »Diamonds«, das aus dem Autoradio schallte. Alle Fensterscheiben waren herabgekurbelt und die kleine Stereoanlage bemühte sich nach Kräften.

Das gelegentliche Scheppern höherer Töne, die die preiswerten Boxen an den Rand ihrer bestimmungsgerechten Performance brachten, störten die Stars nicht. Sie übertönten den Motor, die gewöhnliche Landschaft und jeden Anflug von Zweifel, ob sie die richtigen Haarstyles gewählt hatten.

Sie fuhren an der Abzweigung zur Florastraße vorbei und hielten vor einer kleinen Drogerie in der Stadtmitte von Neuötting. Mit vollendeter Grazie und Coolness stiegen sie aus. Falls es Blitzlichtgewitter gab, ignorierten sie es, wie immer. Sie schritten zum Regal mit Haarpflegeprodukten, wobei sie mit huldvollem Lächeln die staunenden Fans sowohl zur Kenntnis nahmen als auch einschüchterten. Natürlich wussten sie genau, was sie wollten. Wie in einem choreografierten Musikvideo nahm Double F mit einem eleganten Schwung ihres Handgelenks die Haarkur für Seniorinnen aus dem Regal. Lady Y drehte sich einmal um die eigene Achse, zerstörte alle neidischen Blicke, ownte die Sektion mit Gesichtsmasken und stellte die Avocado-Öl-Maske mit Gold und Perlmutt für reife Haut sicher. I-'n-I schwang ihre Hüfte, dass die Tänzer des russischen Staatsballetts neidisch geworden wären, schüttelte lässig ihren üppigen Pony, und brachte, ohne direkt hinzusehen, ein Fläschchen Badesalz »Lavendel« in ihren Besitz. Schweigend und ohne hinter ihrer Sonnenbrille zu blinzeln, bezahlte Double F, wobei sie die Platin-American-Express-Karte für eine so kleine Summe nicht eigens bemühen wollte. Sie nahm sich vor, jetzt öfter einen exotischen Ausflug in das Alltagsleben von Menschen zu machen, die keine Stars waren. Über den roten Teppich schritten sie zurück zur Limousine, ohne die Fotografen eines Blickes zu würdigen. Wenn sie für jedes Foto extra anhalten würden, würden sie nie irgendwo ankommen. Selbst zu fahren machte ihren Ausflug nur spannender. Sie waren dann mehr unter sich und erlebten wirklich etwas. Double F drehte sich nach hinten.

»Ist alles zu Ihrer Zufriedenheit, Ma'am?« Ein wohlwollendes Nicken signalisierte, dass die Rückreise beginnen konnte. Nach Denver waren es noch zweitausend Meilen. Sie freuten sich darauf. Sie hatten viele mp3-Sammlungen mit ihren größten Hits dabei.

Tante Hortensia bedankte sich für die Mitbringsel aus der Drogerie, war aber so überrascht von den neuen Frisuren, dass sie die Einkaufstüte ungeöffnet beiseite legte. »Lassts euch anschauen«, sagte sie, nahm Fatou bei den Schultern und drehte sie herum. Zu Isabel sagte sie »Mei!« und zu Yesim mit anerkennendem Lächeln »Hat man das jetzt so?« Die drei versicherten ihr, dass dem so war. »Spek-ta-ku-lär«, war ihr abschließendes Prädikat. Es war das maximal von ihr zu erlangende Kompliment. Die drei Stars freuten sich darüber wie Kinder.

***

Es war nachts genauso warm wie tagsüber. Fatou sah auf die Uhr, schüttelte den Kopf darüber, dass sie um drei Uhr auf einmal dermaßen wach sein konnte, als habe sie acht Stunden geschlafen anstatt nur vier, und ging in Unterwäsche in die Küche, um sich ein Glas Wasser einzuschenken. Es musste an der Schwüle liegen. Sie konnte spüren, wie ihr Gesicht anfing zu glänzen, aber auf keine gute Art. Manchmal am Ende eines Tages, wenn sie erschöpft von der Arbeit nach Hause kam, unterwegs noch eingekauft hatte und dann eine Mahnung der nicht gezahlten Stromrechnung im Briefkasten fand, erschrak sie vor ihrem eigenen Spiegelbild. Ihr Gesicht war dann mit einem öligen Film bedeckt, als hätte sie sich mit Vaseline eingeschmiert, ihre Lider sahen schwer und geschwollen aus und zwischen ihren Augenbrauen begann sich die überanstrengte Furche zu bilden, die sie sich ihr Leben lang geschworen hatte, nie zu bekommen. In diesen Momenten, wie auch jetzt, überkam sie die unglaubliche Sehnsucht, sich eine Zigarette anzuzünden. Yesim zuliebe hatte sie es nie getan. Sobald sie gewusst hatte, dass sie schwanger war, hatte sie aufgehört zu rauchen und die sporadischen Gelüste seitdem immer unterdrücken können. Sie trank kaum Alkohol, und sie rauchte nicht. *Eigentlich.* Sie war arbeitslos, pleite, und als Antwort war sie in den Urlaub gefahren. Ihr Vertrauen, dass sich schon alles richtig zusammenfügen würde, kam ihr wie Realitätsflucht vor. Sie konnte schon Yesims enttäuschten Blick vor sich sehen, wenn sie erleben würde, dass ihre Mutter nichts im Griff hatte und deswegen auch kein gutes Vorbild war, dass die Stabilität, in der sie aufwuchs, nur eine dünne Kulisse war, die soeben vor aller Augen in sich zusammenfiel. *Das darf nicht passieren*, dachte Fatou und ging schnell an dem großen Spiegel im Flur vorbei, ohne hinein zu sehen. *Ich muss mich zusammenreißen.* Sie verknotete ihre Finger ineinander. Eine Zigarette würde beim Denken helfen, sie erst mal runterbringen. Ungeduldig würde sie das glänzende Papier von der Schachtel reißen wie von einem Geburtstagsgeschenk, ihre Finger würden es automatisch machen, zwölf Jahre gespeicherte Alltagsbewegungen von Unbeschwertheit, einer Zukunft mit unendlich vielen Möglichkeiten, Freunden in der WG-Küche und Sorgen, die sich mit guter Musik forttanzen ließen. Sie schlüpfte in ein Sommerkleid und warf sich eine Baumwolljacke über. So leise wie möglich schloss sie die Wohnungstür hinter sich und ging auf Zehenspitzen die Treppe hinunter. Gab es hier überhaupt einen Automaten? Wenn sie in der schlafenden Straße das Auto anließ, würde das Geräusch Yesim womöglich aufwecken. Niemand konnte von ihr verlangen, perfekt zu sein, nur weil sie ein Kind hatte. Alle zwölf Jahre mal eine zu rauchen, das musste doch wohl drin sein. Es war wirklich nichts dabei. Viele Eltern rauchten. Die Gartentüre quietschte leise, aber laut genug, dass Fatou sich duckte. *Wie ein Teenager, der sich aus dem Haus schleicht,* dachte sie. Die Straße war warm und roch nach Heu und aufgeheiztem Asphalt. Der bayrische Mond leuchtete hellgelb ohne Wolken. *Eine perfekte Nacht für Lagerfeuer und Abenteuer im Freien,* dachte sie. Die Disco fiel ihr ein. Nur einen Kilometer die Landstraße herunter. In der Felsen-Alm gab es garantiert Zigaretten zu kaufen. Sie wandte sich nach links und ging schnell, vorbei an dem hohen Mehrfamilienhaus, das inzwischen neu renoviert war, vorbei an der Stelle, an der sich in ihrer Kindheit Christians Bauernhof befunden hatte. *Bestimmt ist er nicht der widerliche Burschenschaftler,* dachte Fatou. *Ich hätte ihn doch erkannt. Bestimmt ist er Banker geworden, mit irgendeiner Sabrina verheiratet und fährt einen Opel.* Leichter Wind kühlte ihr Gesicht ab. Sie wischte sich mit dem Handgelenk über die Stirn. Der ölige Film kam sofort wieder nach. Und die unerträgliche Anspannung, die sich mit den ersten Zügen an der Zigarette buchstäblich in Rauch auflösen würde. Eine dünne, graugetigerte Katze lief hektisch über die ansonsten leere Landstraße. Bald konnte Fatou die grelle Beleuchtung der Disco schon hinter dem Umriss der großen Nadelbäume sehen. Nur noch ein paar Minuten, dann würde sie eine rauchen. Vielleicht sogar ein Bier dazu trinken. Und sich umhören, wie es Neuötting in den letzten dreißig Jahren ergangen war, warum denn nicht. Ihr Schritt wurde leichter. Sie summte »Think« von Aretha Franklin und ging im Rhythmus dazu. Eine Frau musste wissen, wie sie sich selbst helfen konnte.

Auf etwa halber Strecke zur Felsen-Alm röhrte ein blechernes Motorengeräusch sie plötzlich aus dem Takt und aus den Gedanken. Ein getuntes Auto kam ihr entgegen, mit aufgedrehter Musik, dumpfem Schlagertechno. Durch die grellen Scheinwerfer konnte sie nichts erkennen. Als das Gefährt zwanzig Meter entfernt war, bremste es merklich ab. Etwas in Fatous Magen rutschte nach unten. Sie sah sich nicht um. *Nicht schneller oder langsamer gehen*, dachte sie. *Nicht schüchtern oder verwundbar aussehen.* Ihr Handy hatte sie in der Wohnung liegen lassen. Das Cabrio war metallic lackiert. Es hielt neben ihr an. Die Musik ging aus. Im Auto saßen zwei blonde Männer um die dreißig mit eckigen Gesichtern und nach oben gestellten Gel-Haaren. Der auf der Beifahrerseite pfiff. Wenn sie jetzt weiterging oder umdrehte, hätte sie ihnen den Rücken zugekehrt. Sie würden keine drei Sekunden brauchen, um aus dem Auto auszusteigen.

Fatou blieb am Auto stehen und sah beiden Männern ins Gesicht. Der auf der Fahrerseite leckte sich die Lippen. Der andere, nur ein paar Zentimeter von Fatou entfernt, rief »Bella!« Fatou lächelte nicht. »Was macht denn so eine heiße Lady in einer so heißen Nacht allein auf der Straße?« Sie konnte Alkohol in seinem Atem riechen. Wahrscheinlich kamen sie gerade aus der Disco, waren dort abgeblitzt und jetzt im Testosteronrausch auf dem Weg zu einer Verzweiflungsbekanntschaft. »Du sprechen Deutsch?«, sagte der Beifahrer. Er hatte einen Oberlippenbart. »How much?« Fatou stockte der Atem. Der Fahrer schnallte sich ab. Ihr musste schnell etwas einfallen.

Sie ging an die Kante des Bürgersteigs, tippte mit der Fußspitze leicht gegen die Felge des Vorderreifens, hob ihr Kinn, sah den Beifahrer an und sagte in perfektem Oberbayrisch: »Habt's ihr a Zigarettn?«

Die Männer sahen sie an wie ein Gespenst. Fatou verschränkte die Arme und machte ein schniefendes Geräusch. Wenn sie genau hinhörte, konnte sie die tiefen Bässe aus der Felsen-Alm hören.

Die Männer im Auto sahen einander an. Dann gafften sie wieder Fatou an. »Ihr sprechen Deutsch?«, sagte sie. Die Stille zog sich unerträglich. *Lasst mich in Ruhe*, dachte Fatou. *Verpisst euch endlich, ihr seid der Grund, warum Millionen Frauen Medikamente nehmen und von Kettensägen träumen.*

Der Fahrer lachte ein aufgesetztes, unsicheres Lachen. Der andere stimmte mit ein. Die Männer stießen sich mit den Ellbogen an und versicherten einander, dass es lustig war. Der Beifahrer öffnete das Handschuhfach und holte eine Schachtel Marlboro heraus. Als er sie öffnete, behielt Fatou ihn im Blick. Erst als er ihr die geöffnete Schachtel hinhielt, getraute sie sich, von seinem Gesicht wegzusehen. Sie nahm eine Zigarette heraus. Ihre Handflächen waren feucht, und sie zitterte. Sie hoffte, dass die Männer zu betrunken waren, um es zu bemerken.

»Das glaubt uns kein Mensch«, sagte der Fahrer.

»Bittschön, Madame«, sagte der Beifahrer und hielt ihr den glühenden Zigarettenanzünder hin. Sie hatte nicht bemerkt, wie er ihn hineingedrückt hatte. Welche anderen Dinge hatte sie nicht bemerkt? Sie hatte es schon fast geschafft, jetzt durfte sie keinen Fehler machen, damit die Situation nicht doch noch umkippte. Wenn sie ein Gespräch verlangten, würde es früher oder später darauf hinauslaufen, dass sie sich in ihrer zerbrechlichen männlichen Ehre beleidigt sahen, zum Beispiel, wenn sie sich weigerte, einzusteigen oder sich weiter so unverschämt anreden zu lassen. Fatou kannte sich. Sie konnte nicht lange den Mund halten. Nicht, wenn es um ihre Herkunft ging.

»Dank dir recht schön. Passt scho«, lehnte Fatou den Anzünder ab und steckte sich die Zigarette in ihre Hemdtasche. Sie trat vom Bordstein zurück, winkte kurz und ging weiter in Richtung Felsen-Alm. Als sie ein paar Schritte weit gekommen war, heulte der Motor auf und die laute Musik setzte wieder ein, dazu Gejohle, das sich schnell in Richtung Innenstadt entfernte.

Vorsichtshalber ging sie noch ein paar Schritte weiter, bis das Auto nicht mehr zu hören war. Dann kehrte sie um und lief, so schnell sie konnte, zurück bis zur Florastraße. Sobald sie um die Ecke war, hockte sie sich auf den Bordstein. Ihr ganzer Körper zitterte. Sie nahm die Zigarette aus ihrer Hemdtasche, warf sie auf den Asphalt und und trat so lange darauf herum, bis sie nur noch ein homogener brauner Brei mit weißen Papierpartikeln war. Ihre Lippen schmeckten salzig. *Bis zum Haus muss ich mich wieder beruhigt haben*, dachte sie.

In der Wohnung war es still. Yesim schlief noch. Fatous Handy lag auf der Kommode im Flur. Sie sah in den Spiegel. Ihr Gesicht glänzte. Sie wischte es mit einem Jackenärmel ab. Ihre Wangen waren rot vor Aufregung. Auch ihre Augen waren rot. »Bayrische Bergluft,« sagte sie leise, »am Arsch.«

Grüß Gott und Guten Morgen. Sie hören den bayrischen Rundfunk mit dem Morgenmagazin ›Sonntagsfahrer‹. Am Mikrofon ist Gustl Greser. In vielen Landkreisen sind heut Landtagswahlen.« Hortensia stellte das Radio ab.

»Ich geh nicht wählen«, sagte sie. »Ich hab den Krieg miterlebt. Den haben sie damals auch gewählt.« Fatou sagte nichts dazu. Sie konnte sich nicht richtig konzentrieren. Ihr Kopf fühlte sich an, als sei er in Watte gepackt und in einer Pappkartonschachtel abgelegt worden. Sie versuchte, sich nicht an die vergangene Nacht zu erinnern.

Yesim schlurfte in die Küche. Mit ihrer neuen Frisur war sie ein spektakulärer Anblick. »Mama, machen wir heute endlich mal was zusammen?« Etwas in Fatous Brustkorb zog. Yesim hatte völlig recht: Sie hatte nicht genug mit ihr unternommen. Viel Zeit, das nachzuholen, hatten sie nicht mehr. Fatous Alarm piepte. »Ich muss demnächst los«, sagte sie. »Ich habe ein Treffen im Wirtshaus.«

»Mama!«, sagte Yesim.

»Am frühen Nachmittag bin ich wieder zurück«, sagte Fatou. »Dann machen wir alles, was du willst.«

»Obacht«, sagte Hortensia.

»Alles im vernünftigen Rahmen, was du willst«, korrigierte sich Fatou.

»Hilfst du uns, Sophies Zimmer zu dekorieren?«, fragte Yesim. »Wir kommen sonst nicht an dem Schrank hoch.«

»Mache ich«, sagte Fatou.

»Und wir schauen Fotoalben. Versprochen, Mama?«

»Versprochen«, sagte Fatou.

»Und wann krieg ich ein Handy?«

»Geh«, sagte Hortensia. »Deine Schelfies kannst du auch mit meinem Fotoapparat machen.« Yesim zog ein miesepetriges Gesicht, das Fatou zum Lächeln brachte. In der vorigen Nacht hatte sie eine Entscheidung getroffen. Yesim sollte niemals das Gefühl haben, dass sie nicht dazugehören, nicht hineinpassen würde. Sie hatte befunden, dass das wichtiger für ihre Zukunft war als alle Beurteilungen und Zeugnisse. »Ich kann euch gleich zusammen fotografieren, wenn ihr euch angezogen habt«, sagte sie. »Dein eigenes Smartphone kaufe ich dir dann, wenn du auf die Stadtteilschule kommst«, ergänzte sie beiläufig und aß im Aufstehen den Rest von ihrer Honigsemmel.

»Aber Mama, das ist doch erst in –« Yesim stockte. »Was hast du gerade gesagt?« Fatou sah sie verschwörerisch an. Yesim umarmte sie stürmisch. Dann führte sie einen Freudentanz auf, der ihr ein »Vogelwild, in der Früh!« von Tante Hortensia einbrachte. »Danke, Mama! Dankedankedankedanke«, strahlte sie. Als sie ihr erneut um den Hals fiel, schob Fatou sie sanft von sich. Ein bisschen war ihr peinlich, dass sie für die Entscheidung so lang gebraucht hatte. »Aber beschwer dich später im Leben nicht bei mir, dass du zu wenig Diplomatinnen kennst.«

»Läuft!«, sagte Yesim und eilte ins Schlafzimmer, um Isabel die frohe Botschaft zu überbringen. Fatou fühlte sich in diesem Moment, als könnte sie die ganze Welt in sonnige Farben tauchen.

***

340

Kenny und Abadin saßen am Tresen des Café We-LAN und unterhielten sich. Mamadou warf böse Blicke auf einen Monitor. »Western Union sind Halsabschneider. Vierzig Euro!«, sagte er. Am Tisch neben ihm war Ismael in Facebook vertieft. Fatou begrüßte alle und bestellte einen Pfefferminztee. Am gestrigen Nachmittag hatte sie telefonisch beim Wirtshaus Straubinger reserviert, für das »Global South Committee des Internationalen Tourismusboard«, damit sie einen guten Tisch bekämen, erzählte sie. Abadin fand, dass »Global South Committee« ein guter Bandname war. Als Fatous Pfefferminztee kühl genug war, traf auch Grace ein. Sie hatte ihre Handtasche fest unter den Arm geklemmt und war etwas außer Atem. »So. Lasst uns frühschoppen«, sagte sie. Sie bezahlten und machten sich auf den Weg ins Wirtshaus.

Einige der Passanten, die so früh schon streberhaft auf dem Weg zum Urnengang waren, gafften sie mit offenen Mündern an. Grace gaffte genauso aufdringlich zurück, bis sie keine Lust mehr hatte. »Wie im Zoo«, sagte sie.

»Reg dich nicht auf«, beschwichtigte Ismael.

Auf dem Kapellplatz waren in sicherem Abstand voneinander ein paar Parteienstände aufgebaut, die Last-Minute-Wahlwerbung betrieben. Mit Luftballons in den jeweiligen Parteifarben und Promotion-Teams in Mottokleidung liefen die Grünen, die SPD und die CSU den Menschen hinterher, die nicht schnell genug einen Bogen um sie schlugen. Ein asiatisch aussehendes Paar ging unbehelligt vorbei. Fatou überlegte, ob es gut oder schlecht war, dass das Paar nicht angesprochen wurde.

Gestern war sie froh gewesen, sich einen Tag lang nicht mit dem örtlichen Filz und Spekulationen zu beschäftigen.

Jetzt hatte sie ein schlechtes Gewissen deswegen. Morgen würde Sophie wiederkommen. Oder nicht. Sie hatte Pater Simone nicht zurückgerufen. Sie hätte es tun sollen, schon allein für Isabel. Sie hatte aber die Kraft nicht aufbringen können. Es war zu viel verlangt – nach gestern Nacht war alles zu viel verlangt.

Die Wirtin des Straubinger begrüßte sie mit einem knurrigen »Hello and welcome«, das ihr Chef sie wahrscheinlich gezwungen hatte, für internationale Gäste auswendig zu lernen. Das Wirtshaus war nicht ganz so schummrig, wie Fatou es sich vorgestellt hatte. Hinter dem hüttenähnlichen Äußeren versteckte sich ein für bayrische Umstände recht minimalistisch eingerichteter Gastraum. Es waren immerhin keine ausgestopften Tierköpfe zu sehen.

»Schau!«, sagte Mamadou. Er deutete auf ein Gemälde an der Stirnwand. Es zeigte den Heiligen Mauritius in seiner vollen Melaninpracht, der auf einem Pferd saß, das sich von seiner Lanze und seinem Heiligenschein offenbar nicht beunruhigen ließ. Soldaten knieten zu seinen Füßen, beugten die Köpfe und streckten ihm ihre Waffen entgegen.

»Hoffentlich hat der Brother damals die Richtigen gesegnet«, sagte Fatou.

»Gegen die Römer«, wusste Abadin, »für die Christen.«

»Na toll«, sagte Kenny.

Die Kellnerin bedeutete ihnen mit ausladender Gestik, wo sie sich setzen konnten. Der Stammtisch war nicht für Reservierungen verfügbar, aber sie hatten einen Tisch derselben Größe direkt daneben bekommen. Darauf stand ein Schildchen mit der Aufschrift »Reserviert – Turist Bord – Welcome!!«

»Zwei Ausrufezeichen«, merkte Grace an. »Das ist die bayrische Willkommenskultur.« Sie setzten sich und sahen sich um. Die wenigen Gäste hatten bereits halb leere Bierkrüge vor sich stehen. Die Zapfanlage gurgelte. Abadin knetete seine Hände.

»C'est bien«, beruhigte Mamadou sich selbst, »il n'y a pas de problème. On fait des recherches culturelles, quoi. Très bien.«

Fatou versuchte, die Wirtschaft aus den Augen von jemandem zu betrachten, der Alkoholkonsum absolut verabscheute. Vermutlich sah dann alles viel weniger gemütlich aus. *Ich würde auch nicht den schönen Holztresen in einer Crack-Höhle bewundern,* dachte sie.

»Warst du wirklich noch nie in einem Wirtshaus?«, fragte sie Mamadou.

»Si, si«, sagte der und fuhr auf Französisch fort.

»Ich kann kein Französisch«, sagte Kenny.

Ismael übersetzte: »Wir waren schon oft auswärts essen, aber nicht in einer alten Gaststätte.«

»Alt eingesessen meinst du«, sagte Grace.

»Ein Gesessen?«, fragte Mamadou nach und schaute misstrauisch auf die Sitzbank. Grace lachte.

»Denk dir nichts«, sagte Fatou. »Ich bin hier aufgewachsen, aber ich bin auch zum ersten Mal in einem alt eingesessenen Stammtischwirtshaus.«

»Starmtischwitshaus, manche deutsche Wörter sind chien«, sagte Mamadou.

»Was?«, sagte Kenny.

»Er meint, Deutsch ist kompliziert«, sagte Ismael.

»Deafschowosei?«, fragte die Kellnerin.

Sie bestellten Butterbrezn, Bier mit und ohne Alkohol, Apfelschorle und Wasser, alles in Maßkrügen.

»Und, wie gefällt's euch?«, fragte Grace, nachdem sie einander zugeprostet hatten.

»Sehr chic«, sagte Mamadou. »Aber ich habe es mir anders vorgestellt. Mehr ...«

»Servus!«, tönte es vom Eingang. Tiefes, polterndes Lachen dröhnte durch den Gastraum.

»Grüß Gott«, flötete die Kellnerin. Ihre Stimme war um zwei Oktaven nach oben gerutscht. »Gleich a Runde?«

»Freili«, sagte ein sonorer Bass. Geruckel und Gemurmel bewegte sich auf sie zu. Mehrere Männer in Tracht hatten ihren großen Auftritt. Einer mit grau meliertem Vollbart blieb zwischen dem Stammtisch und ihrem Tisch stehen. *Der Platzhirsch markiert sein Revier*, dachte Fatou.

»Aha?«, sagte der Mann. Mamadou sah ihn interessiert an. Ismael machte ein Handyfoto von ihm und winkte. »Wie geht's?«, fragte Mamadou. »Hawediehre«, sagte Kenny und tippte an eine imaginäre Hutkrempe. Die Stammtischmänner tauschten Blicke. Einer, der einen Filzhut trug, runzelte die Stirn. Mit viel Tamtam und lautem Stühlerücken nahmen sie Platz.

»Da haben sie was zu erzählen nachher zu Hause«, sagte Grace.

»Wir auch«, sagte Abadin. »C'est bien comme ça que tu te l'as imaginé?«

»Oui, oui«, sagte Mamadou.

»Er hat es sich ungefähr genauso vorgestellt«, übersetzte Ismael.

»Wart's mal ab«, sagte Kenny. »Sie haben noch nichts getrunken.«

Mamadou ließ die Augen nicht von der benachbarten Runde. »Ich bin schon seit sieben Monaten in Deutschland«, sagte er. »Das ist meine erste ... wie sagt man? Kulturelle...«

»Ethnologischer Ausflug«, sagte Kenny. »Du hast den Stamm noch nie in seiner rituellen Rauschhütte gesehen.«

Ismael und Mamadou erzählten Fatou die Geschichte, wie sie nach Deutschland gekommen waren. Zuvor waren sie Asylbewerber in Spanien gewesen. Als sie sich kennengelernt hatten, hatten sie beschlossen, gemeinsam nach Deutschland umzuziehen. Sie hatten gehört, dass Bayern wohlhabend sei, mit guten Sommern, Bergen und Feldern. Hinter Kartons im Lieferwagen und auf der Toilette im Regionalexpress hatten sie die Kontrollen umgangen.

»Wir haben Glück gehabt«, sagte Ismael, »Aber danach nicht mehr.« Sie hatten keinen Job gefunden. Ohne Wohnung und ohne warme Kleidung hatte der Wintereinbruch sie kalt erwischt. Durch Glück hatten sie Grace und ihren Verein kennengelernt. Sie hatte erreicht, dass sie zumindest vorläufig bleiben konnten. Seitdem halfen sie im Verein mit, wo sie konnten. Mamadou war Mathe- und Physiklehrer und unterrichtete ehrenamtlich unbegleitet geflüchtete Jugendliche. Ismael hatte Deutsch in der Schule gelernt und studierte Bibliothekswissenschaften. Er hatte allerdings immer noch keinen Bibliotheksausweis bewilligt bekommen. Er konnte hineingehen, aber nichts ausleihen. Manchmal ging er nachmittags in die Stadtbücherei, betrachtete das Archivierungssystem und suchte nach Übersetzungen von Büchern, die er kannte. Oft las er vor Ort. »Das ist eine Pause für mich. Ich stelle mir vor, wie ich Kommissar Maigret in Paris bin, die kühle Luft an der Gare de l'Est und die ganzen Tauben an den Marktplätzen. Aber die Bibliothekarin wirft mich immer raus, wenn mehr Leute kommen. Zuerst lässt sie mich rein, aber wenn es voll wird, sagt sie, ich muss gehen.«

Ihre Gläser leerten sich. Der Stammtisch nebenan war schon bei der zweiten Runde angelangt.

»Übrigens«, sagte Kenny und stieß Fatou an. »Dein Schulfreund, der Christian Brandl.« Fatou fühlte, wie ihre Nackenhaare sich aufrichteten. »Das ist wirklich der Burschenschaftler von dem Foto: Grundschule Neuötting, dein Jahrgang, deine Klasse. Hat studiert in Bamberg, ist Chef vom Fechtverband, und arbeitet als Architekt. Hat zwei städtische Projekte gemacht, vor fünf Jahren schon. Da war er erst Anfang dreißig. Geh davon aus, dass er stark protegiert wird. Sonst hätte er solche Aufträge garantiert nicht bekommen. Gut, ne?« Kenny sah sie triumphierend an. Fatou hatte mit zu vielen Empfindungen gleichzeitig zu kämpfen. Die Aufregung, ihn identifiziert zu haben, das Entsetzen darüber, dass er tatsächlich die Person war, die sie im Burschenschaftshaus getroffen hatte, die Erinnerungen an den ehemaligen besten Schulfreund und an seinen furchtbaren Vater. »Keine Ursache«, sagte Kenny. »Ich dachte, du freust dich.«

»Freuen wäre das falsche Wort«, sagte Fatou. »Du hättest ihn sehen sollen, wie fies er war! Aber danke.«

»Tut mir leid, dass dein Freund so geworden ist«, sagte Grace. »Hast du jetzt endlich mal mit Simone gesprochen?«

»Ich schieb es vor mir her«, sagte Fatou. »Die Sache macht mir Bauchschmerzen. Ich weiß, dass ich da hin muss, aber ich weiß auch, dass … irgendwas habe ich übersehen.«

»Bring es einfach hinter dich«, sagte Grace. »Ich komme mit, wenn du willst.«

Fatou zögerte. Simone löste Beklemmungen in ihr aus. Am meisten Angst hatte sie davor, dass sie von ihm etwas erfahren würde, was ihr die Gewissheit gab, dass sie richtig lag. Dass nicht »alles gut« und Sophie nicht in Sicherheit war. Was sollte sie dann tun? Wie konnte sie Isabel unter die Augen treten? Wie konnte sie es ihr sagen? Wie es ihr vorenthalten?

Sie war noch nicht dazu bereit. Nicht, bis sie nicht endlich verstanden hatte, was eigentlich los war.

Um nicht gleich antworten zu müssen, trank sie einen großen Schluck und stellte sich vor, ihr Bier wäre nicht alkoholfrei. Es funktionierte nicht.

»Überleg's dir«, sagte Grace. »Ich verstehe, dass du dir Sorgen machst. Aber ich bin nicht so nah bei dem Mädchen wie du.«

»Ich kann auch mitkommen«, sagte Kenny.

Mamadou stieß sie an, um ihnen einen französischen Witz zu erklären, der nicht übersetzbar war. Fatou lächelte höflich und war in Gedanken bei Isabel und bei Pater Simone. Was war es nur, was er ihr zeigen wollte? Konnte sie nicht von selbst darauf kommen?

Am Stammtisch wurde es zunehmend laut. »Des san koa Muslime«, sagte einer erhitzt zu seinem Gegenüber, der dabei zu ihnen an den Tisch schielte. »Sonst waradn de do ned im Wirtshaus. Geh!« Kenny übersetzte ins Deutsche. Ismael wollte etwas hinüberrufen, aber Abadin hielt ihn am Arm fest. Der mit dem grauen Bart drehte sich schließlich zu ihnen um. »Du – Muslim?«, fragte er mit leicht glasigem Blick und sah in die Runde.

»Scho«, sagte Kenny und erwiderte seinen Blick.

»Tourist Board«, sagte Abadin scherzeshalber.

»Ahh«, machte der Silberrücken. »Heute – Wahlen«, sagte er übertrieben deutlich. »Wah-len. President. Party«, verkündete er. »Mir –«, er klopfte auf sein Hemd, »CSU. Partei von Jesus. Black Party.« Er deutete mit dem Finger auf Mamadou und lachte. »Black is good Party. Terror no good.« Die Ansprache hatte ihn erschöpft. Er hustete und brauchte schnell eine große Menge Flüssigkeit. Seine Männer feierten ihn für den großartigen Witz.

Mamadou sah die Männer fasziniert an, wie ein Rudel Rotwild in der freien Natur. »Ent-schuldigung?«, sagte er zu dem Mann. Fatou hielt den Atem an. Es kam ihr vor, als hielt das ganze Wirtshaus den Atem an. »Warum ... sagen Sie ›Terror‹?«, sagte Mamadou. »Wir sind muslimisch und keine Terroristen.«

Der Silberrücken beäugte ihn. Die lilafarbenen Adern auf seinen Wangen blitzten.

»Wir sind katholisch und wollen unser Land zurück«, sagte er.

»Ach ja?«, mischte sich Kenny ein. »Wer hat's dir denn weggenommen? Das letzte Mal, als ich in die Zeitung geschaut hab, hast du hundert Hektar an Spekulanten verkauft.« Einer am Stammtisch lachte. Der Silberrücken warf ihm einen Blick zu, der ihn augenblicklich verstummen ließ.

»Ts«, sagte er und drehte sich zu seinen Männern zurück.

»Was hast du gedacht, dass sie deine Freunde werden?«, fragte Abadin.

»Ich wollte es richtig stellen«, sagte Mamadou. Er bat Ismael, zu übersetzen und sprach auf Französisch weiter. Die Männer vom Stammtisch, so seine Theorie, konnten doch ihren Landsleuten ausrichten, dass sie in Ordnung waren und sie sie in Ruhe lassen sollten.

»In deinen Träumen«, sagte Kenny. Sie diskutierten darüber, ob Mamadous Ansatz romantisch war oder sinnlos. Ismael beschwerte sich, dass er immer übersetzen musste, auch Sachen, die er selbst gar nicht sagen würde. Der Stammtisch hatte einstweilen schon seine nächste Runde ausgetrunken. Sie sprachen nun noch lauter als zuvor.

»Wehe, dein Bruder hat wieder die Sozen gewählt!«, rief einer. Der, der unter dem Verdacht dieses unerhörten Verrats stand, zuckte zusammen. »Eine Plage sind die!«, fuhr der Ankläger fort. »Tun immer ganz gutmenschig. Vorn rum immer ›Hallooo!‹« Er verstellte die Stimme. »›Wir sind jetzt globalisiiiert. Kommt alle heeer.‹ Und hintenrum wennst mit einem redest, wissens genau, was Sache is. Wider bestes Wissen und Gewissen, sag ich. Ganz linke Hund sind das. Und deppert sind's auch. Die können doch keinen Touristen von einem Flüchtling unterscheiden.« Fatou rutschte einen Zentimeter näher. Sie wollte nichts verpassen. »Dein Sozi-Bruder hat doch an Vogel. Dass der da noch mitmacht. Hast ihm noch keine Vernunft beibringen können?«

Der Angeklagte erwiderte aufgeregt: »Da kann doch ich nix dafür, was mein Bruder macht!«

»Mit seinem albernen ... Dings!«, schimpfte der erste weiter. »Da woaß ma ja gar nimmer, was schlimmer is, a Moschee oder a rote Burg. A Schand' is'!«

»Geh, Franzl, dein Blutdruck«, sagte der Anführer.

»Kenny«, sagte Fatou. Ihre Zunge war pelzig. Ihre Gedanken rasten. »Was ist Niederwieser von Beruf?«

Kenny lachte. »Bulle. Hauptkommissar oder so was, jedenfalls ziemlich weit oben, aber nur am Schreibtisch. Auf jeden Fall unkündbar. Wieso?«

Fatous Zunge fühlte sich an wie ein Stück Sandpapier. Sie fuhr durch einen Tunnel. Ihre Hand auf der Tischplatte war alles, was sie sehen konnte. Darum herum war alles kreisförmig verschwommen. Die Zahnräder in ihrem Kopf hatten sie ganz in Beschlag genommen. Sie knüpften Verbindungen, streckten sich, fanden zusammen, lösten sich wieder. Wie ein großer schwerer Vorhang, der sich ruckelig aufzog, präsentierte sich ihr die Lösung des Puzzles. Sie vergaß, zu atmen. Ihr Herz klopfte wie wild. »Fatou? Geht's dir gut? Es war doch kein Alkohol drin?«, fragte Grace. Sie spürte ihre

Hand auf dem Arm. Sie sah Mamadou, der sie freundlich und besorgt betrachtete. Kenny machte eine Wischbewegung mit der Handfläche vor ihrem Gesicht. Sie stand auf. »Ich muss nur mal kurz ... wohin«, sagte sie.

»Ich komme mit«, sagte Grace.

Fatou ging voran, dem Schild nach, die Treppe hinunter in das WC. »Was ist los?«, fragte Grace.

»Gleich«, sagte Fatou und schloss sich in einer Kabine ein. Sie musste nachdenken. Sich versichern, dass ihre Gedanken ihr keinen Streich spielten. Sie musste sich ganz sicher sein, sicher zu sein.

»Hast du das gehört?«, sagte sie schließlich zu Grace, die sich die Hände wusch. »Was?«

»Was die am Stammtisch gesagt haben.«

»Ja, klar, das hören wir doch ständig. *Die Touristen* hier, *die Flüchtlinge* da, *Überfremdung* blablabla. Da schalte ich ab. Sonst ist es schlecht für die Nerven. Solltest du auch mal tun.«

»Du hast nicht zugehört?«, sagte Fatou.

»Nein«, sagte Grace. »Das sag ich doch. Es ist nicht gut für dich. Jetzt haben sie dich so aufgeregt, was bringt dir das?«

Als sie die Treppe heraufkamen, stand Kenny auf, um sie wieder an ihre Plätze rutschen zu lassen. Doch Fatou blieb stehen. »Es tut mir leid«, sagte sie. »Ich muss gehen. Ich hab ... was erfahren.« Die Runde nickte verständnisvoll.

»Pfefferminztee hilft immer. Mach dir einen zu Hause«, sagte Ismael. Fatou verabschiedete sich von ihnen und legte Geld für ihren Anteil der Rechnung auf den Tisch. »Kann ich euch beide kurz alleine sprechen?«, fragte sie Grace und Kenny.

Sie kamen mit ihr nach draußen. Fatou sah sich um. Es war ihr schon zur Gewohnheit geworden. Sie hoffte, dass das Gefühl, dass ihr jemand folgte, sie in naher Zukunft wieder verlassen würde. »Was ist los, was hast du denn genau gehört?« Grace hielt ihre Handtasche wie eine Waffe. Fatous Gedanken verschränkten und überkreuzten sich. Sie versuchte, etwas zu sagen, was zusammenhängend klang. »Kenny, warum hast du mir das nicht früher gesagt?«

»Was?«

»Dass Niederwieser Polizist ist.«

»Du hast mich nie danach gefragt. Ich dachte, du weißt das. Alle wissen das in Altötting.« Fatou ärgerte sich über sich selbst.

»Was ist mit dem?«, sagte Grace.

Fatou holte tief Luft. »Ich glaube, jetzt weiß ich, also ich bin sicher, dass ...« Es machte keinen Sinn, um den heißen Brei herum zu reden. »Die Männer am Stammtisch haben gerade gesagt, dass ›die Sozis‹ eine ›Rote Burg‹ statt einer Moschee wollen. Versteht ihr? Das ist das, was Orhans Projekt torpediert hat! Das Modell, das wir im Burschenschaftshaus gesehen haben. Es ist ein Projekt von Niederwieser.«

Grace machte ein skeptisches Gesicht. »Die SPD würde sich doch nicht mit der Burschenschaft zusammentun!«

»Sie haben es schon«, sagte Fatou. »Hintenrum. Brandl hat früher schon städtische Bauvorhaben als Architekt gemacht, und das soll sein nächstes werden. Die Burschenschaft braucht dabei gar nicht *offiziell* mit im Boot zu sein, solange der Fechtverband davon profitiert und sonstige Sportabteilungen, in denen Burschenschaftler den Ton angeben. Es ist nicht offiziell ein Projekt von der SPD und der Superia, sondern eines von Niederwieser und Brandl. Und von Pater Simone.« Ihre Benebeltheit von vorhin wich der Erleichterung, dass das Bild sich nun endlich zusammensetzte. Sie war konzentriert und alles lag klar vor ihr. »Es ist folgendermaßen: Niederwieser und Simone wollen unbedingt dieses groß geförderte Projekt, in dem sie die Chefs sind und das tun können, was ihnen am liebsten ist. Der eine für seine Jusos und der andere für seine Fußballtrainings. In ihrer eigenen Millionen teuren Einrichtung. Der große Wurf! Nur waren sie damit zu spät. Orhans Verein hatte schon die Empfehlung von der Stadt bekommen. Also diskreditieren sie ihn, billig, aber wirkungsvoll. Die schlechten Pseudo-Terror-Graffitis haben dafür ausgereicht. Sie haben nur einen Vorwand gebraucht, damit die Begünstigung von der Stadt sich dreht. Orhans Projekt hat genug Feinde und Niederwieser genug Schmiergeld. So haben sie Orhans Verein ausgebootet. Brandl hat sich darum gekümmert, dass irgendeinen armer naiver Burschenschaftsanwärter die Kapelle ansprüht.« »Wie kommen ein Pfarrer und ein SPDler ausgerechnet auf die Idee, jemanden wie Brandl mit ins Boot zu holen?«, fragte Grace.

»Als oberer Burschenschaftler und Architekt hat er wahrscheinlich Kontakte, die Niederwieser und Simone nicht haben, und andersherum«, sagte Fatou.

»Kann ich mir schon vorstellen«, sagte Kenny. »Für so einen Antrag brauchen sie das Modell, eine professionelle Kalkulation, Baupläne und alles. Sie können Brandl angeboten haben, dass er der Architekt wird, wenn er ihnen hilft, das Projekt durchzudrücken.«

»Es ist die perfekte Kombination«, sagte Fatou. »Einer bei der Polizei, einer bei der Kirche und einer bei der Burschenschaft. Der Altöttinger Monster-Klüngel ...«

»... den kein Mensch vermutet«, sagte Grace.

»Martin schmiert also die Kapelle an«, fuhr Fatou fort, »und bekommt hinterher Angst vor der eigenen Courage. Er gerät in Panik und will verraten, wer ihn angestiftet hat. Brandl schnappt ihn sich und droht ihm, dass er seiner kleinen Schwester etwas antun wird, wenn er nicht still hält. Als ich in der Kapelle war, habe ich Martin dort gesehen, wie er gerade mit Simone darüber geredet hat. Er war verzweifelt. Simone hat auf ihn eingeredet, dass er Ruhe bewahren soll. Danach kam Brandl rein.« Fatou schauderte bei dem Gedanken daran, wie er sie angesehen hatte. Sie würde es ihm heimzahlen, ihm und seiner ganzen Bande.

»Verdammt«, sagte Kenny. »Das ergibt alles Sinn.«

»Es ist genau so, wie ich schon vor Tagen vermutet habe«, sagte Fatou. »Nur die letzten Puzzleteile haben noch gefehlt. Und ich weiß jetzt, was mit Sophie passiert ist.«

»Hat Brandl sie verschleppt? Das Schwein!«, sagte Kenny. Fatou musste bei dem Gedanken schlucken und sich fassen.

»Nein«, sagte Fatou. »Simone und Martin haben sie zusammen weggebracht, um sie aus der Schusslinie zu bringen.« Deshalb waren sie so sehr dahinter gewesen, dass sie nicht mehr weiter ermittelte. Sie konnte Sophie damit versehentlich gefährden – wenn sie das Mädchen finden würde und sie damit plötzlich doch nicht mehr vor Brandl sicher wäre. Und deswegen hatte Pater Simone sie so penetrant beschwichtigt, dass wirklich alles in Ordnung sei und das Mädchen am Montag zurück kommen würde.

»Er hätte es anders ausgedrückt, wenn er nicht wirklich genau gewusst hätte, dass es stimmt«, sagte Fatou. »Vielleicht hat er die Entführung selbst organisiert! Damit Martin nicht mehr erpresst wird, und wahrscheinlich auch, damit er den Plan nicht noch mehr gefährdet.

Martin hat bei der Entführung mitgeholfen, damit Sophie in Sicherheit ist. Nur hat der Junge eins nicht bedacht: Wenn das Bauprojekt morgen vergeben wird und Sophie wie von Zauberhand plötzlich wieder zu Hause auftaucht, dann bleibt Martin weiterhin eine tickende Zeitbombe. Für Brandl ist die Sache dann gar nicht erledigt. Er muss immer noch sicher gehen, dass Martin still hält. Wenn herauskommt, dass er die Kapelle hat anschmieren lassen, ist es mit seiner Karriere in Bayern vorbei. Und für Niederwieser genauso.«

»Stellt euch vor, was aus ihm wird als Bürgermeisterkandidat, wenn Martin auspackt!«, sagte Kenny.

»Die Karrieren von allen Beteiligten würden den Bach runtergehen«, sagte Fatou. »Und ihr Ruf mit dazu. Also werden sie sichergehen, dass Martin auch zukünftig dicht hält. Versteht ihr? Das Gefährliche ist nicht, dass Sophie entführt wurde, sondern dass sie morgen zurück kommt.«

Sie sahen sich an. Ihnen stand das gleiche Entsetzen ins Gesicht geschrieben. Martin würde entweder weiter erpresst werden – oder er würde anderweitig zum Schweigen gebracht.

»Ich muss zu Simone, bevor was wirklich schlimmes passiert!«, sagte Fatou. »Er ist die einzige Chance, das aufzuhalten.«

»Ich bitte dich«, sagte Grace. »Doch nicht ausgerechnet zu dem!«

»Was bleibt mir denn anderes übrig?«, sagte Fatou. »Die Polizei wird mir nicht glauben. Ich muss Simone überzeugen, dass er es von sich aus beendet, bevor es zu spät ist. Wahrscheinlich ist ihm gar nicht klar, dass Martin in akuter Gefahr ist. Wahrscheinlich ist er so aufgeregt über das neue Projekt, dass er gar nicht so weit gedacht hat.« Grace machte ein missbilligendes Gesicht. »Er ist immer noch

Pfarrer«, sagte Fatou. »Und er hat ziemlich viel riskiert, um Sophie in Sicherheit zu bringen.«

»Oder um sein Projekt in Sicherheit zu bringen«, sagte Kenny. »Trotzdem ist er die einzige Chance«, sagte Fatou.

Sie hatte sich die ganze Zeit angestrengt, dahinter zu kommen, was in dieser verknoteten Angelegenheit genau vor sich ging. Sie hatte gedacht, dass alles gut werden würde, wenn sie nur der Polizei Beweise liefern konnte. Sie hatte sich enorm getäuscht. Jetzt konnte sie nur noch Simone selbst überzeugen.

»Das ist viel zu gefährlich«, sagte Grace. »Was er dir die ganze Zeit zeigen will, kann auch eine Falle sein. Er will vielleicht nicht Martin, sondern dich zum Schweigen bringen, hast du daran schon mal gedacht?«

»Ich glaube nicht, dass er so weit geht«, sagte Fatou.

»Und du willst es herausfinden, indem du alleine zu ihm reinmarschierst und einfach mal schaust, ob er dich als nächstes entführt oder nicht?«, sagte Grace. »Das kannst du vergessen. Wenn überhaupt, gehen wir da zusammen hin.« Sie hatte eine tiefe Furche zwischen den Augenbrauen.

Fatou schüttelte den Kopf. »Wenn er sich umzingelt vorkommt, macht er garantiert dicht. Ich muss ihm einreden, dass es seine eigene Idee ist, weil er ein guter Mensch ist und weil er nicht hat wissen können, wie skrupellos Brandl in Wirklichkeit ist.«

»Natürlich hat er das wissen können!«, sagte Grace. »Brandl ist ein Burschenschaftler!«

»Wenn du nicht willst, dass wir mit rein kommen, warten wir eben draußen«, sagte Kenny. »Niemand wird dich entführen, so viel ist mal sicher.«

»Danke«, sagte Fatou. Ihre Hand zückte das Handy, bevor sie sich dessen ganz bewusst war. War es wirklich die richtige

Vorgehensweise? Sollte sie sich nicht alles noch einmal in Ruhe überlegen? *Sophie hat keine Zeit, sich etwas in Ruhe zu überlegen*, meldete eine innere Stimme. Wenn sie jetzt zögerte und deshalb etwas passieren würde, dann würde sie sich das nie verzeihen. Sie wählte Simones Nummer. Er hob sofort ab. »Frau Fall. Gut, dass Sie endlich anrufen!«

Sie unterbrach ihn. »Ich hatte viel zu tun, Simone. Ist das, was Sie mir zeigen wollen, noch da?«

»Ja, natürlich.« Seine Stimme zitterte ganz leicht.

Er muss sich zusammenreißen, dachte Fatou.

»Wann können Sie kommen?«

»Sofort, wenn Sie Zeit haben.« Am anderen Ende der Leitung klickten statische Geräusche. »Oder lassen Sie uns sagen, in einer halben Stunde«, sagte Fatou. »Sie wollen sicher, dass Martin von Anfang an dabei ist.« Simones Atem klang wie eine Windböe, die im Hörer raschelte.

»Sind sie noch da?«, fragte Fatou.

»In einer halben Stunde«, wiederholte Simone. »Ich freue mich, Frau Fall.«

Fatou legte auf. Was für ein lausiger Lügner er war.

Sie verabredeten, dass Grace und Kenny sich auf dem Platz gleich bei der Kapelle aufhalten würden. Im Trubel der Wahlwerbestände würde es nicht auffallen, wenn sie einfach nur herumstanden. Sie würden den Kapelleneingang im Blick behalten und die Telefone eingeschaltet lassen, nur für den Fall. »Und ruft bitte Orhan an«, sagte Fatou. »Das geht ihn was an.«

***

Der kleine Bach plätscherte in der Mittagssonne. Fatou hielt eine Hand über ihre Augen, um nicht geblendet zu werden. Alles sah so ruhig aus. Es roch nach Feldern und Sommer. Sie betrachtete die Wiese um sich herum. Hier war sie mit den Mädchen nach der Kinovorstellung gewesen. Hier hatte sie mit zitternden Fingern den Drohbrief in ihrer Handtasche betastet und Simone angerufen. Die Tauben interessierten sich nicht für ihre Verfassung. Sie pickten in den Resten von Schokoriegelverpackungen und Chipstüten. Fatou hasste es, wenn ihr ungutes Bauchgefühl recht behielt. Es wäre ihr lieber gewesen, wenn alle sich danach richten würden, was das Beste war, oder zumindest danach, was logisch war. Ärger stieg in ihr auf. Was dachte sich Simone eigentlich? Dass sie einfältig war?

Sie dachte daran, dass sie Yesim versprochen hatte, nachmittags zurück zu sein. Etwas zog in ihrer Magengrube. Sie scheuchte es beiseite. Sie würde ihr Versprechen halten.

Von der Brauerei wehte leichter Malzgeruch herüber. Er mischte sich mit dem Geruch von sonntäglichem Grillgut. Keine Spur von Salz lag in der Luft, das Meer war weit entfernt. In ein oder zwei Tagen würde sie endlich wieder zuhause an der Elbe sein. Zuerst würden sie an die Landungsbrücken gehen, die aufgeregten Gesichter der Touristen ansehen und ein Fischbrötchen essen. Doch vorher hatte sie noch einen schweren Gang zu absolvieren. Sie setzte sich, um in Ruhe nachdenken zu können, bis die halbe Stunde vorbei war.

***

Die Nachmittagshitze hing über dem Stadtkern wie eine Decke aus Polyester. Der Asphalt der Bürgersteige, der Steinboden des Kapellplatzes und die Wände der Gebäude warfen die Hitze zurück. Sie hatten sie seit Wochen gespeichert und waren nicht bereit, noch mehr davon aufzunehmen. Windstille Schwüle legte sich in Fatous Brustkorb ab und machte sie kurzatmig. Sie konnte fühlen, wie ihre Bluse an ihrem Rücken klebte. Sie sah auf die Uhrzeitanzeige ihres Telefons und ging mit raschen Schritten. Grace, Kenny, Abadin, Mamadou und Ismael saßen auf Bänken am Stand der CSU. Anscheinend waren alle gekommen, um ihr den Rücken zu stärken. Dabei kannten sie sie kaum. Fatou empfand Stolz darüber, sie kennengelernt zu haben, und winkte ihnen zu. Sie winkten mit ernsten Mienen zurück. Um den Kreuzgang, den sie nicht mehr von nahem sehen wollte, machte sie einen Bogen. Einen Moment lang blieb sie vor der Tür zur Sakristei stehen und zwang sich, tief durchzuatmen. Ihr Herz klopfte. Sie klingelte.

Pater Simone öffnete. Er sah über ihren Kopf hinweg, über den Platz und in den Kapellengang. Seine Stirn war feucht. »Gut, dass sie zu mir gekommen sind«, sagte er. »Kommen Sie.« Das, was Fatou von außen für eine Sakristei gehalten hatte, stellte sich als Büro heraus. Darin war es genauso düster wie in der Kapelle. Schwere, dunkle Holzmöbel standen an den Wänden, und es roch nach abgestandenem Weihrauch. »Sind Sie ein Vampir?«, fragte Fatou.

»Bei der Hitze«, sagte Simone und rückte ihr einen Stuhl vor seinem Schreibtisch zurecht. Sie setzte sich und sah sich um. Die Tür auf der anderen Seite des Raums musste zur Sakristei führen.

»Wo ist Martin?«, fragte sie.

Ihr Handy vibrierte. Sie sah sich die neue Nachricht an, die Grace ihr geschickt hatte. »Martin kommt«, stand dort.

»Er muss jeden Moment hier sein«, sagte Simone. »Möchten Sie etwas trinken?« Fatou lehnte dankend ab.

Es klingelte an der Tür. Simone öffnete und ließ einen verschwitzten Martin herein, der trotz der Hitze eine dicke Sportjacke trug. Der Junge setzte sich auf einen Stuhl hinter Simones Schreibtisch. *Er ist schon oft hier gewesen,* dachte Fatou. *Er muss nicht mehr fragen, er fühlt sich ganz wie zu Hause.* Sein rechtes Bein wippte ruhelos auf und ab. »Willst du nicht Guten Tag sagen?«, fragte Simone.

»Hmlm«, murmelte Martin.

Simone ging zu einem verschnörkelt geschnitzten übergroßen Sekretär, der an der Wand stand, klappte ihn auf und holte einen Umschlag heraus. Als er ihn Fatou in die Hand gab, versuchte er, zu lächeln, aber sie konnte es nur seinen Zähnen ansehen. In seinen Augen lag keine Fröhlichkeit. *Er hat Angst,* dachte sie. »Bitte, lesen Sie«, sagte er fast flehentlich. Fatou fragte sich, wie lange er wohl noch im Zimmer herumstehen wollte. Der rosafarbene Umschlag war frankiert, geöffnet und mit der Zeichnung eines Elefanten verziert, der kleine Herzchen aus seinem Rüssel spuckte. Sie drehte ihn in der Hand und sah Simone an. »Lesen Sie!«, wiederholte er und setzte sich neben Martin. Sein Brustkorb hob und senkte sich sichtbar. Langsam öffnete sie den Umschlag.

»Liebe Mami, mir get es gud xxx«, stand dort mit Kugelschreiber in Kinderschrift geschrieben, neben zwei ungelenken Herzchen und dem Versuch einer Sonnenblume. Darunter stand etwas in kleiner, gedrungener Erwachsenenschrift.

Fatou hielt sich die Karte vor die Nase.

Sophie ist bei uns, wie wir ausgemacht hatten.
Es tut uns leid, dass du es vergessen hast, Anita. Wir bringen sie
am Montag zurück, wie wir besprochen haben. Mach dir keine
Sorgen.
Gute Besserung!

Die Unterschrift war nicht zu entziffern. Sie war absichtlich so geschrieben, dass der Name nicht zu lesen war.

Alles, aber einfach alles war faul an diesem Brief. Kein Mensch drückte sich so aus, außer Simone. Kein Mensch würde mit einem *Brief*, dem langsamstmöglichen Medium von allen, den Verdacht einer Kindesentführung entkräften. Kein Mensch würde auf so ... *amtliche* Weise versuchen, einen Gegenbeweis zu liefern. Sie würden ein Video schicken, anrufen, Sophie ans Telefon holen, sie einfach zurückbringen, alles Mögliche; nur keinen Brief schreiben.

Sie sah Simone an, der ein hölzernes Lächeln aufrechterhielt. Dann betrachtete sie noch einmal die Kinderschrift und Zeichnungen außen auf dem Umschlag. Diese waren echt. Ob sie von Sophie stammten, konnte sie nicht wissen. Sie hoffte es.

Sie steckte den Brief in ihre Tasche.

»Es war alles ein Missverständnis«, sagte Simone. »Es war mir wichtig, mit Ihnen zu sprechen und es Ihnen persönlich zu zeigen, damit Sie ganz beruhigt sein können.«

»Das hätten Sie mir auch am Telefon sagen können«, sagte Fatou.

»Wenn Sie es mit eigenen Augen gesehen haben, ist es etwas anderes«, sagte Simone. »Es ist außerdem ein vertraulicher Brief. Martin hat sich zuerst nicht getraut, ihn aufzumachen, weil er an seine Mutter adressiert war. Nicht wahr, Martin? Aber du hast es gut gemacht, dass du damit zu mir gekommen bist.«

Fatou seufzte. »Simone. Martin. Warum auch immer ihr euch dafür entschieden habt, Sophie fortzubringen. Ihr hattet eure Gründe. Jetzt ist es aber Zeit, sie schleunigst wieder zurückzubringen.«

Simone starrte sie an. »Was meinen Sie damit?« Seine Stimme klang belegt.

»Sie haben mich schon ganz richtig verstanden«, sagte Fatou. »Es war absolut unnötig, mir zu drohen. Dachten Sie wirklich, ich lasse Isabel im Stich?«

»Isabel? Ich weiß nicht, wovon Sie reden.« Nun sah er aufrichtig verwirrt aus. Fatou zögerte. Martin war inzwischen rot angelaufen. »Isabel ist fast umgekommen vor Sorge«, sagte Fatou. »Sie versucht gerade so sehr, sich zusammenzuhalten.« Sie dachte an all die Momente, in denen Isabel zu still, zu leise und zu beschwert auf sie gewirkt hatte. Als laste alles Gewicht der Welt auf ihren kleinen Schultern.

Simone machte nicht den Eindruck, dass er Fatou folgen konnte. Starr saß er hinter seinem Schreibtisch, mit schräger Kopfhaltung, wie ein großer Vogel, der gerade ein seltsames Geräusch gehört hatte. Sie stand auf und lehnte sich über die Tischplatte, bis sie seinen Atem hören konnte. »Jetzt hört ihr mir beide mal genau zu«, sagte sie. »Wir haben keine Zeit mehr. Sophie ist in Gefahr. Genau in diesem Moment, und mehr als zuvor.« Simone öffnete den Mund, um etwas zu sagen, aber Fatou sprach weiter. Es fiel ihr schwer, ihm nicht an die Gurgel zu springen. Sie musste sich daran erinnern, dass sie ihn nur überreden konnte, wenn er nicht dicht machte. Sie ließ die meisten

Vorwürfe und Schimpfwörter aus, so gut es ihr gelang, und redete eindringlich auf ihn ein.

»Es gibt also keinen Grund zur Annahme, dass Sophie in Sicherheit ist, sobald sie zurück kommt. Im Gegenteil!«, schloss sie. Simone sah ihr für einen Moment in die Augen. Sie konnte die Ader an seinem Hals pochen sehen. Martins rechtes Knie hüpfte weiter auf und ab wie ein Gummiball. Er zitterte jetzt. »Martin«, sagte Fatou. »Wir können es uns nicht leisten, abzuwarten. Wir können es uns nicht leisten, lange herumzudiskutieren. Und wir können es uns nicht leisten, dass ihr jetzt Schockstarre spielt!«

Martins Nase lief. Er wischte sich am Ärmel seiner Jacke ab. »Wir können es uns nicht leisten, dass ...«

»Ich weiß das doch!«, rief er. Fatou ließ die Tischkante los und setzte sich. Martin sah Simone an, mit einer Mischung aus Respekt und Verzweiflung. »Da, sie sagt das auch«, sagte Martin. »Ich mache auf jeden Fall was! Ich habe gedacht, du hilfst mir!«

»Ich habe dir immer geholfen«, sagte Simone. »Auch wenn es mir nicht leicht gefallen ist, habe ich dir immer geholfen.« *Ich muss hier einhaken*, dachte Fatou. *Genau hier. Bevor Simone wieder in seine Traumwelt zurück wandert, in der der gute Hirte seine Schäfchen über die Zäune wirft, die ihm gefallen.*

»Ihr müsst es der Polizei sagen. Sofort«, sagte sie. »Nicht den Laufburschen von Niederwieser, sondern der Landespolizei, meinetwegen dem LKA, irgendeiner Stelle, die unbeteiligt ist und schnell eingreifen kann, bevor Sophie oder Martin etwas passiert.«

Simone schüttelte den Kopf. »Es gibt keinen Grund, sich Sorgen zu machen«, sagte er.

Fatou fühlte, wie Adrenalin eine Welle in ihren Ohren rauschen ließ. »Wenn ihr nicht zur Polizei geht, tue ich es. Und ich bin nicht die Einzige. Es gibt mehrere Leute, die wissen, was abläuft.«

Simone schnaubte herrisch. »Was, mit dieser Räuberpistole?«, fragte er. »Ohne Beweise?«

»Ich habe den Brief«, sagte Fatou. »Das sollte als Beweis genügen. Anita ist vielleicht nervlich momentan nicht … die Stabilste. Aber sie wüsste schon noch, wem sie ihr kleines Kind eine Woche lang in Obhut gegeben hat.« Ihre Worte waren schneller gewesen als ihr Verstand. Die Bedeutung dessen, was sie gerade gesagt hatte, erreichte sie selbst erst mit einiger Verzögerung.

Sie stand auf. Es gab nun keinen Grund mehr, an Simone und Martin zu appellieren. Sie würde mit dem Brief sofort und direkt zum Landeskriminalamt gehen. Und Anita anrufen.

»Warten Sie«, sagte Simone. »Sie haben ja Recht.« Er seufzte. »Verstehen Sie doch bitte, dass es die einzige Möglichkeit war, das Mädchen in Sicherheit zu bringen. Aber nicht wir sind hier die Kriminellen.« Er sah sie an und zog seine Augenbrauen hoch. Fatou verstand. Sie sollte ihm Absolution erteilen, bevor er weitersprechen würde. Etwas anderes als Erpressung kannte er anscheinend wirklich nicht.

»Natürlich, Simone«, sagte sie. »Ihr wolltet sie beschützen. Und jetzt muss ich sie beschützen, denn ihr habt es euch anscheinend anders überlegt.«

»Das stimmt nicht!«, sagte Simone. Er knotete seine Finger ineinander. Wollte er sie hinhalten, oder wusste er tatsächlich etwas, das die Sache änderte? *Ich werde bis drei zählen*, dachte Fatou. *Eins, Zwei –*

»Das Mädchen ist nicht in Gefahr, und Martin auch nicht. Brandl hat … keine Handhabe mehr.« Er sah den Jungen an. »Ich habe mit Kilian gesprochen. Er stimmt mit mir überein, dass Christian Brandl nicht in unsere Philosophie passt.« Fatou erstarrte auf ihrem Weg zur Tür.

»Was?«, fragte Martin und sah Simone erschrocken an.

»Wir finden einen anderen Architekten. Ich gebe Ihnen Recht, Frau Fall, dass es zu einer unglücklichen Personalie gekommen ist. Aber verstehen Sie, was für eine nachhaltig positive Prägung eine Jugendsportstätte haben wird. Daran mitzuwirken, kann auch transformieren. Wer bin ich, um einem Menschen die Möglichkeit zu verwehren, auf den richtigen Weg zurück zu finden? Ich habe freilich nicht ahnen können, dass der Mann sich als … gewaltbereit herausstellt. Aber ich habe die Konsequenzen ja selber schon gezogen. Tun Sie, was Sie tun müssen, Frau Fall. Halten Sie mich aber nicht für naiv oder untätig.«

»Neinneinnein! Fuck. Shit!«, fluchte Martin gedämpft vor sich hin.

»Aber Martin!«, empörte sich Simone und murmelte ein Gebet. Fatou gefror das Blut in den Adern. Männer, die die Realität verleugneten und auf ihrer eigenen zusammenphantasierten Version bestanden, waren gefährlich. Das wusste sie aus Erfahrung. Wenn er wirklich so ungeschickt gewesen war, Niederwieser zu verkünden, dass Brandl aus dem Projekt entfernt werden sollte, hatte er alles wesentlich verschlimmert. Simone schien ihren Blick zu deuten. »Ich kann Kilian zu hundert Prozent vertrauen«, sagte er.

Martin stieß einen Laut der Empörung aus. Fatou schüttelte den Kopf und ging wortlos zur Tür. Ihr Handy vibrierte. Während sie die Klinke drückte, sah sie auf die neue Nachricht von Grace. »BRAN–«, weiter kam sie nicht. Die Tür flog auf und Fatou machte einen Satz zurück. Brandl knallte die Tür sofort wieder von innen zu. Er packte Fatou am Arm und schubste sie in die Mitte des Zimmers, bevor sie sich versehen konnte. Sein Griff schmerzte. Ihr Herz raste. Sie verfluchte, noch immer keinen Selbstverteidigungskurs belegt zu haben. »Was fällt dir ein?«, stieß sie hervor und trat nach ihm. Er wich einen Schritt zurück, hielt sie an beiden Armen fest auf Abstand und lachte sie aus. Dann ließ er den Blick über den Raum schweifen. »Ist ja entzückend«, sagte er. »Was wird das hier, Karneval in Rio? Wir müssen uns unterhalten, Simone. Unter vier Augen.« Fatou versuchte vergeblich, sich frei zu strampeln. Er wich ihr geschickt aus. »Lass mich sofort los!«, rief sie.

Simone war aufgestanden und hob beschwichtigend die Hände.

»Du solltest das Sakrament der Beichte ablegen«, sagte er und schien das für beschwichtigend zu halten. »Dabei können wir sprechen. Komm in einer Stunde wieder, jetzt ist keine Zeit dafür.«

Brandl sah Simone mitleidig an. »Ich glaub, du hast mich nicht ganz verstanden.« Mit nach vorne gerecktem Hals nahm er den Pater ins Visier. Seine Stimme wurde metallen. »Ich lass mir doch von euch nicht auf der Nase herumtanzen«, zischte er. »Du wirst –«

»Halt's Maul!«, rief Martin plötzlich. Fatou traute ihren Augen nicht. Der Junge hatte eine Pistole in der Hand. Die dicke Sportjacke: Sie hätte es erkennen müssen, richtig deuten müssen, zumindest in Erwägung ziehen müssen, dass Martin seine Lage genau verstand, und *darüber* in Panik verfallen war. Er zitterte am ganzen Körper und sah Brandl hasserfüllt an. *Er hat es kommen sehen*, dachte Fatou. *Er hat vorgesorgt*. Martin schloss für eine Sekunde die Augen und richtete die Waffe auf Brandls Kopf. Fatou spürte, wie der Griff, mit dem er ihre Unterarme festhielt, schwächer wurde. »Leg das Ding weg, Junge«, sagte er. Schweißperlen bildeten sich an seinem Hals. *Er wird mich nicht niederringen, während Martin mit der Pistole auf ihn zielt,* dachte sie. Sie befreite sich aus seinem Griff und holte aus, um ihm einen Schlag zu verpassen. Brandl ließ sie los und tat einen Schritt zurück. Sie hatte Mühe, das Gleichgewicht zu halten. Ein stechender Schmerz schoss ihr durch die Schulter. Beim Schwung des Schlags ins Leere hatte sie sich etwas gezerrt oder ausgerenkt. Sie spürte, wie ihre Lungen sich weiteten und ihr Oberkörper sich *kühl* anfühlte. Sie sah die Männer wie in Zeitlupe, wie sie sich gegenseitig belauerten. Unendliche Wut stieg in ihr auf, auf diese Ansammlung von Gestalten, die alle über Leichen zu gehen bereit waren, und die sie und eine ganze Stadt herumschubsen wollten. Sie war entschlossen, es sofort zu beenden. »Stehenbleiben!«, rief Martin. Panik lag in seiner Stimme. Langsam stocherte Fatou mit einem Fuß nach ihrem Handy, das ihr aus der Hand gefallen war, als Brandl sie gepackt hatte. »Stehenbleiben! Weg vom Telefon!«, schrie Martin und wedelte mit der Pistole. Fatou konnte hören, wie seine Zähne aufeinander stießen.

»Simone«, knurrte Brandl. »Sag deinem Schäfchen, er soll sofort das Teil weglegen. Er hat keine Vorstellung, wen er gerade provoziert.«

»Ruhe!«, rief Martin. Er hielt die Pistole jetzt mit beiden Händen. Seine Ellbogen waren nicht ganz durchgedrückt. »Ich hab mehr drauf als du. Das ist das Letzte, was du lernen wirst. Ironisch, oder?« Er warf einen kurzen Blick zu Fatou und winkte mit der Waffe. »Gehen Sie weg von der Tür!«, befahl er. Fatou war gleichzeitig fasziniert und entsetzt. Martin sah aus, als würde er es ernst meinen. Was hatte er vor? Simone sah zu Boden und bewegte lautlos seine Lippen. Martin drückte ab. Fatous Herzschlag setzte aus. Alles in ihr zog sich zusammen. Brandl sah Martin ungläubig an. Hinter ihm regneten Holzsplitter vom Loch herab, das wie eine aufgeplatzte Fleischwunde in der massiven Tür gähnte.

»Ich wollt nur mal sehen, was du für ein Gesicht machst«, sagte Martin. »Jetzt weiß ich es. Sag auf Wiedersehen, Christian.« Er richtete die Waffe wieder auf Brandls Kopf und atmete tief ein. *Er meint es so*, dachte Fatou. *Er wird ihn jeden Moment erschießen.* Sie rang mit sich. Es wäre nicht die schlechteste Lösung für sie persönlich. Sie verspürte keinerlei Mitleid mit Brandl. Sie konnte in ihm nicht den Schulfreund von früher wieder erkennen, sondern nur das hassverzerrte Gesicht seines Vaters. Solche Männer waren es, die die Welt zu einem kalten, gefährlichen Ort machten. Sie würde nicht trauern, wenn es einen weniger davon gab. Aber Isabel würde nicht darüber hinwegkommen, wenn ihr Bruder ein Mörder war.

»Stopp!«, rief sie. »Martin! Das wird Sophie nicht helfen!«

»Ruhe!«, rief Martin. Er ließ Brandl nicht aus den Augen.

»Leg die Waffe weg, Junge, sag ich«, zischte Brandl. Martin sah ihm direkt ins Gesicht.

»Mir kann keiner mehr drohen«, sagte er. »Dafür ist es zu spät. Immer wenn ihr an mich denkt, für den Rest eures Lebens, wisst ihr, dass ihr Mist gebaut und mich sowas von unterschätzt habt. Dann ist es zu spät, euch zu entschuldigen. Dann könnt ihr euch bei eurer eigenen Dummheit entschuldigen.« Fatou bekam Gänsehaut. Er hatte anscheinend nicht nur vor, Brandl zu erschießen, sondern auch sich selbst. *Wo bin ich nur hinein geraten*, dachte sie. *Ich muss es verhindern! Für Isabel.*

»Martin.« Simone sprach mit so leiser und sanfter Stimme, dass Fatou davon übel wurde. »Besinne dich. Du kannst dein Glück finden. Es steht dir noch Vieles offen, was du im Moment nur nicht siehst.«

»Mann!«, rief Martin. »Immer quatschen alle auf mich ein. Haltet doch mal den Mund! Ich muss mich konzentrieren!«

Fatous Handy vibrierte auf dem Fußboden. Sie überlegte fieberhaft. Sie musste etwas tun, schnell, sofort. Sie sah Brandl an. Sein Blick war wie versteinert. Wahrscheinlich war es ihm noch nie passiert, dass er in einem Raum die Kontrolle nicht hatte.

»Christian«, sagte Fatou. »Weißt du eigentlich noch, wie du damals in Mathe die Formel fürs Multiplizieren erfunden hast? Wir waren in fünf Minuten fertig. Frau Wiesner hat dich gelobt.« Er bewegte nur seine Augen und schielte sie misstrauisch an. »Und wie du im Sportunterricht auf deinem Schreibblock ausgerutscht bist, in der Turnhalle, und musstest dafür in der Ecke stehen. Und als dein Vater uns in deinem Zimmer –«

»Ruhe!«, rief Martin. »Was soll das? Was reden Sie? Seien Sie still!«

Fatou ging langsam auf Martin zu. Er konnte nur eine Person auf einmal bedrohen. Er musste sich entscheiden. Sie vertraute ihrem Instinkt, dass er sie nicht erschießen würde. Martin ließ die Pistole auf Brandls Kopf gerichtet.

»Christian und ich waren Schulfreunde in der ersten Klasse«, sagte Fatou. »Das ist dreißig Jahre her. Danach bin ich weggezogen. Ich konnte mich gar nicht mehr richtig an ihn erinnern. Und du, Christian?«

»Was?«, fragte Brandl heiser.

»Ja und?«, sagte Martin. »Deswegen ist er jetzt in Ordnung oder was? Das macht keinen Sinn. Bleiben Sie stehen!« Fatou war bei Martin angelangt. Sie stand schräg vor ihm. »Gehen Sie weg von mir! Lassen Sie mich!«, jammerte er.

Sie sah es zuerst an seinem Hals. Wie die Sehne bei einem gespannten Bogen. Als sie in die Schusslinie trat, wechselte sein Blick zwischen ihr und Brandl hin und her. Langsam streckte sie eine Hand aus. Die Zeit lief ihr davon. Sie glaubte, vor der Tür Stimmen zu hören. Doch sie musste ruhig bleiben. Die Sehne an Martins Hals hüpfte. Er schluckte. Seine Lippen zitterten. Die Spannung wich aus seinem Körper, während Fatou seine Hand berührte und ihm die Pistole abnahm. Er sackte auf dem Stuhl in sich zusammen. Spucketröpfchen klebten in seinem Mundwinkel. »Nicht!«, rief Simone. Fatou drehte sich um und richtete die Waffe auf Brandl, der gerade im Begriff war, einen Satz auf sie zu zu machen. Er wusste so gut wie sie, dass die Pistole entsichert war. »Heiligemariamuttergottes«, stieß Simone hervor. Die Waffe fühlte sich warm an in Fatous Hand. Sie ging um den Tisch herum. Alle drei Männer befanden sich gut in ihrem Blickfeld. »Simone, was hätten Sie gemacht am Montag, um Sophie wieder zurückzubringen? Was hätten Sie Anita erzählt?«

Er breitete die Hände aus wie bei einer Predigt. »Es hätte kein Problem gegeben«, sagte er. »Ich hätte es ihr erklärt. Sie hätte ihren Sohn nicht belasten wollen ... Sie hätte seine Zukunft nicht gefährdet.«

Fatou hatte den großen Wunsch, ihm den Hals umzudrehen. Etwas zuckte in Brandls Gesicht. »Keine Bewegung«, sagte sie und sah ihm tief in die Augen. Er hielt ihrem Blick nicht stand. »Was ist nur aus dir geworden, Christian«, sagte sie. Ihr Handy begann erneut zu vibrieren. »Grace« blinkte auf der Anzeige. Fatou ignorierte den stechenden Schmerz, der in ihre Schulter fuhr, als sie sich leicht zur linken Seite nach unten beugte. Mit ihrer rechten Hand hielt sie die Waffe weiter nach vorne gerichtet. Adrenalin schoss in ihren Kopf wie ein Cocktail, der sie gleichzeitig nüchtern und betrunken machte. Mit zitternden Fingern hob sie das Telefon auf und nahm den Anruf an. »Gottseidank«, sagte Grace. Sie klang aufgewühlt und besorgt. »Was ist da los bei euch drin? Bist du okay?«

»Ich bin okay«, sagte Fatou atemlos, »aber bleibt unbedingt von der Tür weg.« »Ich bin nicht vor der Tür, ich bin gegenüber auf dem Platz«, sagte Grace. »Wir haben die Tür nicht aus den Augen gelassen. Auf einmal kam die Polizei angefahren. Haufenweise Cops laufen hier herum. Es soll Schüsse gegeben haben. Anscheinend wollen sie stürmen. Sie können jeden Moment reinkommen!«

Das hatte noch gefehlt. Wenn die Polizei sie so sah, mit der Pistole in der Hand, würden sie sie sofort erschießen. Wenn sie die Pistole aber jetzt fallen ließ, würden Martin und Brandl sich auf sie stürzen und eine Katastrophe anrichten. Sie sah Brandl an, der nur darauf zu lauern schien, dass sie einen Fehler machte. Zahnrädchen in ihrem Kopf fanden sich, lösten sich, verdrehten sich ineinander und bildeten eine Suchmaschine. Das Ergebnis überraschte sie selbst. Es gab nur eine Sache, die sie tun konnte.

Fatou schickte ein Stoßgebet zur Schwarzen Madonna. *Lass mich nicht hängen, Sister. Mach, dass es funktioniert. Und drück ein Auge zu.*

»Grace?« Sie musste sich nicht mehr anstrengen, um bestimmt zu wirken. Sie hatte sich entschieden: Alles auf eine Karte. Es war die einzige, die sie hatte. Es war ihr egal, dass

Brandl, Martin und Simone sie hören konnten. Bevor sie bemerken würden, was sie vorhatte, würde es vorbei sein.

»Hör zu, Grace. Lass dein Handy angeschaltet. Gib mir unbedingt ein Zeichen in dem Moment, in dem sie reinkommen. So laut du kannst.«

»Okay«, sagte Grace.

Simone stand hinter seinem Schreibtisch, als wäre er festgefroren. »Frau Fall«, sagte er. »Ruhe!«, rief Fatou. Sie hielt das Handy an ihr Ohr geklemmt. Sie durfte Graces Kommando nicht verpassen. Während sie mit der Pistole auf Brandl zielte, hörte sie angestrengt auf das Telefon und zugleich auf den Kapellengang vor der Tür. Es war leise. Leiser als zuvor. Unnatürlich leise. »Jetzt!«, rief Grace schrill durch das Telefon. Fatou drehte sich schlagartig um und drückte Simone die Pistole in die Hand.

Die Tür flog so fest auf, dass sie gegen die Wand knallte. Kleine Holzsplitter lösten sich aus dem Einschussloch. Polizeibeamte mit Helmen und vorgehaltenen Pistolen stürmten herein. »Lassen Sie die Waffe fallen!«, brüllte einer der Vorderen. Über Simones Stirn tanzte ein roter Punkt.

Fatou trat über die Schwelle. Das grelle Tageslicht blendete sie. »Verhaften Sie ihn! Den anderen!«, hörte sie Martin hinter sich kreischen.

Ein behelmter Polizist kam auf sie zu. »Sind Sie verletzt?«, fragte er und wollte sie am Arm fassen. Sie wich ihm aus.

»Ich bin unverletzt«, sagte Fatou.

»Sie müssen hier sofort weg«, sagte der Polizist.

»Ich weiß«, sagte sie. Sie bewegte sich langsam vom Eingang der Kapelle fort.

»Das reicht nicht«, drängte sie der Polizist aufgeregt. »Kommen Sie mit hinter die Absperrung.«

»Ich bin Architekt!«, brüllte Brandl von drinnen. »Ihr wisst nicht, mit wem ihr es zu tun habt!«

»Den sollten sie fesseln«, sagte Fatou. »Der ist gefährlich.«

Eine blecherne Stimme rief ihren Namen. Grace war immer noch am Telefon. Während sie sich von dem Beamten zu einem Polizeibus lotsen ließ, hob Fatou ihr Handy ans Ohr. »Ich kann dich sehen!«, rief Grace. »Wir sind hier drüben!« Sie winkte ihr. Hinter der Absperrung hatten sich Schaulustige versammelt. Fatou bat Grace, zu ihr zu kommen und legte auf.

»Sie können gleich miteinander reden, nachdem Sie Ihre Zeugenaussage gemacht haben«, sagte der Polizist, als Grace, Kenny, Abadin, Ismael, Mamadou und Orhan eintrafen, Fatou umarmten und Dankesgebete in verschiedensten Sprachen aufsagten. Fatou sah den Polizisten an. Er musste ein Örtlicher sein, sonst wäre er nicht bei der ersten Einheit dabei gewesen, die eingetroffen war. Mit ihm würde sie nicht in einen Polizeibus gehen und auch nicht aufs Revier.

Er zog die Tür des grünen Polizeibusses auf. Darin befanden sich ein Tisch und zwei Bänke. »Wir brauchen Ihre Aussage«, sagte er und winkte einen Kollegen herbei. »Ihre Personalien bitte.« »Einen Moment«, sagte Fatou. »Ich glaube, ich habe einen Schock. Da drin ist geschossen worden. Ich bin wohl doch verletzt. Meine Schulter fühlt sich an, als sei sie ... mein Kreislauf ... holen Sie mir einen Krankenwagen!«

»Ist eh schon unterwegs«, sagte der Polizist mit zusammengebissenen Zähnen. »Dann müssen Sie sich bis dahin setzen und die Decke hier umhaben«, sagte er und reichte ihr eine Plane.

»Ich stehe lieber«, sagte Fatou. Sie wandte sich an Grace. »Könnt ihr Niederwieser und Piekow irgendwie heranschaffen, so schnell es geht?«

»Oh«, machte Grace.

»Die haben Wahlparties«, sagte Kenny.

»Das ist gut. Wir sagen ihnen, dass es eine Schießerei an der Kapelle gegeben hat, und dass sie als Bürgermeisterkandidaten Gesicht zeigen müssen«, schlug Abadin vor.

»Bringt alle Presseleute mit, die bei ihnen sind!«, sagte Fatou. Kenny grinste diabolisch.

»Okay«, sagte Grace. »Ismael und Mamadou, wir gehen zu Niederwieser. Kenny, Abadin, Orhan, ihr geht zu Piekow ins Rathaus. Nein, warte, Orhan, du bleibst besser hier.« Orhan sah den Polizisten an, dann Fatou. Er verschränkte die Arme und stellte sich zwischen sie. »Auf geht's«, sagte Grace.

Ein Krankenwagen kam herangefahren und hielt neben dem Polizeiauto. »Hey«, wandte sich Orhan an Fatou, »verrätst du mir eigentlich mal, was passiert ist?«

»Gleich«, erwiderte sie. »Wenn alle da sind.«

Während der Sanitäter ihr den Verband anlegte, sah sie immer wieder ungeduldig über seine Schulter zur Kapelle. Brandl, Martin und Simone wurden gerade hinausgeführt. Vermutlich würden sie gleich in aller Seelenruhe eine erlogene Geschichte erzählen, die sie alle absolut unschuldig dastehen ließ. Oder sie würden sich gegenseitig beschuldigen und letztlich alle mit einem blauen Auge davon kommen. Außer Martin, der war für sein Leben gestraft. Er würde keinen Tag mehr verbringen, ohne Angst haben zu müssen, dass Brandl sich an ihm rächen würde. Fatou hoffte inständig, dass es die Anspannung war, die ihn vorhin dazu getrieben hatte, zu drohen, Brandl und sich selbst zu erschießen.

Dass er nur ein Ventil für seinen Druck gebraucht hatte. Dass er nicht *wirklich* den Wunsch verspürte, sich umzubringen.

»Frau Johnson!« Hans Piekow scheuchte die Männer, die ihn begleiteten, aus dem Weg. »Eine Schießerei soll hier gewesen sein? Was ist passiert? Geht es Ihnen gut?«

»Den Umständen entsprechend«, sagte Fatou. Piekow sah ehrlich besorgt aus. Fatou hielt ihm zugute, dass er anscheinend ohne zu zögern aus dem Rathaus gekommen war. Der Polizist hob zackig die gestreckten Finger seiner Hand an die Schläfe zum Gruß.

»Ich bin Ihnen eine Erklärung schuldig«, sagte Fatou. »Ich bin nicht Miss Johnson.«

»Wie?«, fragte Piekow. Hinter ihm kamen Kenny und Abadin mit einer Handvoll Menschen im Gefolge herangetrabt. »Bitte sagen Sie mir, was hier passiert ist«, sagte Piekow zum Polizisten. Die Presse hinter ihm zückte Handys, Fotoapparate und Aufnahmegeräte. Kenny hob den Daumen. »Was soll das werden?«, sagte der Polizist.

»Hören Sie gut zu«, sagte Fatou mit lauter Stimme. »Ich mache jetzt meine Aussage. In der Kapelle wurde gerade mit einer Pistole geschossen. Ich war Zeugin.«

»Wer hat geschossen?«, rief ein Reporter. »Hat es Tote gegeben? Verletzte?«

»Es war eine Pistole im Spiel«, sagte Fatou. »Sie wurde benutzt, aber Alhamdulillah ist nur eine Tür kaputt gegangen. Körperlich wurde, so weit ich mitbekommen habe, niemand verletzt.«

»Wer hat geschossen?«, fragte der Reporter noch einmal. Fatou hielt inne und überlegte. Ob Simone die Pistole auf sich nehmen würde, um bei Martin etwas wieder gut zu machen, ob er den Jungen ans Messer liefern würde, ob beide zusammen Brandl beschuldigen würden oder einander gegenseitig, das sollte der Club der Heuchler selbst verhandeln. Bis sie ihre polizeiliche Aussage machen würde, in ein paar Tagen oder Wochen, sollten sie ruhig schmoren. Die örtliche Presse inbegriffen.

Fatou gab Piekow und der versammelten Presse zu Protokoll, wie die Ereignisse sich zugetragen hatten. Dass sie zu Simone und Martin gegangen war, um sie zu warnen und zum Aufgeben zu bewegen. Dass der örtliche Pfarrer mit der örtlichen Burschenschaft und dem örtlichen Bürgermeisterkandidaten, der hochrangiger Polizeibeamter war, ein verwerfliches Komplott gebildet hatte. Sie erklärte die Intrige und schilderte, dass Simone und Martin Sophie entführt und die Angelegenheit vertuscht hatten – für ein millionenschweres Bauprojekt und ihre persönlichen Karrierewünsche. »Habt ihr euch nie gefragt, warum die Polizei keine Ergebnisse liefert und das Mädchen nicht mit allen Mitteln sucht? Es hätte euch auffallen müssen. Es wäre euer Job gewesen, nachzuforschen, nicht meiner!« Zwei Reporter, die mit ausgestreckten Armen Diktiergeräte vor sich hielten, nickten eifrig. Fatou sah den Polizisten an, der neben ihr stand. Er hatte hektische Flecken über seinen rötlichen Augenbrauen, und Schweiß lief ihm über die Schläfen. »Unter diesen Umständen werden Sie sicher verstehen, dass es in meinem Interesse ist, dass sehr viele Leute anwesend sind, während ich gegenüber der örtlichen Polizei meine Aussage mache«, sagte Fatou.

Piekow schüttelte den Kopf. »Nichts für ungut, Frau Johnson, aber das kann ich nicht glauben.«

»Fragen Sie Ihren Konkurrenten doch selbst«, sagte Fatou. »Da hinten kommt er.«

Ein äußerst grantig dreinblickender Kilian Niederwieser schob sich die Absperrung entlang. Alles an seiner

Körpersprache drückte aus, dass er nicht hier sein wollte. Er sah sich immer wieder um und hielt sich an Grace fest. Mamadou joggte zu Fatou. »Erh«, sagte er und beugte sich verschwörerisch zu ihr herab. »Niedwiener oder wie er heißt … er ist … *angetrunken*.«

»Hier!«, rief Fatou und winkte ihn heran.

Die Presseleute drehten sich um, mitsamt ihren Kameras und Handys. Niederwieser setzte ein Bein vor das andere, während eine Kraft aus seinem Inneren ihn in die Gegenrichtung zu ziehen schien. Schon hatte die Presse ihn umzingelt. Einige der Schaulustigen waren dazu gekommen. Der Polizist sah sich nervös um. Seine Kollegen waren mit Simone, Martin und Brandl beschäftigt. Er ging ein paar Schritte und sprach in sein Funkgerät. Niederwieser wippte, wohl um von seinen Gleichgewichtsproblemen abzulenken, und atmete eine leichte Sektfahne in die hochsommerliche Schwüle. »Kilian«, sagte Piekow. »Es werden gerade schwere Vorwürfe gegen dich erhoben. Nicht nur gegen dich. Es klingt etwas abstrus. Kannst du was dazu sagen, als Polizist, warum in dem Entführungsfall noch keine Ergebnisse da sind?«

»Entf– ach, was!«, sagte Niederwieser. »Freilich. Das war ja gar keine Entführung. Sondern ein Missverständnis. Die Mutter von der Kleinen ist … verwirrt. Sie hat vergessen, dass das Mädel in den Ferien bei Bekannten war. Tragisch ist es schon, es geht aber allen gut.«

»Das stimmt nicht«, sagte Fatou. »Wir haben eine Aufnahme von den Entführern. Hören Sie.« Sie öffnete die Aufzeichnungsapp ihres Handys und spielte die Nachricht der Roboterstimme ab. Niederwiesers jovialer Gesichtsausdruck verzerrte sich. »Wisst ihr«, lenkte er ein, »also … ein Familienmitglied ist … tatverdächtig. Wir können nichts darüber sagen. Die Ermittlungen … nicht gefährden. Dafür habt ihr mich aber nicht vom Wahlkampf geholt, oder was? Wart ihr schon wählen? Für soziale Veränderung in Altötting!«

Selber sozialverändert, dachte Fatou und sagte laut: »Das ist nicht, was passiert ist! Stimmt es etwa nicht, dass ihr vor ein paar Tagen, kurz vor der Geldervergabe, ein Bauprojekt bei der EU eingereicht habt?«

»Ich? I wo«, sagte Niederwieser. Piekow sah ihn mit offenem Mund an.

»Jetzt tu nicht so unschuldig!«, sagte Orhan. Sein Schnurrbart bebte. »Natürlich habt ihr ein Bauprojekt eingereicht. Obwohl die muslimische Gemeinde es schon zugesagt bekommen hat. Ihr seid eine verlogene …« Er ballte die Fäuste und sprach es nicht aus.

»Drüben im Superia-Haus«, sagte Fatou. Die Leute von der Presse wandten sich ihr zu. Niederwieser sah Fatou an, als würde er sie eigenhändig erwürgen, sollte er je Gelegenheit dazu haben.

Fatou sprach unbeeindruckt weiter: »Im Obergeschoss steht das Modell für das neue Jugendsportzentrum. Wenn ihr nett fragt, könnt ihr es euch bestimmt alle ansehen. Oder ihr geht zur Baubehörde, oder welche Behörde auch immer das Projekt schon an die EU weitergereicht hat. Der Antrag ist kein Geheimnis. Das Projekt ist ja öffentlich.«

Piekow wischte sich mit einem hellblau-weiß karierten Stofftaschentuch die Stirn. »Das kann gar nicht sein!«, empörte er sich. »Welche EU-Förderungen die Stadt unterstützt, wird gemeinschaftlich im Stadtrat entschieden.«

»Gemeinschaftlich?«, zischte Niederwieser. »Dass ich nicht lache! Auf Gutsherren-Art, meinst du. Ich bin schon länger im Stadtrat als du! Was die CSU will, wird gemacht, und wenn's keine Mehrheit gibt, geht alles so lang hintenrum, bis es trotzdem gemacht wird. Alleinherrschaft ist das! Und ich schau mir das nicht mehr länger an! Wir lassen uns nicht mehr … von euch … dass ihr jetzt auch noch auf den politisch korrekten Multikulti-Zug aufspringt! Eine Moschee in Altötting! Das ist doch … das ist doch …« Er fuchtelte mit den Armen herum. Sein Kopf war rot angelaufen. Die Menge raunte und filmte. Piekow tat einen Schritt von ihm zurück. »Bloß, weil ihr euer Image polieren wollt!«, schimpfte Niederwieser weiter. »Durchschaubar ist das! Und gefährlich! Wir prägen die Jugendarbeit hier schon viel länger als ihr!«

Wenn es in einen Streit ausartet, wer im Ort am längsten Jugendarbeit betreibt, wird ihn die Burschenschaft gewinnen, dachte Fatou. Die Presse machte sich eifrig Notizen und Piekow schüttelte den Kopf. Er sah mehr enttäuscht aus als wütend, fand sie.

Sie wandte sich an den Polizisten. »Kümmert euch jetzt endlich um das entführte Mädchen!«, forderte sie. »Pater Simone weiß, wo sie ist. Wenn ihr auch nur ein Haar gekrümmt wurde, werde ich euch dafür verantwortlich machen!« Sie schrieb ihre Adresse und Telefonnummer in Hamburg auf und gab sie dem Beamten. »Hier. Wenn ich als Zeugin geladen werde. Demnächst fahre ich nämlich nach Hamburg zurück.« Sie wandte sich wieder an die Presse. »Ich muss jetzt gehen. Nur noch ein Tipp an Sie: In Norddeutschland lesen wir so was gerne in der Klatschpresse. ›Polizei deckt fremdenfeindliche Provinz-Posse‹ zum Beispiel. Oder ›Polizei in Bayern vertuscht Kindesentführung‹. Bieten Sie Ihre Artikel ruhig auch in Hamburg an; verdienen Sie sich was dazu.«

Hans Piekow sah mit starrem Blick in den Himmel. Er würde wohl noch eine Weile brauchen, um zu verdauen, dass er in seiner Stadt nicht so sehr auf dem Laufenden war, wie er dachte. »Glückwunsch zur Wiederwahl«, sagte Fatou zu ihm und schüttelte seine Hand. Sie fühlte sich an wie ein warmer Klumpen Lehm.

»Warten Sie«, rief eine Reporterin. »Wie heißen Sie?« Fatou zögerte nicht. Sie würden es sowieso erfahren, denn die Gerichtsverhandlung würde mit Sicherheit öffentlich sein. Sie würde ein Detektivbüro eröffnen und konnte dafür Werbung gebrauchen. »Ich bin Fatou Fall«, sagte sie. »Privatdetektivin aus Hamburg.«

Als die Aufmerksamkeit der Menge sich von ihr ab- und Niederwieser zuwandte, fand sie ins Hier und Jetzt zurück. Als würde sie einen Raumanzug abstreifen, der ihr Polsterung verliehen, aber auch ihre Wahrnehmung eingeschränkt hatte. Ihre Schulter pochte. *Yesim*, dachte sie. *Ich muss sie anrufen.* Womöglich hatten sie schon etwas über die Schießerei im Radio gehört und machte sich Sorgen.

Während Grace und Kenny Fatou umarmten und ihr auf den Rücken klopften, rief sie bei Tante Hortensia an. Sie sah über den Kapellplatz. In irgendeinem Polizeiauto saß jetzt Pater Simone. Sie würde noch lange brauchen, um über seine verkorkste Vorstellung von Moral hinwegzukommen.

***

Dass eine Pistole im Spiel gewesen war, entschädigte Yesim dafür, dass sie so lange hingehalten worden war. »War die echt?«, fragte sie zum vierten Mal, während sie aufgewärmte Pfannkuchen kaute.

»Geh«, ermahnte sie Tante Hortensia. Mit vollem Mund wurde in diesem Haushalt nicht gesprochen, Schusswaffen hin oder her. Fatou beschrieb zum vierten Mal, wie das Holz durch den Schuss von der Tür gesplittert war, und Yesim quietschte vor Aufregung. In Fatous Erzählung war sie selbst zu keiner Zeit in Gefahr und Martin ihr Beschützer vor dem gefährlichen Mann von der Burschenschaft gewesen. Sie hatten einen Streit, keine Geiselnahme, und Pater Simone war kein krimineller Waschlappen, sondern ein echter Tollpatsch. Es fiel ihr leicht, stellte sie fest. Die Version erlaubte fröhliche Übertreibungen und würde keine von ihnen verstören. *Jetzt noch nicht*, dachte sie. Dass sich auf Yesim und Isabel in diesem Moment keine Ängste übertrugen, war wichtiger. Die Kinder verlangten noch einmal die Schilderung von den fiesen Kerlen, die die Rechnung ohne Fatou gemacht hatten. Hortensia schimpfte dazwischen über die verkommenen Politiker, faulen Polizisten und nichtsnutzigen Kirchenvertreter im Allgemeinen. Yesim war aufgeregt, weil ihre Mutter jetzt eine richtige Detektivin war. Isabel durfte hoffen, dass Sophie in Sicherheit war.

Die Nacht hindurch hatte sie kein Auge zugetan. Sie hatte im Bett gelegen und dabei zugesehen, wie das Blau vor dem Fenster heller wurde. Sie hatte die Pistole noch in der Hand gespürt. Sie konnte nicht aufhören, daran zu denken, dass die Polizei sie um ein Haar so angetroffen hätte. Hätte Grace sie nicht gewarnt, hätte sie erschossen werden können. Es war sogar sehr wahrscheinlich. Sie hätten es auf Nothilfe geschoben, auf Widerstand gegen die Staatsgewalt, auf irgendetwas. Für die Presse und Öffentlichkeit hätte es sich von selbst verstanden: Die gefährliche Naturgewalt war nicht anders zu bändigen gewesen. Die ›tapferen Beamten‹ wären nicht ins Gefängnis gekommen, nicht einmal strafversetzt worden. Ihre Kollegen hätten ihnen auf die Schultern geklopft. Wenn es Nachfragen gegeben hätte, die auf Polizeibrutalität abzielten, hätten Stadt und Polizei geschlossen hinter den Beamten gestanden und sie als wehrlose Opfer einer Schmutzkampagne bezeichnet. Die gute Ordnung wäre wiederhergestellt worden. Während sie sich hin und her wälzte, wechselten ihre Gedanken und Gefühle sprunghaft zwischen Terror, Erleichterung und einer tiefen Dankbarkeit gegenüber Grace. Sie wurde Brandls Gesicht nicht los. Sie trauerte um den Schulfreund, der er gewesen war, und darüber, dass sie ihn gleich zweimal verloren hatte. Auch Martins Gesicht erschien vor ihrem inneren Auge. Wie er den Abzug gedrückt hatte. Wie er gezittert hatte. Wie er zu allem bereit gewesen war. Sie hoffte inständig, dass er sich wieder einkriegen und nicht noch mehr Kummer in seiner Familie verbreiten würde. Wortfetzen dröhnten in ihrem Kopf wie eine Aufnahme, die zurückgespult und immer wieder abgespielt wurde. Sie hörte sich in ihrer eigenen Stimme sprechen. Martins kleine Schwester ... Martins kleine Schwester ... Martin wird erpresst ... Sie drohen ihm .... dass sie seiner kleinen Schwester etwas antun ... Martins kleine Schwester muss in Sicherheit gebracht werden... Gerade als ihre Erschöpfung fast über die Aufgewühltheit gesiegt hatte und ihre Augen endlich schwer wurden, schreckte sie hoch und war schlagartig hellwach.

»Ich passe auf Isabel auf«, hatte Martin gesagt. Damals, als sie ihn in seinem Kinderzimmer zur Rede gestellt hatte. Isabel war auch Martins kleine Schwester! Vielleicht hatte Brandl sie gemeint!

Martin und Simone hatten es nicht wissen können. Sie hatten nur Sophie aus der Schusslinie gebracht und Isabel mehr oder minder im Stich gelassen.

Fatou unterdrückte die Flüche und Wutschreie, die in ihr aufstiegen. Die Tränen brannten auf ihren Wangen. Sie raschelte mit dem Kopfkissen, damit die Mädchen sie nicht weinen hören würden, falls sie aufwachten.

***

Mit einer langen Dusche wusch sie sich in das Funktionieren zurück. Sie würde sich daran gewöhnen müssen, so wie sie sich an Kaufhausdiebe gewöhnt hatte. Sie würde eine Hornhaut entwickeln. Und darauf acht geben, dass sie selbst dabei nicht abstumpfte. Sie hatte das schon oft zustandegebracht.Das Telefon klingelte. Isabel lief in den Flur und hob ab. »Hier bei Fideltaler?« Ihre Stimme klang wie die erste Strophe eines Triumphgesangs, klar, bestimmt und voller Hoffnung. »Ja, ich bin dran«, sagte sie. Fatou und Yesim gingen zu ihr hinüber. »Ja«, sagte Isabel von Zeit zu Zeit. Die Stimme, die durch den altmodischen Telefonhörer drang und nicht zu verstehen war, quakte langsam und machte viele Pausen. Alle standen um Isabel herum und warteten gespannt. »Ich geb sie Ihnen«, sagte sie und reichte Fatou den Telefonhörer.

»Fall«, sagte Fatou. »Wer ist da?«

»Polizeirat Hartl mein Name. Ich bin Inspektionsleiter bei der Altöttinger Polizei. Dem Mädchen habe ich's grad schon erzählt, extra wegen Ihnen bin ich aus dem Urlaub zurück gekommen. Wie geht's Ihnen?« Fatou antwortete nicht. »Mir geht's auch nicht anders«, sagte der Mann. »Ich mein, da fährt man kurz weg und auf einmal kommen irgendwelche Chaoten und vandalisieren unser Wallfahrtsheiligtum und dann noch eine Kindsentführung, und ich kann Ihnen sagen, da werd ich einiges zu verantworten haben, obwohl ich gar nicht da war, aber als Vorgesetzter geht es um meinen Kopf im Prinzip ... es ist ja kein Geheimnis, steht ja schon im Internet ... früher hat man wenigstens noch einen Tag Ruhe gehabt, bis die Zeitungen gedruckt waren, heutzutag' erscheint alles sofort. Man kann sich praktisch gar nicht mehr selber einen Eindruck machen. Jedenfalls soll ich Ihnen ausrichten, im Namen von Herrn Piekow, dass wir die Vorkommnisse lückenlos aufklären werden und gewisse ... ungesetzmäßige Aktivitäten selbstverständlich rückhaltlos verfolgen. Und ich persönlich darf noch hinzufügen, dass ich hoffe, dass Sie das bei Ihren zukünftigen Aussagen berücksichtigen. Zwei Beamte werden zu Ihnen nach Hamburg kommen und Sie dort als Zeugin vernehmen. Weil Sie ja morgen schon abreisen, wie ich gehört habe.«

»Was haben Sie Isabel gerade gesagt?«, sagte Fatou.

»Ach so, ja«, sagte Hartl, »also, die kleine Sophie haben wir heute früh zurückgefahren. Sie sollte jeden Moment bei ihrer Mutter ankommen. Sie ist in einer Feriengruppe für Kinder gewesen. Die Betreuer waren aus dem Bekanntenkreis vom Pater Simone. Dem Mädchen ist es da gut ergangen, sie war unter vielen anderen Kindern.«

»Na, dann geben wir dem Pater doch einen Jugendschutzorden«, sagte Fatou.

»Und Ihre Vormundschaft für Isabel ist jetzt beendet«, sagte Hartl. Er erklärte ihr, dass Anita mit Sophie und Isabel eine betreute Wohnung beziehen würde. Isabel würde allerdings die Schule wechseln müssen. Fatou diskutierte nicht mit ihm. Sie hatte nicht die Energie dafür, und er war der falsche Gesprächspartner. »Sie hat Sie als angehörige Kontaktperson eingetragen, deswegen darf ich offen mit Ihnen sprechen«, sagte er.

Fatou brauchte einen Moment, um den Inhalt des Satzes zu verstehen. »Mich?« Sie sagte es mehr zu sich selbst als zu Hartl. Sie war sich unsicher, ob sie das dreist oder nur verzweifelt fand. Wie so Vieles an Anita. »Es muss ja nicht für immer sein«, sagte Hartl. Als er einen unorganisierten Versuch machte, noch einmal das Thema auf die »Einzelpersonen«

zu bringen, die »absolut untypisch für die solide Altöttinger Polizeiarbeit« seien, legte sie auf.

Isabel sah gleichzeitig glücklich und besorgt aus. Sie hüpfte auf einem Bein. Fatou konnte ihr ansehen, dass sie nicht wusste, wohin mit ihrer Energie und den vielen Informationen und Veränderungen in der Zukunft.

»Was ist denn jetzt? Sagt ihr mir auch mal, was jetzt ist?«, drängelte Yesim. Fatou sah Isabel an, dann Tante Hortensia, dann ihre Tochter. Alle warteten gespannt. Sie ging vor Isabel in die Hocke. »Was ich dich jetzt frage, musst du unbedingt zu hundert Prozent ehrlich beantworten. Nicht, um mir einen Gefallen zu tun. Auch nicht, um Yesim einen Gefallen zu tun, und auch nicht, um Anita einen Gefallen zu tun. Das ist ganz wichtig, okay?«

»Okay«, sagte Isabel.

»Ihr werdet in eine neue Wohnung ziehen«, sagte Fatou.

»Ja, das hat der Mann am Telefon gerade gesagt. Ich komm dann auf eine neue Schule.«

»Hundert Prozent ehrlich: Willst du die Schule wechseln oder macht dich der Gedanke traurig?« Isabel sah Fatou an, als habe sie gerade etwas Komisches gesagt.

»Hauptsache, ich bin wieder bei Mama«, sagte sie. »Das mit der Schule ist nicht so schlimm.«

Fatou streichelte ihr über den Kopf. Dann gab es jetzt nur noch eine Sache zu tun.

***

Anita weinte. Ihre Stimme verzerrte im Telefonhörer. Fatou wurde schwindelig. »Denk bitte nichts Schlechtes von mir. Mir war einfach alles zu viel. Wenn ich damals in die Zukunft hätte schauen können ...« Fatou riss sich zusammen. Sie mochte sie einfach nicht. Sie würde sich kein schlechtes Gewissen mehr deswegen machen. »Weil sie da keine Ganztagsschule haben«, schluchzte Anita. »Ich kann höchstens den Martin bitten, auf sie aufzupassen, aber er ist ja selbst erst siebzehn.« Fatou schnappte nach Luft. »Ich meine, wir haben eine Haushaltshilfe, so lang ich in der Reha bin, aber was ist danach?«

»Anita«, sagte Fatou. Das hatte zu weich geklungen. Zu zugewandt. Sie räusperte sich, damit ihre Stimme klarer klang. Damit Anita verstand, dass es nicht darum ging, ihr einen Gefallen zu tun. »Isabel muss morgen Vormittag ein Handy von dir bekommen. Immer in den Ferien schickst du sie zu uns nach Neuötting, wenn wir zu Besuch kommen. Wenn wir nicht hierher zu Besuch kommen, lässt du sie mindestens zweimal im Jahr zu uns nach Hamburg fahren, wenn sie das will. Zu Grace darf sie gehen, so oft sie möchte, und wenn das jeden Tag ist, dann ist das jeden Tag. Wenn Isabel Schwierigkeiten hat in der Schule oder mit Freundinnen... « *Oder weil sie keine Freundinnen hat, weil du dich nicht darum gekümmert hast*, dachte sie, »und du weißt nicht, was du tun sollst, soll sie mich anrufen, Tag oder Nacht, ganz egal. Du stellst mir eine Vollmacht aus und informierst ihre neue Schule entsprechend. Und wenn ich höre, dass Martin auch nur fünf Minuten lang mit Isabel alleine in einem Raum ist, lernst du mich kennen, und das Jugendamt dazu.«

»Mei«, sagte Anita. »Aber er hat das doch gar nicht mit Absicht gemacht. Nur weil er bei einem Bubenstreich mit–«

»Hast du das verstanden?«, bellte Fatou in den Hörer.

»Meinetwegen«, sagte Anita. »Wenn du unbedingt willst.«

***

Tante Hortensia brachte Eistee auf den Balkon. »So, die Damen – und die Frau Detektivin«, sagte sie, während sie das Tablett abstellte. »Wenn ihr so weit seid mit euren Planungen, sagt mir Bescheid. Aber wischt euch vorher die Hände ab.« Den Nachmittag würden sie im Haus der Stephans verbringen und alles für Sophies und Anitas Rückkehr dekorieren. Auch, wenn es nur für kurze Zeit sein würde. Die Mädchen wollten den Anlass gebührend feiern, und Fatou fand, dass sie recht hatten. Seufzend setzte sich Hortensia auf die Couch im schattigeren Wohnzimmer. »Ich geh heut nicht mit rüber, sei mir nicht bös«, sagte sie und legte die Beine hoch. Fatou nahm die leichte Baumwolldecke und breitete sie ihr so über die Füße, wie sie es gerne hatte. »Wenn du was brauchst, sag es mir«, sagte Fatou. »Du bist nicht die Einzige, die den Weg in die Küche kennt, weißt du?«

Hortensia lächelte. »Ich bin die Einzige, die keinen Saustall drin anrichtet. Wenn du dich unbedingt bewegen willst, hol mir das hellblaue Fotoalbum.« Fatou wusste genau, von welchem sie sprach. Es war das letzte Jahr, in dem sie noch alle zusammen gewesen waren. Das Jahr, bevor Fatous Mutter weggezogen war, wie Tante Hortensia es nannte. Sie strich über den wattierten Einband.

»Wir können Yesim reinholen«, sagte Hortensia. »Sie hat sich doch gewünscht, dass wir es zusammen anschauen.«

Fatou zögerte. »Ich will nicht, dass Isabel sich ausgeschlossen fühlt«, sagte sie.

»Geh«, sagte Hortensia. »Wenn sie sich davon ausgeschlossen fühlt, dass ihre zweite Familie früher mal noch mehr Familienmitglieder gehabt hat, muss sie aber schleunigst robuster werden.« Ein Schwall Wärme floss durch Fatous Brust.

»Yesim, Isa, kommt mal!«, rief sie auf den Balkon hinaus.

In Graces Wohnzimmer war ein Buffet an Tee, Obst und Keksen aufgebaut. Sie übergab Fatou eine »Survival-Tüte«, in der sich regionale Limonaden, Brezeln und eine Schneekugel mit der Gnadenkapelle befanden. »Damit du uns nicht vergisst und bald wiederkommst«, sagte sie. Fatou war gerührt und nahm sich vor, in ihrer Wohnung einen Ehrenplatz für das kitschige Teil zu finden. »Hast du schon in die Zeitung gesehen?« Fatou schüttelte den Kopf. »Gut«, sagte Grace. »Belass es dabei. Sonst regst du dich nur auf. Ich habe mich dermaßen aufgeregt. ›Einzeltäter‹, bla bla, ich habe schon mit Orhan telefoniert. Wir gehen zum Piekow und verlangen ein Programm gegen die Radikalisierung christlicher Jugendlicher.« Fatou sah aus dem Fenster. Sie würde Grace unendlich vermissen. Und sie hoffte, dass die Beklemmungen bis zu ihrem nächsten Besuch in Altötting verschwunden sein würden.

»Kannst du es glauben?«, sagte sie. »Dass Simone gebilligt hat, dass Niederwieser einen Typen auf mich ansetzt, der mich verfolgt und bespitzelt?«

»Ja, das ist krass«, sagte Grace. »Als Pfarrer. Glaubst du eigentlich, dass er vorher gewusst hat, dass seine Kapelle angesprüht wird?« Fatou wusste genau, worauf sie mit dieser Frage hinaus wollte. Wie viel oder wenig war Simone wenigstens innerhalb seiner eigenen Grundsätze aufrichtig?

»Weißt du,«, sagte Fatou, »damit sollte ich mich nicht mehr beschäftigen. Es ist nicht gut für mich. Das wäre gedankliche Energieverschwendung. Es gibt wichtigere Dinge.«

»Stimmt«, sagte Grace und sah Fatou ein bisschen so von der Seite an, als sei sie erstaunt.

»Vielleicht hat er versucht, aus mir herauszubekommen, was ich gesehen habe. Als er mich im Café so vollgetextet hat«, sagte Fatou. »Aber es macht wirklich keinen Unterschied. Er hat es gebilligt, als es passiert war, und er hat zu dem rassistischen Komplott gehalten.«

»Zum Monster-Klüngel«, sagte Grace und goss sich in ihre Tasse nach. Der herbe Kinkeliba-Tee roch nach Frühstück und Sanddünen. »Trink noch einen«, sagte sie. »Der gibt dir Energie für die lange Fahrt. Bist du sicher, dass du nicht noch einen Tag länger bleiben willst?«

Fatou lächelte. Sie war ein bisschen stolz, dass Grace der Abschied ebenso schwer fiel wie ihr. Sie würde fahren und Grace wusste es. »Ich muss gleich los«, sagte sie. »In zehn Minuten. Keine Sorge, ich fahre ganz langsam, auf der rechten Spur.« Sie trank einen Schluck, um nicht weitersprechen zu müssen. Sie hasste Abschiede. Nie fand sie die richtigen Worte. Sie hatte Grace so viel zu sagen, dass sie nicht wusste, wo sie anfangen sollte. Es würde pathetisch klingen, überdramatisch, weinerlich, zu kitschig oder nicht liebevoll genug. Immer wieder ging sie im Kopf verschiedene Formulierungen durch. Immer wieder verwarf sie alle. Sie klangen wie Floskeln. »Grace, was du für mich getan hast … ich meine, nicht nur für mich, sondern auch mit mir … also, schon für mich, aber, du weißt schon …«

Grace lachte laut auf. »Wir machen das so«, sagte sie. »Erstmal rufst du mich an, dass ihr gut angekommen seid.

Und dann schreibst du das, was du mir sagen willst, in einem Brief. Es ist nicht zum Aushalten, wie du dich quälst.«

Fatou räusperte sich. »Sag bitte Kenny Danke für alles. Und Orhan. Und Mamadou.«

»Und Ismael und Abadin, ist schon klar. Das mache ich. Jetzt tu nicht so, als wärst du aus der Welt. Es gibt Telefon und Internet. Und wenn du mal wieder deine Tante besuchen kommst, kannst du allen ein alkoholfreies Bier ausgeben.« Fatou wünschte sich, mehr so zu sein wie sie. So locker und gleichzeitig verbindlich, und weise, und – cool.

»Wie machst du das eigentlich?«, fragte sie. »Die ganze Vereinsarbeit. Dass du so viel Verantwortung übernimmst für Dinge, an denen du nicht schuld bist.«

»Ich bin damit ja nicht allein«, sagte Grace. »Du hast sie kennengelernt. Sie sind die Besten.« Grace strahlte offensichtlich, wenn sie nur an ihre Gruppe dachte. Oder sie dachte an Kenny und strahlte deswegen.

»Ich würde gern auf Isabel aufpassen«, sagte Fatou.

»Hältst du zu ihr Kontakt?«, fragte Grace.

»Darauf kannst du Gift nehmen. Sie soll auf eine neue Schule kommen.« Sie musste sich bemühen, nicht in Tränen auszubrechen. Von allen furchtbaren Situationen und Vorkommnissen der letzten Tage fühlte sich diese Entscheidung für sie am schlimmsten an.

»Hey«, sagte Grace. *Jetzt wird sie sagen, dass ich mich zusammennehmen soll. Dass es weitaus schlimmere Schicksale gibt*, dachte Fatou. Grace nahm ihre Hand. »Ich bin doch da. Sie ist ein tolles Mädchen. Es gibt ein paar Kinder in ihrem Alter, die unbegleitet gekommen sind. Sie können sich bestimmt gegenseitig viel beibringen.« Grace hatte nun ebenfalls Tränen in den Augen. »Ich kann auch mal in ihre Schule gehen und was erklären, falls es Schwierigkeiten gibt. So lange sie nicht dauerhaft bei mir einzieht und dann ihr Zimmer nicht aufräumt, tu ich das sehr gerne. Mache ich für die anderen Kids sowieso auch.« Fatou waren endgültig die Worte ausgegangen. Sie umarmten sich lange. Sie bemerkte, dass sie Grace durch ihren Schulterverband gar nicht richtig spüren konnte, aber das war nicht schlimm. Es würde heilen.

***

Sie drehte »Young Right Now« von Rihanna lauter, obwohl sie sich nicht jung fühlte, sondern reif für eine Kur in einem Thermalbad, mit geblümten Badekappen und anderen müden Menschen, denen die Knochen schmerzten. Auf der Autobahn würde sie wegen des Fahrtwinds die Fenster schließen müssen, auch wenn sie verhältnismäßig langsam fuhr. Sie hielt ihren linken Arm ins Freie und zog ihn wieder ein, als ein Insekt an ihrer Hand abprallte.

Die Verabschiedungen waren furchtbar gewesen. Isabel hatte sich verständlicherweise aufgeregt und durcheinander gezeigt, und Tante Hortensias Versuch, ihre Tränen als Schnupfen zu tarnen, hatte nicht funktioniert. Fatou hatte gefühlte hundertmal versprochen, dass sie zum nächstmöglichen Ferienzeitpunkt nach Neuötting zurückkehren würden. Alle hatten sich verlegen angesehen und einander nicht gesagt, wie viel sie sich bedeuteten. Stattdessen hatten sie über Schokoladeneis geschwärmt, über das Wetter gesprochen und das allgegenwärtige Thema der Landtags- und Bürgermeisterwahl ignoriert wie den schmutzigen Rand einer ansonsten tadellosen Tischdecke.

Isabel und Yesim hatten bei der Verabschiedung so sehr geweint und sich so umklammert, dass es Fatou fast das

Herz gebrochen hatte. Danach war Yesim durch die Wohnung geschlichen wie ein Zombie, bis Tante Hortensia sie mit alten Fotoalben auf andere Gedanken brachte.

»Mama, kann ich mein Handy jetzt schon haben, nächste Woche, nicht erst im September?«, sagte Yesim mit einer Kleinkindstimme, von der sie wohl hoffte, dass sie unwiderstehlich niedlich klang. Fatou stellte das Radio leiser.

»Ich denk drüber nach.«

»Isabel bekommt bestimmt eins. Dann können wir immer Whatsapp machen und jeden Tag reden.« Fatou lächelte mit Pokerface in den Rückspiegel. Sie wollte nicht, dass Yesim bemerkte, wie gut ihre Erpressung funktionierte.

»Jetzt bist du Privatdetektivin wie im Fernsehen«, sagte Yesim. »Nur, dass du das peinliche Dings an der Schulter hast.« Fatou nahm das zweifelhafte Kompliment gerne an. Alles, was Yesim stolz auf sie machte, war ihr willkommen. Sie fuhr die Fensterscheibe hoch und schaltete die Lüftung ein. Seit sie den kurzen Afro trug, gab es keine Strähne mehr, die sie sich aus der Stirn pusten konnte. Sie kämmte sich stattdessen mit großer Geste über die Schläfe. Es fühlte sich gut an.

~

Vielen Dank, dass Sie sich die Zeit genommen haben, dieses Buch zu lesen. Bitte ziehen Sie in Betracht, eine kurze Rezension auf einem Buchportal oder in einem Onlinebuchhandel zu veröffentlichen. Leserezensionen unterstützen Autor_innen und helfen Leser_innen, die auf der Suche nach für sie relevanten Büchern sind.

Danksagung

Danke an die Communities und Menschen, die sich dafür einsetzen, dass sich was verändert. Danke an meine Familien, Freund_innen, Tom für seelischen Beistand, Geduld und life support. Danke an alle, die mich und/oder meine Arbeit unterstützt haben. Danke an den Mob fürs Weiteratmen [-helfen]. Danke an Lukas für accountability-Teammitgliedschaft, Dramaturgielektorat, Rechtsabteilung, Abteilung für überflüssige Dopplungsabteilung sowie die Übernahme Süddeutschlands. Danke an Yesim und Fatou für die Erlaubnis, ihre Namen zu verwenden. Danke an die Testleser_innen für euer so wichtiges Feedback. Danke an die q[lit]*clgn, das relevantere der beiden ähnlichlautenden Kölner Literaturfestivals. Danke an Judith fürs Auftauchen, gute Vibes beim Lektorat und Korrektorat sowie für den Versuch, ortografische Konventionen vor mir zu retten. Seltsame Satzgebilde sowie Interpunktionskirmes gehen auf meine Kappe.

Verbeugung

Vor den Umständen, die mir die Möglichkeit gegeben haben, diese Arbeit zu tun, vor den Vorfahr_innen und vor den lieben Verstorbenen, die hoffentlich nichts dagegen haben, dass sie als Vorlagen für Romanfiguren verwendet wurden. Vor meinen Lehrer_innen und vor allen, auf deren Schultern ich stehe.

Die Autorin

Noah Sow, geboren und aufgewachsen in Bayern, ist eine der bekanntesten Bürgerrechtlerinnen Deutschlands. Ihre vielseitigen Arbeiten verbinden Pop, Wissenschaft, Kunst, Literatur und Widerstand. Ihre Texte, Analysen und Praxis finden Einfluss in Medien, Kulturpolitik und Wissenschaft in Europa und den USA.

Noah Sows Buch *Deutschland Schwarz Weiß* wurde zum Standard in der Diskussion und Lehre über strukturellen Rassismus in Deutschland.

Webseite: www.noahsow.de

Beste Geschenk-Idee:

Noah Sow (Hrsg.): Deutscher Humor

leeres Buch (Notizbuch), 100 Seiten

Deutscher Humor
Softcover Buch & E-book
ISBN 978-3-7386-1973-7

German Humour
The English Version
Buch und e-book
ISBN 978-3-7386-2046-7

In jeder Buchhandlung bestellbar.

www.noahsow.de/deutscherhumor